빠른시작

빠작

중학 국어 **한자 어휘**

❙ 중학 국어 빠작 시리즈

비문학 독해 0, 1, 2, 3 ❙ 독해력과 어휘력을 함께 키우는 독해 기본서

문학 독해 1, 2, 3 ❙ 필수 작품을 통해 문학 독해력을 기르는 독해 기본서

문학x비문학 독해 1, 2, 3 ❙ 문학 독해력과 비문학 독해력을 함께 키우는 독해 기본서

고전 문학 독해 ❙ 필수 작품을 통해 고전 문학 독해력을 기르는 독해 기본서

어휘 1, 2, 3 ❙ 내신과 수능의 기초를 마련하는 중학 어휘 기본서

한자 어휘 ❙ 한자를 통해 중학 국어 필수 어휘를 배우는 한자 어휘 기본서

첫 문법 ❙ 중학 국어 문법을 쉽게 익히는 문법 입문서

문법 ❙ 풍부한 문제로 문법 개념을 정리하는 문법서

서술형 쓰기 ❙ 유형으로 익히는 실전 tip 중심의 서술형 실전서

❙ 이 책을 쓰신 선생님

이은영(상현중)

빠른시작
빠
작

중학 국어 **한자 어휘**

차 례

구성과 특징

✔ **2015 개정 중학교 1~3학년 국어 교과서를 바탕**으로 한자 어휘를 엄선하였습니다.
✔ 한자를 중심으로 해당 한자가 포함된 어휘를 제시하여 **효율적인 학습**이 가능하도록 하였습니다.
✔ **학교 내신과 수능 국어의 기초**를 쌓을 수 있는 종합 문제를 제공하여, 실전에 대비할 수 있도록 하였습니다.

1️⃣ 한자 어휘 익히기 회차별로 약 5개의 한자로 묶인 어휘를 익힙니다.

• **한자 어휘** 한자의 뜻을 알면 해당 한자가 포함된 어휘의 의미를 이해하기 쉽게 구성하였습니다.

• **어휘 풀이** 눈에 띄는 색감을 활용하여 어휘의 주요 뜻을 쉽게 기억할 수 있도록 하고, 유의어(유), 반의어(반), 연관 어휘(➕) 등을 함께 학습할 수 있도록 하였습니다.

• **예시 문장** 예문 속 빈칸에 해당 어휘를 직접 따라 쓰며 실제 문장에서의 쓰임을 놓치지 않고 익히도록 하였습니다.

2️⃣ 한자 성어 및 확인 문제 주제별 한자 성어를 익힌 후 문제를 통해 앞에서 익힌 어휘의 이해 정도를 확인합니다.

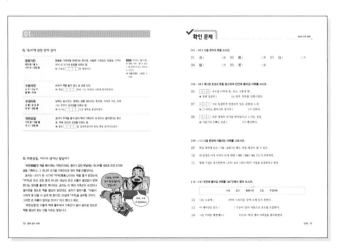

• **한자 성어** 주제별 한자 성어를 제시하고, 관련된 옛이야기나 실생활 속 예시를 그림과 함께 소개하였습니다.

• **확인 문제** 다양한 형태의 확인 문제를 풀며 한자 어휘를 복습하는 동시에 문장 속에서의 쓰임에 익숙해지도록 하였습니다.

3 **종합 문제** 6회분 어휘를 종합한 문제를 풀며 실전에 대비하는 어휘력을 기릅니다.

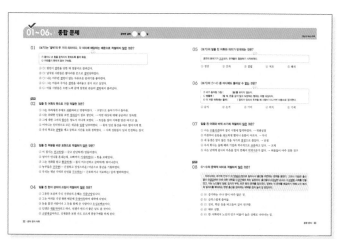

- **내신 대비** 학교 시험에 나오는 문제 유형을 풀며 내신에 대비할 수 있도록 하였습니다.

- **고난도 문제** 수능 기출을 응용한 고난도 문제를 통해 수능에서 출제되는 어휘 문제의 유형을 접할 수 있게 하였습니다.

책 속의 책

어휘력 다지기

본책에서 학습한 어휘를 복습하며
어휘력을 확실하게 다집니다.

정답과 해설

정답 해설과 오답 풀이를 읽으며
어휘 학습을 빈틈없이 완성합니다.

1 **학습 계획을 세우고, 꾸준히 공부하자!**

매일 20~30분씩 학습하면 6주에 학습을 마칠 수 있도록 구성된 책이다.
주 2회 이상 어휘 공부를 하는 것으로 학습 계획을 세워서 꾸준히 공부하자.

2 **한자의 뜻을 보며 어휘의 의미를 익히자!**

한자어가 많은 우리말, 한자의 뜻을 보면서 어휘의 의미를 익혀 보자.
어휘의 의미가 더욱 잘 이해될 것이다.

3 **예문 속 빈칸에 어휘를 쓰자!**

예문의 빈칸에 해당 어휘를 직접 쓰면서 어휘의 실제 쓰임을 이해하자.

4 **유의어, 반의어, 연관 어휘까지 챙기자!**

표제어 옆에 제시된 유의어, 반의어, 연관 어휘도 함께 읽어 보며 어휘력을 높이자.

5 **주제별로 구분된 한자 성어를 기억하자!**

한자 성어는 주제별로 구분하여 키워드를 제시하였다.
키워드를 기억하며 머릿속에 차곡차곡 정리해 두자.

6 **확인 문제를 풀고 난 뒤 복습이 필요한 어휘는 바로 다시 공부하자!**

의미를 정확히 이해하지 못한 어휘는 다시 돌아가 뜻풀이와 예문을 읽으며 복습하자.

7 **종합 문제를 풀고 난 뒤 해설을 꼭 확인하자!**

틀린 문제는 왜 틀렸는지 해설을 확인하여 유사한 문제가 출제되었을 때 틀리지 않도록 대비하자.

8 **어휘력 다지기를 잘 활용하자!**

본책에서 학습한 어휘를 다시 한번 점검하기 위해 어휘력 다지기를 꼭 풀어 보자.
점검 결과에 따라 기억할 어휘를 체크하여 본책을 복습하자.

☑ 학습 점검표 학습한 날짜를 기록하면서 자신의 학습 현황을 점검해 보자.

회차	본책	어휘력 다지기	기억할 어휘	회차	본책	어휘력 다지기	기억할 어휘
01회	/	/		19회	/	/	
02회	/	/		20회	/	/	
03회	/	/		21회	/	/	
04회	/	/		22회	/	/	
05회	/	/		23회	/	/	
06회	/	/		24회	/	/	
07회	/	/		25회	/	/	
08회	/	/		26회	/	/	
09회	/	/		27회	/	/	
10회	/	/		28회	/	/	
11회	/	/		29회	/	/	
12회	/	/		30회	/	/	
13회	/	/		31회	/	/	
14회	/	/		32회	/	/	
15회	/	/		33회	/	/	
16회	/	/		34회	/	/	
17회	/	/		35회	/	/	
18회	/	/		36회	/	/	

✔ 기억할 어휘를 반드시 복습하여 어휘 학습을 빈틈없이 완성하자!

가(加) 더하다

가담
더할 加 │ 짊어질 擔

같은 편이 되어 일을 함께 하거나 도움.
예 연장전에서는 모든 선수가 공격에 ☐☐하였다.

가세
더할 加 │ 세력 勢

힘을 보태거나 거듦.
예 많은 학생의 ☐☐로 토론의 열기가 뜨거워졌다.

가속화
더할 加 │ 빠를 速 │ 될 化

속도를 더하게 됨. 또는 그렇게 함.
예 경제 개발의 ☐☐☐는 환경 오염이라는 부작용을 낳았다.

> **더 알기** '−화(化)'는 '그렇게 만들거나 됨'을 의미한다.
> 예 기계화(機械化), 자동화(自動化)

가중
더할 加 │ 무거울 重

「1」 부담이나 고통 등을 더 크게 하거나 어려운 상태를 심해지게 함.
예 불법 주차 때문에 시민들의 불편이 ☐☐되었다.
「2」 여러 번 죄를 저지르거나 같은 죄를 거듭하여 저지를 때, 형벌을 무겁게 하는 일.
예 교통 법규를 자주 위반하면 ☐☐ 처벌을 받는다.

> **반** 경감(輕減): 부담이나 고통 등을 덜어서 가볍게 함.

감(感) 느끼다

감수성
느낄 感 │ 받을 受 │ 성질 性

외부 세계의 자극을 받아들이고 느끼는 성질.
예 나는 ☐☐☐이 풍부해서 책을 읽으면서 눈물을 잘 흘린다.

> **더 알기** '−성(性)'은 '그런 성질'을 의미한다.
> 예 유연성(柔軟性), 적극성(積極性)

감지
느낄 感 │ 알 知

느끼어 앎.
예 이 기계는 사람의 동작을 ☐☐하여 작동한다.

> ➕ 인지(認知): 자극을 받아들이고, 저장하고, 끌어내는 일련의 정신 과정.

민감
재빠를 敏 │ 느낄 感

자극에 빠르게 반응을 보이거나 쉽게 영향을 받음. 또는 그런 상태.
예 그는 냄새에 매우 ☐☐하다.

> ➕ 둔감(鈍感): 무딘 감정이나 감각.

유대감
맺을 紐 │ 띠(끈) 帶 │ 느낄 感

서로 밀접하게 연결되어 있는 공통된 느낌.
예 아기는 태어나면서부터 엄마와 정서적 ☐☐☐을 형성한다.

> **더 알기** '−감(感)'은 '그런 느낌'을 의미한다.
> 예 생동감(生動感)

강(強) 강하다

| 강세
강할 強 \| 세력 勢 | 「1」 강한 세력이나 기세.
예 우리나라는 구기 종목에서 □□를 보인다.
「2」 물가나 주가 등의 시세가 올라가는 기세.
예 어려운 경제 상황에서도 달러화의 □□가 이어지고 있다.
「3」 연속된 음성에서 어떤 부분을 강하게 발음하는 일.
예 영어 단어는 같은 철자라도 □□의 위치에 따라 뜻이 다르다. | 반 약세(弱勢): ① 약한 세력이나 기세. ② 시세가 하락하는 경향에 있는 것.
➕ 달러화(dollar貨): 달러를 화폐 단위로 하는 돈. |
| 강점
강할 強 \| 점 點 | 남보다 우세하거나 더 뛰어난 점.
예 모든 일에 자신감이 넘친다는 것이 그의 □□이다. | 반 약점(弱點): 모자라서 남에게 뒤떨어지거나 떳떳하지 못한 점. |

개(槪) 대개

개관 대개 槪 | 볼 觀	전체를 대강 살펴봄. 또는 그런 것. 예 박물관 관람에 앞서 한국 역사를 □□하는 시간을 가졌다.	더알기 '대개'는 '대부분, 대강'이라는 뜻이다.
개념 대개 槪 | 생각 念	어떤 사물이나 현상에 대한 일반적인 지식. 예 나는 어릴 때부터 숫자에 대한 □□이 뛰어났다.	
개요 대개 槪 | 중요할 要	간결하게 추려 낸 주요 내용. 예 이번 사건의 □□부터 말씀드리겠습니다.	➕ 요점(要點): 가장 중요하고 중심이 되는 사실이나 관점.

거(據) 근거

근거 근본 根 | 근거 據	「1」 생활이나 활동 등의 근본이 되는 곳. 예 이 지역은 그가 활동의 □□로 삼은 곳이다. 「2」 어떤 일이나 의견 등에 그 근본이 됨. 또는 그런 까닭. 예 나는 □□ 없는 소문을 믿지 않는다.	➕ 원인(原因): 어떤 사물이나 상태를 변화시키거나 일으키게 하는 근본이 된 일이나 사건.
논거 논할 論 | 근거 據	어떤 이론이나 논리, 논설 등의 근거. 예 그는 명백한 □□를 제시하며 우리를 설득하였다.	더알기 '론(論)'이 단어의 첫음절(첫 글자)에 쓰이면 '논'으로 읽힌다.
의거 의지할 依 | 근거 據	「1」 어떤 사실이나 원리 등에 근거함. 예 훈련지를 이탈한 선수는 규정에 □□하여 처분받았다. 「2」 어떤 힘을 빌려 의지함. 예 그 독재자는 무력에 □□하여 권력을 잡았다.	➕ 이탈(離脫): 어떤 범위나 대열 등에서 떨어져 나오거나 떨어져 나감.

☑ '독서'에 관한 한자 성어

등화가친 등잔 燈 | 불 火 가히 可 | 친할 親	등불을 가까이할 만하다는 뜻으로, 서늘한 가을밤은 등불을 가까이 하여 글 읽기에 좋음을 이르는 말. 예 가을은 ☐☐☐☐의 계절이다.	**더 알기** '가(可)'는 '옳다'라는 뜻 외에 '가히 ~할 수 있다 (~할 만하다)'라는 뜻으로 도 쓰인다. 예 **가용(可用)**: 사용할 수 있음.
수불석권 손 手 | 아닐 不 풀 釋 | 책 卷	손에서 책을 놓지 않고 늘 글을 읽음. 예 매일 ☐☐☐☐하던 그는 마침내 시험에 합격하였다.	
주경야독 낮 晝 | 밭 갈 耕 밤 夜 | 읽을 讀	낮에는 농사짓고, 밤에는 글을 읽는다는 뜻으로, 어려운 여건 속에 서도 꿋꿋이 공부함을 이르는 말. 예 누나는 ☐☐☐☐으로 대학을 졸업하였다.	
위편삼절 가죽 韋 | 엮을 編 석 三 | 끊을 絕	공자가 주역을 즐겨 읽어 책의 가죽끈이 세 번이나 끊어졌다는 뜻으 로, 책을 열심히 읽음을 이르는 말. 예 형은 ☐☐☐☐을 실천하겠다며 종일 책을 들여다보았다.	

➕ 위편삼절, 어디서 생겨난 말일까?

'위편(韋編)'은 책을 꿰어 매는 가죽끈이에요. 종이가 없던 옛날에는 대나무를 세로로 쪼갠 조각에
글을 기록하고, 그 대나무 조각을 가죽끈으로 엮어 책을 만들었어요.

공자는 나이가 든 시기에 『주역(周易)』이라는 책을 즐겨 읽었는데,
『주역』은 유교 경전 중의 하나로 세상의 온갖 사물이 끊임없이 변화
한다는 원리를 풀이한 책이지요. 공자는 이 책의 가죽끈이 세 번이나
끊어졌을 정도로 책을 열심히 읽었대요. 공자가 말하기를, "하늘이
나에게 몇 년을 더 살게 해 준다면, 50살에 『주역』을 공부할 것이다.
그러면 큰 허물이 없어질 것이다."라고 했다고 해요.

'위편삼절'은 이렇게 책에 몰두하여 가죽끈이 닳아 끊어질 정도로
책을 열심히 읽는 것을 이르는 말입니다.

스승님, 도대체
끈이 몇 번 끊어진
것입니까?

허허, 겨우
세 번째라네!

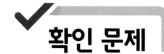
확인 문제

정답과 해설 40쪽

[01 ~ 05] 다음 한자의 뜻을 쓰시오.

01 強 (   ) 강   02 槪 (   ) 개   03 加 (   ) 가

04 據 (   ) 거   05 感 (   ) 감

[06 ~ 08] 제시된 초성과 뜻을 참고하여 빈칸에 들어갈 어휘를 쓰시오.

06 ㄱㅅㅎ : 속도를 더하게 됨. 또는 그렇게 함.

예 경제 성장의 (   )는 빈부 격차를 심화시켰다.

07 ㅇㄷㄱ : 서로 밀접하게 연결되어 있는 공통된 느낌.

예 그 아이는 할머니와 정서적 (   )이 강하다.

08 ㄱㅅㅅ : 외부 세계의 자극을 받아들이고 느끼는 성질.

예 사춘기인 오빠는 요즘 (   )이 예민하다.

[09 ~ 11] 다음 문장에 어울리는 어휘를 고르시오.

09 학교 폭력에 단순 (가담 | 강세)만 해도 처벌 대상이 될 수 있다.

10 내 동생은 아직 어려서 돈에 대한 (개관 | 개념 | 개요)이/가 부족하다.

11 몇몇 기업은 정치권력에 (근거 | 논거 | 의거)하여 시장을 독점하려고 한다.

[12 ~ 14] 빈칸에 들어갈 어휘를 〈보기〉에서 찾아 쓰시오.

보기

가세   감지   등화가친   민감   주경야독

12 나는 소음에 (   )하여 시끄러운 곳에 오래 있지 못한다.

13 이 에어컨은 온도 (   ) 기능이 있어 자동으로 온도를 조절한다.

14 그는 어려운 형편에도 (   )(으)로 여러 개의 자격증을 취득하였다.

결(缺) 이지러지다

결격
이지러질 缺 | 격식 格

필요한 자격을 갖추고 있지 못함.
예 지원자는 ☐☐ 사항에 관한 안내를 꼭 살펴야 한다.

> **더알기** '이지러지다'는 한쪽 귀퉁이가 떨어져 없어졌다는 뜻으로, '부족하다'라는 의미이다.

결점
이지러질 缺 | 점 點

잘못되거나 부족하여 완전하지 못한 점.
예 이번 신제품은 기존 제품의 ☐☐을 보완하여 개발되었다.

> **㈜ 단점(短點):** 잘못되고 모자라는 점.

결핍
이지러질 缺 | 모자랄 乏

있어야 할 것이 없어지거나 모자람.
예 사람에게 영양이 ☐☐되면 건강이 나빠진다.

> **⊕ 결여(缺如):** 마땅히 있어야 할 것이 빠져서 없거나 모자람.

결함
이지러질 缺 | 빠질 陷

부족하거나 완전하지 못하여 흠이 되는 부분.
예 자동차의 작은 ☐☐은 큰 사고로 이어질 수 있다.

결(結) 맺다

결박
맺을 結 | 묶을 縛

「1」 몸이나 손 등을 움직이지 못하도록 둘러 묶음.
예 형사는 ☐☐된 범인의 손을 풀어 주었다.
「2」 자유롭지 못하게 얽어 구속함.
예 그는 낡은 습관의 ☐☐에서 벗어나고 싶었다.

> **⊕ 속박(束縛):** 어떤 행위나 권리의 행사를 자유로이 하지 못하도록 강압적으로 얽어매거나 제한함.

결속
맺을 結 | 묶을 束

뜻이 같은 사람끼리 하나로 뭉침.
예 우리 반의 ☐☐을 다지기 위해 오늘 다과회를 열기로 하였다.

결실
맺을 結 | 열매 實

「1」 식물이 열매를 맺거나 맺은 열매가 여묾. 또는 그런 열매.
예 가을은 ☐☐의 계절이다.
「2」 일의 결과가 잘 맺어짐. 또는 그런 성과.
예 그는 노력의 ☐☐로 이번 시험에 합격하였다.

결합
맺을 結 | 합할 合

둘 이상의 사물이나 사람이 서로 관계를 맺어 하나가 됨.
예 인터넷과 휴대 전화 요금을 ☐☐한 상품이 새로 나왔다.

> **⊕ 연합(聯合):** 두 가지 이상의 사물이 서로 합동하여 하나의 조직체를 만듦. 또는 그렇게 만든 조직체.

경(敬) 공경하다

경건
공경할 敬 | 공경할 虔

어떤 대상에 대해 공손하고 엄숙함.
예 장례식이 [ ]한 분위기 속에 치러지고 있다.

➕ 경건(勁健): 굳세고 튼튼함.

경로
공경할 敬 | 늙을 老

노인을 공경함.
예 날이 갈수록 [ ] 정신이 사라진다.

➕ 경로(經路): ① 지나는 길. ② 일이 진행되는 방법이나 순서.

경외심
공경할 敬 | 두려워할 畏 마음 心

공경하면서 두려워하는 마음.
예 우리 조상들은 자연에 대한 [ ]을 가지고 있었다.

더알기 '–심(心)'은 '그런 마음'을 의미한다.
예 동정심(同情心)

경의
공경할 敬 | 뜻 意

존경하는 뜻.
예 제자들은 스승님께 [ ]를 표하였다.

고(固) 굳다

견고
굳을 堅 | 굳을 固

「1」 굳고 단단함.
예 이 의자는 매우 [ ]하게 만들어졌다.
「2」 사상이나 의지 등이 동요됨이 없이 확고함.
예 그는 [ ]하게 자기의 신념을 지켰다.

➕ 고정 관념(固定觀念): 잘 변하지 않는, 행동을 주로 결정하는 확고한 의식이나 관념.

고수
굳을 固 | 지킬 守

차지한 물건이나 형세 등을 굳게 지킴.
예 정부는 이번 일에 강경한 태도를 [ ]하고 있다.

➕ 강경(強硬): 굳게 버티어 굽히지 않음.

고유
굳을 固 | 있을 有

본래부터 가지고 있는 특유한 것.
예 한복에는 우리 [ ]의 멋이 담겨 있다.

➕ 특유(特有): 일정한 사물만이 특별히 갖추고 있음.

고(高) 높다

고귀
높을 高 | 귀할 貴

훌륭하고 귀중함.
예 박물관에는 [ ]한 문화재들이 전시되어 있다.

고령화
높을 高 | 나이 齡 | 될 化

한 사회에서 노인의 인구 비율이 높은 상태로 나타나는 일.
예 농촌 사회의 [ ] 현상으로 일할 사람이 부족하다.

고조
높을 高 | 가락 調

사상이나 감정, 세력 등이 한창 무르익거나 높아짐. 또는 그런 상태.
예 극의 중반 이후부터 점차 갈등이 [ ]되고 있다.

⛔ 저조(低調): 활동이나 감정이 왕성하지 못하고 침체함.

☑ '은혜, 보답'에 관한 한자 성어

각골난망 새길 刻 | 뼈 骨 어려울 難 | 잊을 忘	남에게 입은 은혜가 뼈에 새길 만큼 커서 잊히지 않음. 예 어르신의 은혜는 참으로 ☐☐☐☐입니다.
결초보은 맺을 結 | 풀 草 갚을 報 | 은혜 恩	죽은 뒤에라도 은혜를 잊지 않고 갚음을 이르는 말. 예 한 번만 도와주시면 ☐☐☐☐의 마음으로 보답하겠습니다.
반포지효 돌아올 反 | 먹일 哺 어조사 之 | 효도 孝	까마귀 새끼가 자라서 늙은 어미에게 먹이를 물어다 주는 효(孝)라는 뜻으로, 자식이 자란 후에 어버이의 은혜를 갚는 효성을 이르는 말. 예 형은 나이 든 부모님을 모시며 ☐☐☐☐를 실천하고 있다.
백골난망 흰 白 | 뼈 骨 어려울 難 | 잊을 忘	죽어서 백골이 되어도 잊을 수 없다는 뜻으로, 남에게 큰 은덕을 입었을 때 고마움의 뜻으로 이르는 말. 예 아들의 목숨을 구해 주신 은혜는 정말 ☐☐☐☐입니다.

> **더알기** '어조사 之'는 실질적인 뜻이 없이 다른 글자를 보조하는 한자이다. '~(하)는, ~의'로 풀이된다.

➕ 결초보은, 어디서 생겨난 말일까?

옛날 중국 진(晉)나라에 '위무자(魏武子)'라는 사람이 죽으면서 아들에게 유언을 남겼어요.

"내가 혼자 떠나기 외로우니, 네 새어머니도 나와 함께 묻어라."

당시에는 남편이 죽으면 아내를 함께 묻는 풍습이 있었지요. 그러나 아들 '위과(魏顆)'는 새어머니를 아버지와 같이 묻지 않고 살 수 있게 해 주었어요.

시간이 흐른 뒤, 위과는 진나라의 장수가 되어 전쟁에 나갔어요. 그런데 적의 장군이 너무 강해서 도망치게 되었지요. 그때, 따라 오던 적군의 말이 갑자기 풀에 걸려 모두 쓰러지면서 위과는 전쟁에서 쉽게 이겨 큰 공을 세우게 되었어요.

그날 밤, 위과의 꿈에 한 노인이 나타나 이렇게 말했어요.

"나는 자네 새어머니의 아버지라오. 내 딸을 살려 준 것이 고마워서 죽어서라도 은혜를 갚고 싶었소. 그래서 풀을 묶어 말이 걸려 넘어지게 한 것이라오."

이처럼 '결초보은'은 죽은 뒤에라도 은혜를 잊지 않고 갚는 것을 이르는 말이에요.

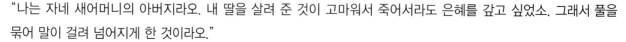

확인 문제

[01~05] 다음 한자의 뜻 또는 음을 쓰시오.

01 缺 이지러지다 (   )   02 結 (   ) 결   03 高 (   ) 고

04 敬 (   ) 경   05 固 굳다 (   )

[06~08] 제시된 초성과 뜻을 참고하여 빈칸에 들어갈 어휘를 쓰시오.

06 ㄱ ㅇ ㅅ : 공경하면서 두려워하는 마음.
   예 장엄한 산을 볼 때면 자연에 대한 (   )이 생긴다.

07 ㄱ ㅅ : 뜻이 같은 사람끼리 하나로 뭉침.
   예 어려운 때일수록 우리들의 (   )이 무엇보다 중요합니다.

08 ㄱ ㅍ : 있어야 할 것이 없어지거나 모자람.
   예 그는 주의력 (   )으로 한 가지 일에 오래 집중하지 못한다.

[09~11] 다음 뜻에 해당하는 어휘를 고르시오.

09 어떤 대상에 대해 공손하고 엄숙함.   (경건 | 경로)

10 차지한 물건이나 형세 등을 굳게 지킴.   (고수 | 고유)

11 부족하거나 완전하지 못하여 흠이 되는 부분.   (결함 | 결합)

[12~14] 〈보기〉의 글자를 조합하여 빈칸에 들어갈 어휘를 쓰시오.

보기

결 고 령 반 보

은 지 초 포 화 효

12 의학의 발달과 출산율 감소로 우리 사회에 □□□ 현상이 나타났다.

13 지극정성으로 키워 주신 부모님께 자식들은 □□□로 보답하였다.

14 사고의 생존자는 자신의 목숨을 구해 준 은인에게 □□□을 다짐하였다.

곡(曲) 굽다, 굽히다

간곡
간절할 懇 | 굽힐 曲

태도나 자세 등이 간절하고 정성스러움.

예 나는 어머니의 ☐☐한 충고를 받아들였다.

곡절
굽을 曲 | 꺾을 折

순조롭지 않게 얽힌 이런저런 복잡한 사정이나 까닭.

예 이번 운동회 준비에는 ☐☐이 많았다.

➕ 우여곡절(迂餘曲折): 뒤얽혀 복잡해진 사정.

방방곡곡
동네 坊 | 동네 坊
굽을 曲 | 굽을 曲

한 군데도 빠짐이 없는 모든 곳. = 면면촌촌

예 그는 전국 ☐☐☐☐ 안 다닌 곳이 없다.

왜곡
기울 歪 | 굽을 曲

사실과 다르게 해석하거나 그릇되게 함.

예 나는 역사 ☐☐을 바로잡는 학자가 되고 싶다.

➕ 날조(捏造): 사실이 아닌 것을 사실인 것처럼 거짓으로 꾸밈.

과(過) 지나다, 지나치다

간과
볼 看 | 지날 過

큰 관심 없이 대강 보아 넘김.

예 사소한 일을 신경 쓰느라 중요한 일을 ☐☐할 뻔하였다.

🔁 방과(放過): 그대로 지나침.

과년
지날 過 | 나이 年

주로 여자의 나이가 보통 혼인할 시기를 지난 상태에 있음.

예 저에게는 ☐☐한 딸이 하나 있습니다.

📗 더알기 '년(年)'은 '해'라는 뜻 외에 '나이'라는 뜻으로도 쓰인다.

과도
지나칠 過 | 정도 度

정도에 지나침.

예 ☐☐한 업무는 스트레스의 원인이 된다.

➕ 무리(無理): 도리나 이치에 맞지 않거나 정도에서 지나치게 벗어남.

과열
지나칠 過 | 더울 熱

「1」 지나치게 뜨거워짐. 또는 그런 열.

예 기계의 ☐☐은 고장으로 이어진다.

「2」 지나치게 활기를 띰.

예 두 가게가 ☐☐ 경쟁으로 오히려 손해를 보았다.

「3」 경기가 지나치게 상승함.

예 부동산 시장의 투기 ☐☐로 집값이 계속 오르고 있다.

➕ 투기(投機): ① 기회를 틈타 큰 이익을 보려고 함. 또는 그 일. ② 시세 변동을 예상하여 차익을 얻기 위하여 하는 매매 거래.

관(貫) 꿰다

관철
펠 貫 | 통할 徹

어려움을 뚫고 나아가 목적을 기어이 이룸.

예 나는 내 주장을 [ ][ ]하기 위하여 친구들을 설득하였다.

일관
하나 一 | 펠 貫

하나의 방법이나 태도로써 처음부터 끝까지 한결같음.

예 나는 늘 [ ][ ]된 태도로 사람들을 대한다.

관(慣) 버릇

관습
버릇 慣 | 습관 習

어떤 사회에서 오랫동안 지켜 내려와 그 사회 성원들이 널리 인정하는 질서나 풍습.

예 설날에 하는 세배는 우리나라의 오랜 [ ][ ]이다.

관행
버릇 慣 | 행할 行

오래전부터 해 오는 대로 함. 또는 관례에 따라서 함.

예 그는 악덕 기업의 낡은 [ ][ ]을 깨는 데 앞장섰다.

⊕ 관례(慣例): 전부터 해 내려오던 방식이 관습으로 굳어진 것.

관(觀) 보다

객관적
손님 客 | 볼 觀 | 어조사 的

자기와의 관계에서 벗어나 제삼자의 입장에서 사물을 보거나 생각하는 것.

예 경찰은 사건을 [ ][ ][ ]으로 보고 판단해야 한다.

더알기 '─적(的)'은 '그 성격을 띠는 것'이라는 뜻이다.
예 기술적(技術的)
땐 주관적(主觀的): 자기의 견해나 관점을 기초로 하는 것.

관념
볼 觀 | 생각 念

「1」 어떤 일에 대한 견해나 생각.

예 어머니는 위생 [ ][ ]이 철저한 사람이다.

「2」 현실에 의지하지 않는 추상적이고 공상적인 생각.

예 그는 왠지 [ ][ ]에 빠져 사는 사람 같다.

⊕ 공상적(空想的): 현실적이지 못한 것을 막연히 그려 보는 것.
⊕ 관념적(觀念的): 관념에만 사로잡혀 있는 것.

관점
볼 觀 | 점 點

사물이나 현상을 관찰할 때, 그 사람이 보고 생각하는 태도나 방향 또는 처지.

예 같은 대상을 보더라도 [ ][ ]에 따라 달리 보일 수 있다.

⊕ 시각(視角): 사물을 관찰하고 파악하는 기본적인 자세.

관측
볼 觀 | 잴 測

「1」 눈이나 기계로 자연 현상 특히 천체나 기상의 상태, 추이, 변화 등을 관찰하여 측정하는 일.

예 다음은 별의 움직임을 [ ][ ]한 자료입니다.

「2」 어떤 사정이나 형편 등을 잘 살펴보고 그 장래를 헤아림.

예 내년에는 경기가 좋아질 것이라는 희망적인 [ ][ ]이 나왔다.

⊕ 관찰(觀察): 사물이나 현상을 주의하여 자세히 살펴봄.
⊕ 경기(景氣): 매매나 거래에 나타나는 호황·불황 등의 경제 활동 상태.

✅ '욕심, 지나침'에 관한 한자 성어

견물생심
볼 見 | 물건 物
날 生 | 마음 心

어떠한 실물을 보게 되면 그것을 가지고 싶은 욕심이 생김.

예 ☐☐☐☐이라고, 최신 휴대 전화를 보니 갖고 싶다.

과유불급
지나칠 過 | 같을 猶
아닐 不 | 미칠 及

정도를 지나침은 미치지 못함과 같음.

예 ☐☐☐☐이라 했으니, 탈이 날 정도로 먹지 마라.

교각살우
바로잡을 矯 | 뿔 角
죽일 殺 | 소 牛

소의 뿔을 바로잡으려다가 소를 죽인다는 뜻으로, 잘못된 점을 고치려다가 그 방법이나 정도가 지나쳐 오히려 일을 그르침을 이르는 말.

예 게임 중독을 막으려고 게임 산업의 성장을 막는 것은 ☐☐☐☐의 잘못을 범하는 것이다.

소탐대실
작을 小 | 탐할 貪
큰 大 | 잃을 失

작은 것을 탐하다가 큰 것을 잃음.

예 ☐☐☐☐하지 말고 욕심을 줄여라.

➕ 과유불급, 실제로 어떻게 쓰일까?

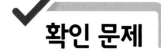
확인 문제

정답과 해설 40쪽

[01 ~ 05] 다음 한자의 뜻을 쓰시오.

01 貫 (   ) 관　　02 過 (   ) 과　　03 慣 (   ) 관

04 曲 (   ) 곡　　05 觀 (   ) 관

[06 ~ 10] 다음 십자말풀이를 완성하시오.

06		09	
07			
08			
	10		

세로
06 한 군데도 빠짐이 없는 모든 곳.
09 정도를 지나침은 미치지 못함과 같음.
10 오래전부터 해 오는 대로 함. 또는 관례에 따라서 함.

가로
07 순조롭지 않게 얽힌 이런저런 복잡한 사정이나 까닭.
08 사실과 다르게 해석하거나 그릇되게 함.
09 ① 지나치게 뜨거워짐. ② 지나치게 활기를 띰.
10 사물이나 현상을 관찰할 때,
　　그 사람이 보고 생각하는 태도나 방향 또는 처지.

[11 ~ 12] 빈칸에 알맞은 말을 넣어 밑줄 친 어휘의 뜻을 완성하시오.

11 경기 중 과도한 경쟁으로 선수들이 부상을 입었다.
➡ 정도에 (   ).

12 그는 주장을 관철하기 위해 최선의 노력을 다하고 있다.
➡ 어려움을 (   ) 나아가 목적을 기어이 이룸.

[13 ~ 15] 다음 뜻에 해당하는 한자 성어를 〈보기〉에서 찾아 쓰시오.

보기
견물생심　　교각살우　　소탐대실

13 작은 것을 탐하다가 큰 것을 잃음.　　_____

14 어떠한 실물을 보게 되면 그것을 가지고 싶은 욕심이 생김.　　_____

15 잘못된 점을 고치려다가 그 방법이나 정도가 지나쳐 오히려 일을 그르침.　　_____

괄(括) 묶다

두괄식
머리 頭 | 묶을 括 | 법 式

글의 첫머리에 중심 내용이 오는 산문 구성 방식.
예 자기소개서를 쓸 때는 ☐☐☐으로 작성하는 것이 좋다.

➕ **미괄식(尾括式):** 문단이나 글의 끝부분에 중심 내용이 오는 산문 구성 방식.

일괄
하나 一 | 묶을 括

개별적인 여러 가지 것을 한데 묶음.
예 이번 사건의 책임자들이 낸 사표가 ☐☐ 처리되었다.

총괄
합할 總 | 묶을 括

개별적인 여러 가지를 한데 모아서 묶음.
예 다음 주에 수학 전체 단원의 ☐☐ 평가를 치른다.

➕ **종합(綜合):** 여러 가지를 한데 모아서 합함.

포괄적
쌀 包 | 묶을 括 | 어조사 的

일정한 대상이나 현상 등을 어떤 범위나 한계 안에 모두 끌어넣는 것.
예 내용이 너무 ☐☐☐이면 핵심을 찾기 어렵다.

교(交) 사귀다, 바꾸다

교감
사귈 交 | 느낄 感

서로 접촉하여 따라 움직이는 느낌.
예 그 수의사는 동물과 ☐☐하며 치료한다.

교류
사귈 交 | 흐를 流

「1」 근원이 다른 물줄기가 서로 섞이어 흐름. 또는 그런 줄기.
예 이곳은 두 강물의 ☐☐가 시작되는 곳이다.
「2」 문화나 사상 등이 서로 통함.
예 두 나라는 문화와 기술을 활발히 ☐☐하고 있다.
「3」 시간에 따라 크기와 방향이 일정하게 바뀌어 흐르는 전류.
예 전기를 공급하는 방법에는 ☐☐와 직류가 있다.

➕ **직류(直流):** 시간이 지나도 전류의 크기와 방향이 변하지 않는 전류.

교섭
사귈 交 | 건널 涉

어떤 일을 이루기 위하여 서로 의논하고 절충함.
예 이웃 나라와의 ☐☐이 성공적으로 이루어졌다.

➕ **절충(折衷):** 서로 다른 사물이나 의견, 관점 등을 알맞게 조절하여 서로 잘 어울리게 함.

교체
바꿀 交 | 바꿀 替

사람이나 사물을 다른 사람이나 사물로 대신함.
예 부품을 ☐☐하는 데 비용이 얼마나 듭니까?

🔁 **대체(代替):** 다른 것으로 대신함.

구(九) 아홉

구곡간장
아홉 九 | 굽을 曲
간 肝 | 창자 腸

굽이굽이 감긴 창자라는 뜻으로, 깊은 마음속 또는 시름이 쌓인 마음속을 비유적으로 이르는 말.

예 돌아가신 어머니를 생각하면 ☐☐☐☐이 녹는 듯하다.

구절양장
아홉 九 | 꺾을 折
양 羊 | 창자 腸

아홉 번 꼬부라진 양의 창자처럼 꼬불꼬불하며 험한 산길을 이르는 말.

예 그는 ☐☐☐☐의 고갯길을 혼자 걸어갔다.

구중궁궐
아홉 九 | 겹칠 重
궁 宮 | 대궐 闕

겹겹이 문으로 막은 깊은 궁궐이라는 뜻으로, 임금이 있는 대궐 안을 이르는 말. = 구중심처

예 ☐☐☐☐에 사는 왕은 백성과 소통하기가 어려웠다.

더 알기 '중(重)'은 '무겁다'라는 뜻 외에 '거듭, 겹치다'라는 뜻으로도 쓰인다.

구(究) 연구하다

강구
익힐 講 | 연구할 究

좋은 대책과 방법을 궁리하여 찾아내거나 좋은 대책을 세움.

예 정부는 물가 안정을 위한 대책을 ☐☐하고 있다.

⊕ **연구(研究)**: 어떤 일이나 사물에 대하여서 깊이 있게 조사하고 생각하여 진리를 따져 보는 일.

탐구
찾을 探 | 연구할 究

진리, 학문 등을 파고들어 깊이 연구함.

예 학문의 목적은 진리 ☐☐에 있다고 생각한다.

학구열
배울 學 | 연구할 究 | 더울 熱

학문 연구에 대한 정열.

예 그는 ☐☐☐이 대단해서 많은 시간을 도서관에서 보낸다.

구(救) 구원하다

구제
구원할 救 | 도울 濟

자연적인 재해나 사회적인 피해를 당하여 어려운 처지에 있는 사람을 도와줌.

예 소비자 피해를 ☐☐하기 위한 제도가 마련되었다.

⊕ **구휼(救恤)**: 사회적 또는 국가적 차원에서 재난을 당한 사람이나 빈민에게 금품을 주어 구제함.

구조
구원할 救 | 도울 助

재난 등을 당하여 어려운 처지에 빠진 사람을 구하여 줌.

예 배에 고립된 선원들이 ☐☐ 신호를 보냈다.

구호
구원할 救 | 보호할 護

「1」 재해나 재난 등으로 어려움에 처한 사람을 도와 보호함.

예 난민 ☐☐ 단체에 후원금을 보냈다.

「2」 병자나 부상자를 간호하거나 치료함.

예 마을 사람들의 정성 어린 ☐☐ 덕에 부상병들이 힘을 차렸다.

☑ '우정'에 관한 한자 성어

관포지교 성씨 管 l 성씨 鮑 어조사 之 l 사귈 交	관중과 포숙의 사귐이란 뜻으로, 우정이 아주 돈독한 친구 관계를 이르는 말. 예 우리는 ☐☐☐☐라 불릴 만큼 절친한 사이이다.	**더알기** '어조사 之'는 여기에서 '~의'라는 뜻으로 쓰였다.
막역지우 없을 莫 l 거스를 逆 어조사 之 l 벗 友	서로 거스름이 없는 친구라는 뜻으로, 허물없이 아주 친한 친구를 이르는 말. 예 희연이는 나와 마음이 통하는 유일한 ☐☐☐☐이다.	**더알기** '어조사 之'는 여기에서 '~(하)는'이라는 뜻으로 쓰였다.
수어지교 물 水 l 물고기 魚 어조사 之 l 사귈 交	물이 없으면 살 수 없는 물고기와 물의 관계라는 뜻으로, 아주 친밀 하여 떨어질 수 없는 사이를 비유적으로 이르는 말. 예 삼국지에 나오는 유비와 제갈량은 ☐☐☐☐나 마찬가지이다.	
죽마고우 대나무 竹 l 말 馬 옛날 故 l 벗 友	대나무로 만든 말을 타고 놀던 벗이라는 뜻으로, 어릴 때부터 같이 놀며 자란 가까운 친구를 이르는 말. 예 준영이와 나는 유치원 때부터 친한 ☐☐☐☐이다.	➕ 십년지기(十年知己): 오 래전부터 친히 사귀어 잘 아는 사람.

➕ 관포지교, 어디서 생겨난 말일까?

'관중'과 '포숙아'는 중국 제(齊)나라의 관리였어요.

두 사람은 벼슬길에 오르기 전에 함께 장사를 했는데, 가게를 지키는
사람은 늘 포숙아였고 관중은 놀면서도 이익을 더 많이 챙겨 갔어요.
사람들이 이상하게 여겨 그 이유를 묻자, 포숙아는 이렇게 대답했어요.

"관중은 장사가 잘되는 곳을 고를 줄 알아요. 가게가 번창한 것도
관중 덕이지요. 또, 관중은 나보다 식구가 많으니 돈을 더 가져가는 것이
당연합니다."

나중에 두 사람이 벼슬에 올랐을 때도 관중에 대한 포숙아의
마음은 변치 않았어요. 나라를 배신하고 적의 나라로 떠났던 관중이
잡혀 오자, 포숙아는 왕에게 관중을 한 번만 더 믿어 달라고 부탁
했어요. 관중의 지혜로움을 잘 알았기 때문이지요.

이렇게 자기를 믿어 준 포숙아가 세상을 뜨자 관중은 무덤 앞에서 끊임없이
눈물을 흘리며 이렇게 말했다고 해요.

"나를 낳아 준 것은 부모님이지만, 나를 알아준 것은 포숙아였다."

훗날 사람들은 우정이 아주 돈독한 친구 관계를 이를 때 '관포지교'라고 했답니다.

[01 ~ 05] 다음 한자의 뜻 또는 음을 쓰시오.

01 九 (   ) 구   **02** 交 사귀다, 바꾸다 (   )   **03** 究 연구하다 (   )

04 括 (   ) 괄   **05** 救 (   ) 구

[06 ~ 08] 제시된 초성을 참고하여 빈칸에 들어갈 어휘를 쓰시오.

06 지진으로 많은 사람이 다치자, 정부는 긴급 ㄱㅎ 활동을 벌였다.   _____

07 깊은 산속 계곡을 따라 꼬불꼬불 난 길은 그야말로 ㄱㅈㅇㅈ 이었다.   _____

08 서로 거스름이 없는 친구라는 뜻으로,
허물없이 아주 친한 친구를 ㅁㅇㅈㅇ 라고 한다.   _____

[09 ~ 11] 다음 문장에 어울리는 어휘를 고르시오.

09 안 쓰는 파일들을 한데 모아 (일괄 | 포괄) 삭제하였다.

10 부모와 어린 자녀 사이에는 정서적 (교감 | 교섭)이 필요하다.

11 할머니의 장례식을 치르며 (구곡간장 | 구중궁궐)이 녹는 듯한 슬픔이 일었다.

[12 ~ 16] 예를 참고하여 다음 뜻에 해당하는 어휘를 찾아 표시하시오. (가로, 세로, 대각선으로 표시할 것)

> 예 정도에 지나침.

12 학문 연구에 대한 정열.
13 피해를 당하여 어려운 처지에 있는 사람을 도와줌.
14 좋은 대책과 방법을 궁리하여 찾아내거나 좋은 대책을 세움.
15 일정한 대상이나 현상 등을 어떤 범위나 한계 안에 모두 끌어넣는 것.
16 물고기와 물의 관계라는 뜻으로, 아주 친밀하여 떨어질 수 없는 사이를 비유적으로 이르는 말.

관	지	포	유	탐	사
객	구	과	괄	제	고
수	도	죽	시	적	절
어	절	구	제	학	양
지	충	연	구	궐	강
교	곡	열	마	고	구

귀(歸) 돌아가다

귀향
돌아갈 歸 | 고향 鄕

고향으로 돌아가거나 돌아옴.

예 명절 전날, [ ] 행렬이 시작되었다.

➕ **귀성(歸省)**: 부모를 뵙기 위하여 객지에서 고향으로 돌아가거나 돌아옴.

귀화
돌아갈 歸 | 될 化

「1」 다른 나라의 국적을 얻어 그 나라의 국민이 되는 일.

예 외국인 선수가 감독에게 [ ] 의사를 밝혔다.

「2」 원산지가 아닌 지역으로 옮겨진 동식물이 그곳의 기후나 땅의 조건에 적응하여 번식하는 일.

예 달맞이꽃은 칠레에서 들어온 [ ] 식물이다.

귀환
돌아갈 歸 | 돌아올 還

다른 곳으로 떠나 있던 사람이 본래 있던 곳으로 돌아오거나 돌아감.

예 먼 나라로 파병 갔던 군인들이 무사히 [ ] 하였다.

➕ **파병(派兵)**: 일정한 임무를 주어 군대를 보냄.

극(極) 지극하다, 다하다

극소수
지극할 極 | 적을 少 | 셈 數

아주 적은 수효.

예 민주 사회는 [ ] 의 의견도 존중하는 사회이다.

➕ **수효(數爻)**: 낱낱의 수.

극심
지극할 極 | 심할 甚

매우 심함.

예 이번 가뭄은 농민에게 [ ] 한 피해를 주었다.

➕ **막심(莫甚)**: 더할 나위 없이 심함.

극악무도
지극할 極 | 악할 惡
없을 無 | 도리 道

더할 나위 없이 악하고 도리에 완전히 어긋나 있음.

예 우리 사회에서 [ ] 한 범죄는 사라져야 한다.

더알기 '도(道)'는 '길'이라는 뜻 외에 '도리, 방법'이라는 뜻으로도 쓰인다.

극진
다할 極 | 다할 盡

어떤 대상에 대하여 정성을 다하는 태도가 있음.

예 나는 누나의 [ ] 한 간호 덕분에 건강을 회복하였다.

극한
다할 極 | 한정할 限

궁극의 한계. 사물이 진행하여 도달할 수 있는 최후의 단계나 지점.

예 산 정상에 오르자 [ ] 의 추위가 몰려왔다.

➕ **궁극(窮極)**: 어떤 과정의 마지막이나 끝.
➕ **극치(極致)**: 도달할 수 있는 최고의 정취나 경지.

근(近) 가깝다

근대
가까울 近 | 시대 代

「1」 얼마 지나가지 않은 가까운 시대.
예 ⬚⬚의 교육은 과거보다 훨씬 다양한 형태를 띤다.
「2」 중세와 현대 사이의 시대.
예 미술관 내부는 고대, 중세, ⬚⬚로 구분되어 있다.

➕ 근대화(近代化): 근대적인 상태가 됨.
더 알기 우리나라에서는 일반적으로 1876년의 개항 이후부터 1919년 3·1 운동까지의 시기를 근대로 본다.

근접
가까울 近 | 접할 接

가까이 접근함.
예 사촌 동생은 서울과 ⬚⬚한 도시에 산다.

➕ 접근(接近): ① 가까이 다가감. ② 친밀하고 밀접한 관계를 가짐.

근황
가까울 近 | 상황 況

요즈음의 상황.
예 졸업한 후로 나는 친구들의 ⬚⬚을 알지 못한다.

급(急) 급하다

급감
급할 急 | 덜 減

급작스럽게 줄어듦.
예 판매량 ⬚⬚으로 회사 사정이 어려워졌다.

🔄 급증(急增): 갑작스럽게 늘어남.

급변
급할 急 | 변할 變

상황이나 상태가 갑자기 달라짐.
예 ⬚⬚하는 시대에 적응하려면 열린 사고방식을 가져야 한다.

황급
급할 遑 | 급할 急

몹시 어수선하고 급박함.
예 화재 신고를 받은 소방관이 ⬚⬚하게 뛰어나갔다.

➕ 황급(遑汲): 몹시 급하며 한 가지 일에만 몰두하여 마음의 여유가 없음.

기(氣) 기운

기색
기운 氣 | 빛 色

「1」 마음의 작용으로 얼굴에 드러나는 빛.
예 가게 주인은 반가운 ⬚⬚으로 손님을 맞이하였다.
「2」 어떠한 행동이나 현상을 짐작할 수 있게 해 주는 눈치나 낌새.
예 여름 더위가 좀처럼 물러날 ⬚⬚이 없다.

➕ 안색(顔色): 얼굴에 나타나는 표정이나 빛깔.

기세
기운 氣 | 형세 勢

「1」 기운차게 뻗치는 모양이나 상태. = 형세
예 어둠 속에서 불길이 ⬚⬚ 좋게 타올랐다.
「2」 남에게 영향을 끼칠 기운이나 태도.
예 사자는 금방이라도 달려들 ⬚⬚로 먹잇감을 노려보았다.

☑ '인생의 진리'에 관한 한자 성어

고진감래 쓸 苦 | 다할 盡 달 甘 | 올 來	쓴 것이 다하면 단 것이 온다는 뜻으로, 고생 끝에 즐거움이 옴을 이르는 말. 예 ☐☐☐☐라더니, 드디어 나에게도 좋은 일이 생기는구나!
사필귀정 일 事 | 반드시 必 돌아갈 歸 | 바를 正	모든 일은 반드시 바른길로 돌아감. 예 ☐☐☐☐이라 했으니, 정의는 반드시 이길 것이다.
새옹지마 변방 塞 | 늙은이 翁 어조사 之 | 말 馬	변방에 사는 늙은이인 새옹의 말이라는 뜻으로, 세상일은 좋고 나쁨의 변화가 많으니 인생은 예측하기 어렵다는 말. 예 인간사 ☐☐☐☐라고, 나쁜 일이 있으면 좋은 일도 있겠지.
인과응보 원인 因 | 결과 果 응할 應 | 갚을 報	이전에 지은 선악에 따라 현재의 행복과 불행이 결정됨. 예 모든 것이 ☐☐☐☐인데, 다른 누구를 탓하겠어?

> **더알기** '변방'은 나라의 경계가 되는 가장자리의 땅이다.
> ➕ 전화위복(轉禍爲福): 재앙과 근심, 걱정이 바뀌어 오히려 복이 됨.

➕ 새옹지마, 어디서 생겨난 말일까?

옛날 중국 만리장성의 변방에 한 노인이 살았어요. 사람들은 이 노인을 '새옹'이라고 불렀지요. 어느 날, 새옹의 말이 오랑캐 땅으로 달아나자, 마을 사람들은 노인을 위로했어요. 그러자 노인은 아무렇지도 않은 듯 "이 일이 좋은 일이 될 수도 있다네."라고 말했어요.

며칠 후, 노인의 말이 오랑캐의 뛰어난 말과 짝을 지어 나타났는데, 노인이 이번에는 "이 일이 오히려 화가 될 수도 있다네."라고 하며 걱정했어요. 노인의 걱정대로 노인의 아들이 오랑캐의 말을 타다가 다리를 다쳤는데, 이를 위로하는 마을 사람들에게 노인은 또 "이 일이 좋은 일이 될지도 모른다네."라고 말했어요.

히이잉─ 오 아악

이 일이 좋은 일이 될 수도 있다네.

그로부터 얼마 후, 나라에 오랑캐가 쳐들어와서 젊은 남자들이 전쟁터로 끌려가게 되었는데, 노인의 아들은 다리를 다친 바람에 전쟁에 끌려가지 않았답니다.

이처럼 '새옹지마'는 인생의 좋고 나쁜 일은 변화가 많아서 예측하기 어렵다는 말입니다.

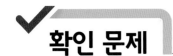

[01 ~ 05] 다음 한자의 뜻을 쓰시오.

01 近 (   ) 근   02 氣 (   ) 기   03 急 (   ) 급

04 歸 (   ) 귀   05 極 (   ) 극

[06 ~ 08] 다음 뜻에 해당하는 한자 성어를 찾아 바르게 연결하시오.

06 인생은 예측하기 어려움.   •   • ㉠ 사필귀정

07 모든 일은 반드시 바른길로 돌아감.   •   • ㉡ 새옹지마

08 이전에 지은 선악에 따라 현재의 행복과 불행이 결정됨. •   • ㉢ 인과응보

[09 ~ 11] 밑줄 친 어휘의 뜻을 고르시오.

09 화가 난 그는 금방이라도 상대방을 한 대 칠 기세였다.
　　① 기운차게 뻗치는 모양이나 상태.   ② 남에게 영향을 끼칠 기운이나 태도.

10 최근 기후 급변으로 인한 자연재해가 세계 곳곳에서 일어나고 있다.
　　① 급작스럽게 줄어듦.   ② 상황이나 상태가 갑자기 달라짐.

11 일주일 전부터 세차게 쏟아지던 장맛비는 좀처럼 그칠 기색이 없었다.
　　① 마음의 작용으로 얼굴에 드러나는 빛.
　　② 어떤 행동이나 현상을 짐작할 수 있게 해 주는 눈치나 낌새.

[12 ~ 14] 빈칸에 들어갈 어휘를 〈보기〉에서 찾아 쓰시오.

보기

극악무도   근대   근접   근황   황급

12 부상자는 (   )한 목소리로 도움을 청하였다.

13 범인은 (   )한 범죄로 사람들의 분노를 샀다.

14 어미 펭귄은 늘 새끼 펭귄과 (   )한 거리에 머물며 주위를 살폈다.

기(起) 일어나다

기거 일어날 起 | 살 居	「1」 일정한 곳에서 먹고 자는 등의 일상생활을 함. 또는 그 생활. 예 나는 어린 시절에 할머니 댁에서 ☐☐하였다. 「2」 몸을 뜻대로 움직이며 생활함. 예 다리를 다친 후로 ☐☐하기가 영 불편하다.	더알기 '영 불편하다'에서 '영'은 '아주 또는 대단히' 라는 뜻이다.
기원 일어날 起 | 근원 源	사물이 처음으로 생김. 또는 그런 근원. 예 인류의 ☐☐에 관해 진화론과 창조론이 맞서고 있다.	➕ 근원(根源): ① 물줄기 가 나오기 시작하는 곳. ② 사물이 비롯되는 근본이나 원인.
기점 일어날 起 | 점 點	어떠한 것이 처음으로 일어나거나 시작되는 곳. 예 경부선의 ☐☐은 서울역이다.	➕ 종점(終點): ① 기차, 버 스, 전차 등을 운행하는 일 정한 구간의 맨 끝이 되는 지점. ② 일정한 동안의 맨 끝이 되는 때.

기(基) 터, 기초

기반 기초 基 | 바탕 盤	기초가 되는 바탕. 또는 사물의 토대. 예 판소리는 설화에 ☐☐을 두고 형성되었다.	더알기 '반(盤)'은 '소반(자 그마한 밥상), 쟁반'이라는 뜻 외에 '바탕'이라는 뜻으 로도 쓰인다.
기본형 기초 基 | 근본 本 | 모양 形	기본이 되는 꼴이나 형식. 예 이 전등은 육각을 ☐☐☐으로 하여 만들어졌다.	개념➕ 국어에서 '기본형' 은 동사나 형용사와 같이 형태가 바뀌는 단어에서 기본이 되는 꼴로, 변하지 않는 부분(어간)에 '−다'를 붙인 것이다. 예 먹고, 먹어라 → 먹다 넓고, 넓으니 → 넓다
기초 기초 基 | 주춧돌 礎	「1」 사물이나 일 등의 기본이 되는 것. 예 나는 수학의 ☐☐가 부족한 편이다. 「2」 건물, 다리 등과 같은 구조물의 무게를 받치려고 만든 밑받침. 예 ☐☐공사를 튼튼히 해야 안전한 건물을 지을 수 있다.	🔒 근본(根本): 사물의 본 질이나 본바탕.

기(飢) 주리다

기근
주릴 飢 | 주릴 饉

「1」 흉년으로 먹을 양식이 모자라 굶주림.
예 마을에 [ ][ ]이 들어 관청에서 곡식을 풀었다.
「2」 최소한의 수요도 채우지 못할 만큼 심히 모자라는 상태를 비유적으로 이르는 말.
예 그는 메달 [ ][ ]으로 마음 졸이던 대표팀에 첫 메달을 안겼다.

더알기 '주리다'는 '제대로 먹지 못하여 배를 곯다, 굶다'라는 의미이다. '기근'은 '饑饉'이라는 한자로도 쓰인다.

기아
주릴 飢 | 주릴 餓

먹을 것이 없어 배를 곯는 것.
예 전쟁으로 많은 사람이 [ ][ ]에 허덕였다.

더알기 '기아'는 '饑餓'라는 한자로도 쓰인다.

기(幾) 몇, 기미

기미
기미 幾 | 작을 微

어떤 일을 알아차릴 수 있는 눈치. 또는 일이 되어 가는 분위기.
= 낌새
예 역전의 [ ][ ]가 보이자 관중석의 열기가 뜨거워졌다.

더알기 '기미'는 '機微'라는 한자로도 쓰인다.

기하급수적
몇 幾 | 얼마 何
등급 級 | 셈 數 | 어조사 的

증가하는 수나 양이 아주 많은 것.
예 수입 자동차의 구매 수량이 [ ][ ][ ][ ][ ]으로 늘고 있다.

난(難) 어렵다, 나무라다

난감
어려울 難 | 견딜 堪

「1」 이렇게 하기도 저렇게 하기도 어려워 처지가 매우 딱함.
예 이번 선거에 누구를 뽑아야 할지 참으로 [ ][ ]하다.
「2」 맞부딪쳐 견디어 내거나 해결하기가 어려움.
예 시험 범위가 넓으니 공부할 일이 [ ][ ]하다.

반 난처(難處): 이럴 수도 없고 저럴 수도 없어 처신하기 곤란함.

난해
어려울 難 | 풀 解

「1」 뜻을 이해하기 어려움.
예 청소년이 사용하는 은어 중에는 [ ][ ]한 것들이 많다.
「2」 풀거나 해결하기 어려움.
예 이 수학 문제는 특히 [ ][ ]하다.

반 이해(易解): 이해(理解)하기 쉬움.
+ 은어(隱語): 어떤 계층이나 부류의 사람들이 자기네끼리만 알아듣도록 사용하는 말.

조난
만날 遭 | 어려울 難

항해나 등산 등을 하는 도중에 재난을 만남.
예 갑작스러운 폭설로 [ ][ ] 신고가 잇따르고 있다.

힐난
꾸짖을 詰 | 나무랄 難

트집을 잡아 거북할 만큼 따지고 듦.
예 친구의 지나친 [ ][ ]에 나는 참을 수 없이 화가 났다.

+ 힐책(詰責): 잘못된 점을 따져 나무람.

✔ '승부'에 관한 한자 성어

난형난제 어려울 難	형 兄 어려울 難	아우 弟	누구를 형이라 하고 누구를 아우라 하기 어렵다는 뜻으로, 서로 비슷하여 낫고 못함을 정하기 어려움을 이르는 말. 예 결선에 오른 두 작품은 참으로 □□□□이다.	➕ 결선(決選): 일등 또는 우승자를 가리기 위하여 행하는 마지막 겨룸.
막상막하 없을 莫	위 上 없을 莫	아래 下	더 낫고 더 못함의 차이가 거의 없음. 예 일등과 이등이 □□□□의 경쟁을 펼쳤다.	
오십보백보 다섯 五	열 十	걸음 步 일백 百	걸음 步	조금 낫고 못한 정도의 차이는 있으나 본질적으로는 차이가 없음을 이르는 말. 예 장난스럽기로는 형이나 동생이나 □□□□□이다.	
용호상박 용 龍	호랑이 虎 서로 相	싸울 搏	용과 범이 서로 싸운다는 뜻으로, 강자끼리 서로 싸움을 이르는 말. 예 두 선수의 경기는 볼 때마다 □□□□이다.	

➕ 오십보백보, 어디서 생겨난 말일까?

중국 양(梁)나라의 혜왕은 나라를 잘 다스리고 싶었으나, 백성의 불만이 끊이지 않았어요. 혜왕이 당시 위대한 학자인 맹자에게 그 이유를 묻자, 맹자는 다음과 같이 말했어요.

"왕께서 전쟁을 좋아하시니 전쟁에 빗대어 말씀드리겠습니다. 전쟁터에서 어떤 군사가 오십 보를 도망가다가 문득 백 보를 도망간 군사를 보았습니다. 오십 보를 도망간 군사는 백 보를 도망간 군사를 보고 비겁한 놈이라고 비웃었습니다. 왕께서는 이것을 어찌 생각하십니까?"

"오십 보나 백 보나 도망간 것은 마찬가지니, 똑같은 것 아니오?"

"맞습니다. 왕께서는 나라를 잘 다스린다고 생각하시지만, 이웃 나라 왕들과 비교하면 오십 보와 백 보의 차이일 뿐입니다. 그러니 진정으로 백성을 위하신다면 전쟁을 멈추고, 백성의 생활을 살피셔야 합니다."

혜왕은 맹자의 말을 듣고 크게 깨달아, 이후에 어진 정치를 베풀었다고 합니다.

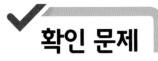
확인 문제

[01 ~ 05] 다음 한자의 뜻을 쓰시오.

01 起 (   ) 기   02 飢 (   ) 기   03 基 (   ) 기

04 幾 (   ) 기   05 難 (   ) 난

[06 ~ 08] 제시된 초성을 참고하여 다음 뜻에 해당하는 어휘를 쓰시오.

06 ㄱㅇ : 먹을 것이 없어 배를 곯는 것.   _____

07 ㄱㅂ : 기초가 되는 바탕. 또는 사물의 토대.   _____

08 ㄴㄱ : 이렇게 하기도 저렇게 하기도 어려워 처지가 매우 딱함.   _____

[09 ~ 10] 빈칸에 들어갈 어휘를 〈보기〉에서 찾아 쓰시오.

〈보기〉

기근   기점   조난   힐난

09 오늘 자정을 (   )으로 버스비가 인상된다.

10 갑작스러운 돌풍으로 등산객들이 (   )을 당하였다.

[11 ~ 14] 다음 어휘의 뜻을 〈보기〉에서 찾아 번호를 쓰시오.

〈보기〉

① 증가하는 수나 양이 아주 많은 것.
② 어떤 일을 알아차릴 수 있는 눈치. 또는 일이 되어 가는 분위기.
③ 조금 낫고 못한 정도의 차이는 있으나 본질적으로는 차이가 없음.
④ 용과 범이 서로 싸운다는 뜻으로, 강자끼리 서로 싸움을 이르는 말.

11 기미   _____   12 기하급수적   _____

13 용호상박   _____   14 오십보백보   _____

01 〈보기〉는 '결박'의 두 가지 의미이다. 각 의미에 해당하는 예문으로 적절하지 <u>않은</u> 것은?

> ⊙ 몸이나 손 등을 움직이지 못하도록 둘러 묶음.
> ⓒ 자유롭지 못하게 얽어 구속함.

① ⊙: 범인이 <u>결박</u>을 당한 채 경찰서로 끌려갔다.

② ⊙: 납치된 사람들은 팔다리를 끈으로 <u>결박</u>당하였다.

③ ⊙: 나는 아무런 <u>결박</u>이 없는 자유로운 분위기를 좋아한다.

④ ⓒ: 그는 마음속 무거운 <u>결박</u>을 내려놓고 잠시 쉬고 싶었다.

⑤ ⓒ: 마을 사람들은 오랜 노력 끝에 잘못된 관습의 <u>결박</u>에서 풀려났다.

고난도
02 밑줄 친 어휘의 뜻으로 가장 적절한 것은?

① 그는 부하에게 부대로 <u>귀환</u>하라고 명령하였다. → 고향으로 돌아가거나 돌아옴.

② 나는 위대한 인물을 보면 <u>경외</u>심이 절로 생긴다. → 어떤 대상에 대해 공손하고 엄숙함.

③ 그에 대한 그녀의 <u>힐난</u>은 정도가 지나쳐 보였다. → 트집을 잡아 거북할 만큼 따지고 듦.

④ 어머니는 인터넷으로 모든 세금을 <u>일괄</u> 납부하였다. → 묶여 있던 물건을 따로 떨어지게 함.

⑤ 우리 학교는 <u>관행</u>을 깨고 등하교 시간을 늦춰 정하였다. → 사회 성원들이 널리 인정하는 질서.

03 밑줄 친 부분을 바꾼 표현으로 적절하지 <u>않은</u> 것은?

① 이 접시는 <u>견고하게</u>(→ 굳고 단단하게) 만들어졌다.

② 엄마가 언니를 혼내는데, 오빠까지 <u>가세하였다</u>(→ 힘을 보태었다).

③ 그는 전화를 받고 <u>황급하게</u>(→ 몹시 어수선하고 급박하게) 뛰어나갔다.

④ 농부들은 <u>간곡한</u>(→ 간절하고 정성스러운) 마음으로 풍년을 기원하였다.

⑤ 우리는 재난 지역의 난민을 <u>구조하는</u>(→ 간호하거나 치료하는) 일에 협력하였다.

04 밑줄 친 한자 성어의 쓰임이 적절하지 <u>않은</u> 것은?

① 그동안 보살펴 주신 선생님의 은혜는 <u>각골난망</u>입니다.

② 그는 어려운 가정 형편 때문에 <u>주경야독</u>하며 대학에 다녔다.

③ 돈을 훔친 사람이나 그 돈을 함께 쓴 사람이나 <u>오십보백보</u>이다.

④ 인생은 <u>새옹지마</u>라고 하니, 언젠가 반드시 좋은 날도 올 것이다.

⑤ <u>소탐대실</u>이라고, 신제품만 보면 나도 모르게 충동구매를 하게 된다.

05 〈보기〉의 밑줄 친 어휘와 의미가 반대되는 것은?

> ┌─ 보기 ─┐
>
> 공연의 분위기가 <u>고조</u>되자, 관객들이 열광하기 시작하였다.

① 경감　　　　② 간과　　　　③ 결핍　　　　④ 저조　　　　⑤ 왜곡

06 〈보기〉의 ㉠~㉢ 중 어디에도 들어갈 수 <u>없는</u> 것은?

> ┌─ 보기 ─┐
>
> ㉠ 비가 좀처럼 그칠 (　　　　)을/를 보이지 않는다.
> ㉡ 법률에 (　　　　)할 때, 돈을 갚지 않고 도망하는 행위는 처벌 대상이다.
> ㉢ 이 차량 뒤쪽에는 물체 (　　　　) 장치가 있어서 주차할 때 사람이 지나가면 자동으로 정지한다.

① 감지　　　　② 논거　　　　③ 기미　　　　④ 의거　　　　⑤ 기색

07 밑줄 친 어휘와 바꿔 쓰기에 적절하지 <u>않은</u> 것은?

① 나는 <u>수불석권</u>하여 결국 시험에 합격하였다. → 위편삼절
② 아침부터 운동을 <u>과도</u>하게 했더니 온몸이 아프다. → 무리
③ 내 동생은 말이 많은 것을 자기의 <u>결점</u>으로 꼽았다. → 단점
④ 우리 회사는 올해 해외 기업과 적극적으로 <u>교류</u>하고 있다. → 교체
⑤ 나는 남에게 쉽사리 마음을 열지 못해서 <u>막역지우</u>가 없다. → 허물없이 아주 친한 친구

고난도

08 ⓐ~ⓔ의 문맥적 의미로 적절하지 <u>않은</u> 것은?

> 우리나라는 과거에 인구가 ⓐ기하급수적으로 늘어나서 출산을 제한하는 정책을 펼쳤다. 그러나 지금은 출산율이 ⓑ급감하여 이에 대한 대책을 ⓒ강구해야 하는 실정이다. 출산율의 ⓓ극심한 감소는 ⓔ고령화 사회를 만들었고, 이는 노인들의 질병, 일자리 부족, 빈곤 등의 문제를 일으켰다. 정부는 이 문제를 해결하기 위해 노인 복지와 일자리를 확대하는 한편 출산을 장려하는 혜택을 점차 늘려 갈 방침이다.

① ⓐ: 증가하는 수나 양이 아주 많은 것.
② ⓑ: 급작스럽게 줄어듦.
③ ⓒ: 진리, 학문 등을 파고들어 깊이 연구함.
④ ⓓ: 매우 심함.
⑤ ⓔ: 한 사회에서 노인의 인구 비율이 높은 상태로 나타나는 일.

납(納) 받아들이다, 바치다

공납 바칠 貢 | 바칠 納	백성이 그 지방에서 나는 특산물을 나라에 바치던 일. 예 ▢▢은 예전의 세금 제도 중 하나이다.	➕ 공납물(貢納物): 백성이 나라에 바치던 지방의 특산물.
귀납적 돌아갈 歸 | 받아들일 納 어조사 的	개별적인 특수한 사실이나 원리로부터 일반적이고 보편적인 명제 및 법칙을 유도해 내는 논증 방법으로 추리하는 것. 예 과학의 탐구 방법에는 ▢▢▢ 탐구와 연역적 탐구가 있다.	➕ 연역적(演繹的): 일반적인 사실이나 원리를 전제로 하여 개별적인 사실이나 보다 특수한 다른 원리를 이끌어 내는 방법으로 추리하는 것.
납득 받아들일 納 | 얻을 得	다른 사람의 말이나 행동, 형편 등을 잘 알아서 긍정하고 이해함. 예 동생은 간혹 ▢▢이 안 가는 행동을 한다.	
용납 받아들일 容 | 받아들일 納	너그러운 마음으로 남의 말이나 행동, 물건이나 상황을 받아들임. 예 아버지께서는 무례한 행동을 절대로 ▢▢하지 않으신다.	더알기 '용(容)'은 '얼굴'이라는 뜻 외에 '받아들이다'라는 뜻으로도 쓰인다.

념(念) 생각

염두 생각 念 | 머리 頭	「1」 생각의 시초. 예 어떻게 부탁의 말을 꺼내야 할지 ▢▢가 열리지 않았다. 「2」 마음의 속. = 심중 예 시민들은 시장으로 두 번째 후보를 ▢▢에 두고 있다.	더알기 '념(念)'이 단어의 첫음절에 쓰이면 '염'으로 읽힌다.
염려 생각 念 | 생각할 慮	앞일에 대하여 여러 가지로 마음을 써서 걱정함. 또는 그런 걱정. 예 네 ▢▢ 덕분에 나는 잘 지내고 있어.	
염원 생각 念 | 원할 願	마음에 간절히 생각하고 기원함. 또는 그런 것. 예 우리 겨레의 ▢▢은 통일이다.	✪ 소망(所望): 어떤 일을 바람. 또는 그 바라는 것.
체념 살필 諦 | 생각 念	희망을 버리고 아주 단념함. 예 어차피 못 갈 유학이라면 하루라도 빨리 ▢▢하는 게 낫다.	➕ 단념(斷念): 품었던 생각을 아주 끊어 버림.

능(能) 능하다

능동적
능할 能 | 움직일 動
어조사 的

다른 것에 이끌리지 않고 스스로 일으키거나 움직이는 것.

예 그는 모든 일에 [ ][ ]으로 참여한다.

🔁 수동적(受動的): 스스로 움직이지 않고 다른 것의 작용을 받아 움직이는 것.

능률
능할 能 | 비율 率

일정한 시간에 할 수 있는 일의 비율.

예 공부의 [ ][ ]을 높이려면 휴식 시간이 꼭 필요하다.

능숙
능할 能 | 익을 熟

능하고 익숙함.

예 언니는 영어에 [ ][ ]해서 외국인과의 대화가 자유롭다.

🔁 미숙(未熟): 일 등에 익숙하지 못하여 서투름.

다(多) 많다

다변화
많을 多 | 측면 邊 | 될 化

일의 방법이나 모양이 다양하고 복잡해짐. 또는 그렇게 만듦.

예 우리나라는 수출 시장의 [ ][ ]를 위해 노력하고 있다.

다분
많을 多 | 나눌 分

그 비율이 어느 정도 많음.

예 그 친구는 소설가의 기질이 [ ][ ]하다.

📖 더 알기 '분(分)'은 여기에서 '나눈 몫'이라는 의미로 쓰였다.

다양성
많을 多 | 모양 樣 | 성질 性

모양, 빛깔, 형태, 양식 등이 여러 가지로 많은 특성.

예 우리는 문화의 [ ][ ]을 인정해야 한다.

다채
많을 多 | 무늬 彩

여러 가지 색채나 형태, 종류 등이 한데 어울리어 호화스러움.

예 이번 운동회에는 [ ][ ]로운 행사가 열린다.

단(單) 홑

단일
홑 單 | 하나 一

「1」 단 하나로 되어 있음.

예 여당과 야당이 각각 [ ][ ] 후보를 확정하였다.

「2」 다른 것이 섞여 있지 않음.

예 이 약은 [ ][ ] 성분으로 만들어졌다.

➕ 복합(複合): 두 가지 이상이 하나로 합침. 또는 두 가지 이상을 하나로 합침.

단조
홑 單 | 가락 調

「1」 가락이나 장단 등이 변화 없이 단일함.

예 식당 안에 [ ][ ]한 음악이 흐른다.

「2」 사물이 단순하고 변화가 없어 새로운 느낌이 없음.

예 매일 반복되는 [ ][ ]로운 일상을 보내고 있다.

☑ '외로움'에 관한 한자 성어

고립무원 외로울 孤 | 설 立 없을 無 | 도울 援	고립되어 구원을 받을 데가 없음. 예 ▢▢▢▢ 하여 떠도는 나를 삼촌이 자식처럼 챙겨 주었다.	➕ **고립(孤立)**: 다른 사람과 어울리어 사귀지 않거나 도움을 받지 못하여 외톨이로 됨.
사고무친 넉 四 | 돌아볼 顧 없을 無 | 어버이 親	사방을 둘러보아도 부모가 없다는 뜻으로, 의지할 만한 사람이 아무도 없음을 이르는 말. 예 홀어머니를 잃고 난 후 그는 ▢▢▢▢ 의 신세가 되었다.	**더알기** '친(親)'은 '친하다'라는 뜻 외에 '어버이, 친척'을 의미하기도 한다. ⟲ **사고무탁(四顧無託)**: 의탁할 만한 사람이 아무도 없음.
조실부모 이를 루 | 잃을 失 아버지 父 | 어머니 母	어려서 부모를 여읨. 예 아버지는 ▢▢▢▢ 하여 친척 집에서 어린 시절을 보냈다.	
혈혈단신 외로울 孑 | 외로울 孑 홀 單 | 몸 身	의지할 곳이 없는 외로운 홀몸. 예 나는 ▢▢▢▢ 으로 서울에 올라와 마침내 성공을 거두었다.	**더알기** '홀홀단신'은 '혈혈단신'의 잘못된 표현이다.

➕ 조실부모, 실제로 어떻게 쓰일까?

확인 문제

정답 및 해설 42쪽

[01 ~ 05] 다음 한자의 뜻 또는 음을 쓰시오.

01 多 많다 (   )　　02 念 (   ) 념　　03 單 홀 (   )

04 能 (   ) 능　　05 納 받아들이다, 바치다 (   )

[06 ~ 08] 제시된 초성을 참고하여 다음 뜻에 해당하는 어휘를 쓰시오.

06 　ㅇ ㄷ : ① 생각의 시초. ② 마음의 속.　　　　　　　　　　_____

07 　ㄷ ㅂ ㅎ : 일의 방법이나 모양이 다양하고 복잡해짐.　_____

08 　ㄴ ㄷ ㅈ : 다른 것에 이끌리지 않고 스스로 일으키거나 움직이는 것.　_____

[09 ~ 11] 다음 문장에 어울리는 어휘를 고르시오.

09 동해안은 해안선이 (다채 | 단조)롭고 밋밋하다.

10 스트레스가 많이 쌓이면 일의 (능률 | 다양성)이 떨어진다.

11 평소 화려한 말솜씨를 뽐내는 그는 사기꾼 기질이 (다분 | 단일)해 보였다.

[12 ~ 14] 〈보기〉의 글자를 조합하여 다음 뜻에 해당하는 한자 성어를 쓰시오.

보기

고　립　모　무　부

사　실　원　조　친

12 어려서 부모를 여읨.　　　　　　　　　　_____

13 사방을 둘러보아도 부모가 없음.　　　　_____

14 고립되어 구원을 받을 데가 없음.　　　　_____

단(斷) 끊다

금단
금할 禁 | 끊을 斷

「1」 어떤 행위를 못하도록 금함.
예 나는 카페인 음료를 끊은 후 ☐☐ 증상을 겪었다.
「2」 어떤 구역에 드나들지 못하도록 막음.
예 비무장 지대는 ☐☐의 땅이다.

➕ 비무장 지대(非武裝 地帶): 군사 시설이나 인원을 배치해 놓지 않은 곳.

단언
끊을 斷 | 말씀 言

주저하지 않고 딱 잘라 말함.
예 ☐☐하건대 그런 일은 절대 일어나지 않는다.

단행
끊을 斷 | 행할 行

결단하여 실행함.
예 은행들은 올해 금리 인하를 ☐☐하기로 하였다.

➕ 결단(決斷): 결정적인 판단을 하거나 딱 잘라서 결정함.
➕ 금리(金利): 빌려준 돈이나 예금 등에 붙는 이자.

재단
마를 裁 | 끊을 斷

「1」 옳고 그름을 가려 결정함.
예 학생을 성적만으로 ☐☐하는 것은 안타까운 일이다.
「2」 옷감이나 재목 등을 치수에 맞게 재거나 자르는 일. = 마름질
예 옷을 지을 때는 ☐☐을 정확히 해야 한다.

➕ 재목(材木): 목조의 건축물·기구 등을 만드는 데 쓰는 나무.

담(談) 말씀, 이야기

담소
이야기 談 | 웃음 笑

웃고 즐기면서 이야기함. 또는 그런 이야기.
예 우리는 차를 마시며 ☐☐를 나누었다.

➕ 잡담(雜談): 쓸데없이 지껄이는 말.

담판
말씀 談 | 판단할 判

서로 맞선 관계에 있는 쌍방이 의논하여 옳고 그름을 판단함.
예 누가 옳은지 이 자리에서 ☐☐을 지읍시다.

담화
이야기 談 | 이야기 話

「1」 서로 이야기를 주고받음.
예 그들의 ☐☐는 저녁 내내 이어졌다.
「2」 한 단체나 공적인 자리에 있는 사람이 어떤 문제에 대한 견해나 태도를 밝히는 말.
예 다음 주에 대통령의 특별 ☐☐가 발표될 예정이다.

개념 ➕ 구체적인 의사소통 상황에서 머릿속에 떠오른 생각이 문장 단위로 실현된 것이 '발화(發話)'인데, 이것이 모여 이루어진 통일체를 '담화'라고 한다.

당(當) 마땅하다, 맡다

당부
맡을 當 | 줄 付

말로 단단히 부탁함. 또는 그런 부탁.
예 그녀는 아들에게 약속을 꼭 지키라고 [ ][ ]하였다.

➕ 신신당부(申申當付): 거듭하여 간곡히 하는 당부.

타당성
온당할 妥 | 마땅할 當
성질 性

사물의 이치에 맞는 옳은 성질.
예 주장하는 글을 읽을 때는 주장의 [ ][ ][ ]을 따져 보아야 한다.

할당
나눌 割 | 맡을 當

몫을 갈라 나눔. 또는 그 몫.
예 각 대학은 지역 인재 [ ][ ] 제도를 시행 중이다.

➗ 배분(配分): 몫몫이 별러 나눔.

대(大) 크다

대담
큰 大 | 쓸개 膽

담력이 크고 용감함.
예 그는 자기보다 몸집이 큰 사람과도 [ ][ ]하게 맞섰다.

➕ 담력(膽力): 겁이 없고 용감한 기운.

대세
큰 大 | 형세 勢

「1」일이 진행되어 가는 결정적인 형세.
예 [ ][ ]는 이미 우리 쪽으로 기울었다.
「2」병이 위급한 상태.
예 할아버지께서는 어젯밤에 [ ][ ]를 넘기셨다.
「3」큰 권세.
예 후보들은 [ ][ ]를 잡기 위하여 각자 부단히 애썼다.

➕ 형세(形勢): 일이 되어 가는 형편.
➕ 권세(權勢): 권력과 세력.

대의
큰 大 | 도리 義

사람으로서 마땅히 지키고 행하여야 할 큰 도리.
예 안중근 의사는 [ ][ ]를 위하여 목숨을 바쳤다.

방대
두터울 厖 | 큰 大

규모나 양이 매우 크거나 많음.
예 [ ][ ]한 계획을 추진하기에는 예산이 턱없이 부족하다.

더알기 '방대'는 '尨大'라는 한자로도 쓰인다.
➕ 예산(豫算): 필요한 비용을 미리 헤아려 계산함. 또는 그 비용.

대(代) 대신하다

대용
대신할 代 | 쓸 用

대신하여 다른 것을 씀. 또는 그런 물건.
예 밥상을 책상 [ ][ ]으로 쓰고 있다.

대치
대신할 代 | 둘 置

다른 것으로 바꾸어 놓음.
예 대면 수업을 온라인 수업으로 [ ][ ]하였다.

➕ 치환(置換): 바꾸어 놓음.
➕ 대입(代入): 대신 다른 것을 넣음.

✅ '운수'에 관한 한자 성어

계란유골 닭 鷄 ㅣ 알 卵 있을 有 ㅣ 뼈 骨	달걀에도 뼈가 있다는 뜻으로, 운수가 나쁜 사람은 모처럼 좋은 기회를 만나도 역시 일이 잘 안됨을 이르는 말. 예 단체 주문이 하필 휴가 때 들어오다니, ☐☐☐☐이 따로 없다.
설상가상 눈 雪 ㅣ 위 上 더할 加 ㅣ 서리 霜	눈 위에 서리가 덮인다는 뜻으로, 난처한 일이나 불행한 일이 잇따라 일어남을 이르는 말. 예 늦잠 자서 지각하게 생겼는데 ☐☐☐☐으로 배탈까지 났다.
오비이락 까마귀 烏 ㅣ 날 飛 배 梨 ㅣ 떨어질 落	까마귀 날자 배 떨어진다는 뜻으로, 아무 관계도 없이 한 일이 공교롭게도 때가 같아 억울하게 의심을 받거나 난처한 위치에 서게 됨을 이르는 말. 예 ☐☐☐☐이라더니, 내가 지나갈 때 유리창이 깨져서 의심을 받았어.
전화위복 구를 轉 ㅣ 재앙 禍 될 爲 ㅣ 복 福	재앙과 근심, 걱정이 바뀌어 오히려 복이 됨. 예 ☐☐☐☐이라고 했으니 곧 좋은 일이 있을 것이다.

➕ **공교(工巧)롭다:** 생각지 않았거나 뜻하지 않았던 사실이나 사건과 우연히 마주치게 된 것이 기이하다고 할 만함.

➕ 계란유골, 어디서 생겨난 말일까?

조선 세종 때 영의정(領議政)을 지낸 '황희(黃喜)'는 인품이 훌륭하고 학식이 뛰어난 사람이었어요. 그런데 먹을거리를 걱정해야 할 정도로 가난했다고 해요. 이를 안타깝게 여긴 세종이 "오늘 남대문으로 들어오는 물건을 모두 황희의 집으로 보내라!"라고 명을 내렸어요.

하지만 그날따라 온종일 비가 내려 남대문으로 들어오는 물건이 없었어요. 날이 저물 무렵에야 겨우 달걀 한 꾸러미가 들어왔지요. 이것을 황희의 집으로 보냈는데, 이마저도 모조리 곯아서 먹을 수가 없었어요. 하필 비가 내리는 바람에 음식과 물건을 얻을 좋은 기회를 놓치고, 겨우 얻은 달걀 한 꾸러미마저 모두 곯다니, 황희는 참으로 운이 없는 사람이었네요.

서거정(徐居正)이라는 학자가 이 이야기를 책에 '계란유골'이라고 기록했는데, 후대 사람들이 '골(骨)'을 '곯다'라는 뜻 대신 '뼈'로 잘못 풀이하여 '계란에도 뼈가 있다.'라는 말이 되었다고 합니다.

드릴 수 있는 게 이 달걀밖에……

허허, 그거라도 고맙네.

[01 ~ 05] 다음 한자의 뜻 또는 음을 쓰시오.

01 大 (   ) 대   02 代 (   ) 대   03 當 마땅하다, 맡다 (   )

04 談 말씀, 이야기 (   ) 05 斷 (   ) 단

[06 ~ 08] 제시된 초성을 참고하여 밑줄 친 말을 대신할 수 있는 어휘를 쓰시오.

06 사장은 부족한 인력을 기계로 바꾸어 놓았다.

ㄷ ㅊ 하였다 → (   )

07 그는 겉보기에는 연약해 보이지만, 실제로는 담력이 크고 용감하다.

ㄷ ㄷ → (   )

08 방송국에서 시청률이 낮은 프로그램의 개편을 결단하여 실행하였다.

ㄷ ㅎ → (   )

[09 ~ 11] 밑줄 친 말을 대신할 수 있는 어휘를 고르시오.

09 우리는 셔츠를 만들기 위해 먼저 마름질을 시작하였다.   (재단 | 재봉)

10 판매 사원들은 매달 나누어 맡은 몫을 채우기 위하여 노력한다.   (예산 | 할당)

11 그는 옳고 큰 도리를 위하여 자기를 희생할 줄 아는 정치인이다.   (대세 | 대의)

[12 ~ 14] 다음 뜻에 해당하는 한자 성어를 〈보기〉에서 찾아 쓰시오.

보기

계란유골   설상가상   오비이락   전화위복

12 난처한 일이나 불행한 일이 잇따라 일어남.   _____

13 재앙과 근심, 걱정이 바뀌어 오히려 복이 됨.   _____

14 아무 관계도 없이 한 일이 공교롭게도 때가 같아 억울하게 의심을 받음.   _____

대(對) 대하다

대등
대할 對 | 같을 等

서로 견주어 높고 낮음이나 낫고 못함이 없이 비슷함.

예 두 선수의 실력은 ☐☐하다.

대응
대할 對 | 응할 應

「1」 어떤 일이나 사태에 맞추어 태도나 행동을 취함.

예 이번 사건에 대해 법적 ☐☐을 고려하고 있다.

「2」 어떤 두 대상이 주어진 어떤 관계에 의하여 서로 짝이 되는 일.

예 다음 글에서 ☐☐ 관계를 이루는 구절을 찾으시오.

➕ 응대(應對): 부름이나 물음 또는 요구 등에 응하여 상대함.

대인 관계
대할 對 | 사람 人
관계할 關 | 맬 係

사람과 사람 사이의 사회적·심리적 관계.

예 나는 학교에서 원만한 ☐☐ ☐☐를 형성하고 있다.

대항
대할 對 | 겨룰 抗

「1」 굽히거나 지지 않으려고 맞서서 버티거나 항거함.

예 백제는 고구려와 손을 잡고 신라에 ☐☐하였다.

「2」 (일부 명사 뒤에 쓰여) 그것끼리 서로 겨룸.

예 오늘 오후에 학교 ☐☐ 야구 경기가 열린다.

➕ 저항(抵抗): 어떤 힘이나 조건에 굽히지 않고 거역하거나 버팀.

덕(德) 덕

덕담
덕 德 | 말씀 談

남이 잘되기를 비는 말. 주로 새해에 많이 나누는 말임.

예 명절에 친척들이 모여 ☐☐을 나누었다.

🔄 악담(惡談): 남을 비방하거나, 잘되지 못하도록 저주하는 말.

덕목
덕 德 | 항목 目

충(忠), 효(孝), 인(仁), 의(義) 등의 덕을 분류하는 명목.

예 포용은 지도자가 갖추어야 할 ☐☐이다.

➕ 명목(名目): 겉으로 내세우는 이름.

덕성
덕 德 | 성질 性

어질고 너그러운 성질.

예 그는 실력과 ☐☐을 모두 갖춘 선수이다.

덕망
덕 德 | 명예 望

덕행으로 얻은 칭찬과 명예.

예 이번 선거에는 ☐☐ 높은 후보가 여럿 출마하였다.

➕ 덕행(德行): 어질고 너그러운 행실.

더알기 '망(望)'은 '바라다'라는 뜻 외에 '명성, 명예'라는 뜻으로도 쓰인다.

도(導) 이끌다

도입
이끌 導 | 들 入

「1」 기술, 방법, 물자 등을 끌어 들임.
예 우리 공장은 올해 첨단 장비를 [ ] 할 계획이다.
「2」 문학 작품이나 예술 작품, 책 등에서, 전체를 개관하고 방향이나
방법, 준비 등을 미리 알리거나 암시하는 일. 또는 그 단계.
예 책의 [ ] 부분에 작가의 정보가 실려 있다.
「3」 단원 학습에서 본격적인 수업에 들어가기 전의 첫 단계.
예 선생님은 수업의 [ ] 단계에 늘 흥미로운 이야기를 들려준다.

➕ 개관(槪觀): 전체를 대
강 살펴봄. 또는 그런 것.

도화선
이끌 導 | 불 火 | 줄 線

「1」 폭약이 터지도록 불을 붙이는 심지.
예 [ ] 에 불이 붙자마자 빠르게 타들어 갔다.
「2」 사건이 일어나게 된 직접적인 원인.
예 무심한 말투는 결국 싸움의 [ ] 이 되었다.

➕ 빌미: 재앙이나 탈 등이
생기는 원인.

독(獨) 홀로

독수공방
홀로 獨 | 지킬 守
빌 空 | 방 房

혼자서 지내는 것. 또는 아내가 남편 없이 혼자 지내는 것.
예 형이 유학 간 후 나는 줄곧 [ ] 이다.

독자적
홀로 獨 | 스스로 自
어조사 的

「1」 남에게 기대지 않고 혼자서 하는 것.
예 이번 성과는 그가 [ ] 으로 이루어 낸 결과물이다.
「2」 다른 것과 구별되는 혼자만의 특유한 것.
예 전 세계의 각 나라는 [ ] 인 문화를 가지고 있다.

➕ 성과(成果): 이루어 낸
결실.

독창적
홀로 獨 | 비롯할 創
어조사 的

모방 없이 새로운 것을 처음으로 만들어 내거나 생각해 내는 것.
예 한글은 세종대왕이 만든 [ ] 인 글자이다.

➕ 모방(模倣): 다른 것을
본뜨거나 본받음. ↔ 창조

동(同) 같다

동조
같을 同 | 어울릴 調

다른 사람의 말이나 생각, 주장 등을 옳게 여겨 따름.
예 동생은 내 의견에 흔쾌히 [ ] 해 주었다.

➕ 동의(同意): ① 같은 뜻.
② 의사나 의견을 같이함.

동질성
같을 同 | 바탕 質 | 성질 性

사람이나 사물의 바탕이 같은 성질이나 특성.
예 두 나라는 언어적 [ ] 을 지니고 있다.

🔲 이질성(異質性): 서로 바
탕이 다른 성질이나 특성.

동참
같을 同 | 참여할 參

어떤 모임이나 일에 같이 참가함.
예 이번 축제에는 학생들의 [ ] 이 무엇보다 필요하다.

☑ '못된 행실'에 관한 한자 성어

배은망덕 등질 背 | 은혜 恩 잊을 忘 | 덕 德	남에게 입은 은덕을 저버리고 배신하는 태도가 있음. 예 ⬜⬜⬜⬜도 유분수지, 네가 어떻게 나한테 이럴 수 있어?	➕ **유분수(有分數)**: 마땅히 지켜야 할 분수가 있음.
안하무인 눈 眼 | 아래 下 없을 無 | 사람 人	눈 아래에 사람이 없다는 뜻으로, 방자하고 교만하여 다른 사람을 업신여김을 이르는 말. 예 사장의 동생은 동료들에게 ⬜⬜⬜⬜으로 굴었다.	➕ **방자(放恣)**: 어려워하거나 조심스러워하는 태도가 없이 무례하고 건방짐. ➕ **교만(驕慢)**: 잘난 체하며 뽐내고 건방짐.
철면피 쇠 鐵 | 낯 面 | 가죽 皮	쇠로 만든 낯가죽이라는 뜻으로, 염치가 없고 뻔뻔스러운 사람을 낮잡아 이르는 말. 예 그는 말만 번지르르하고 양심은 없는 ⬜⬜⬜이다.	➕ **후안무치(厚顔無恥)**: 뻔뻔스러워 부끄러움이 없음.
표리부동 겉 表 | 속 裏 아닐 不 | 같을 同	겉으로 드러나는 언행과 속으로 가지는 생각이 다름. 예 ⬜⬜⬜⬜한 사람은 다른 사람에게 신뢰를 얻기 어렵다.	**더알기** '불(不)'은 일반적으로 'ㄷ, ㅈ'으로 시작하는 글자 앞에서는 '부'로 읽힌다.

➕ 철면피, 어디서 생겨난 말일까?

옛날 중국에 '왕광원'이라는 사람이 있었는데, 그는 자기보다 벼슬이 높거나 돈이 많은 사람에게 지나칠 정도로 아부를 잘했어요. 친구들은 그런 그를 못마땅하게 생각했어요.

그러던 어느 날, 높은 벼슬에 있는 사람이 왕광원과 함께 술을 마시다가 채찍을 휘둘렀어요. 그 주변에 있던 사람들은 놀라서 바로 달아났지요. 그런데 왕광원은 오히려 그에게 등을 대 주면서 채찍을 더 때려 달라고 말했어요.

"채찍질을 정말 잘하시네요!"라고 하면서 말이에요.

윗사람에게 아부하는 왕광원을 보며 친구들은 혀를 끌끌 찼지만, 왕광원은 아랑곳하지 않고 오히려 친구들에게 "앞으로 나한테 좋은 일이 생길 것이라네."라고 하며 자신에 차서 말했어요.

그 뒤, 사람들은 왕광원에게 '철면피'라는 별명을 지어 주었고, 지나치게 뻔뻔하고 부끄러움을 모르는 사람을 '철면피'라고 부르게 되었답니다.

채찍질을 정말 잘하시네요!

[01 ~ 05] 다음 한자의 뜻을 쓰시오.

01 同 (   ) 동   02 德 (   ) 덕   03 導 (   ) 도

04 對 (   ) 대   05 獨 (   ) 독

[06 ~ 08] 밑줄 친 어휘의 뜻을 고르시오.

06 사소한 오해가 싸움의 도화선이 되었다.

① 폭약이 터지도록 불을 붙이는 심지.   ② 사건이 일어나게 된 직접적인 원인.

07 이 성과는 누구의 도움 없이 독자적 노력으로 이룬 것이다.

① 남에게 기대지 않고 혼자서 하는 것.   ② 다른 것과 구별되는 혼자만의 특유한 것.

08 우리는 사회의 빠른 변화에 맞추어 신속하게 대응할 수 있어야 한다.

① 어떤 일이나 사태에 맞추어 태도나 행동을 취함.

② 어떤 두 대상이 주어진 어떤 관계에 의하여 서로 짝이 되는 일.

[09 ~ 11] 다음 뜻에 해당하는 어휘에 ∨표 하시오.

09 어질고 너그러운 성질.   □ 덕망 □ 덕성

10 다른 사람의 말이나 생각, 주장 등을 옳게 여겨 따름.   □ 동조 □ 동참

11 서로 견주어 높고 낮음이나 낫고 못함이 없이 비슷함.   □ 대등 □ 대항

[12 ~ 14] 빈칸에 알맞은 말을 넣어 다음 상황에 어울리는 한자 성어를 완성하시오.

12 저 사람은 겉과 속이 너무 달라서 표□부□ 한 사람으로 소문이 자자해.

13 물건을 훔친 범인이 도리어 화를 냈대. 어떻게 그런 □□피 가 있을 수 있지?

14 그는 사업에 성공하더니 눈 아래에 사람이 없는 것처럼 행동해. 정말 □하□인 이야.

공부한 날짜 ○월 ○일

동(動) 움직이다

가동률
일할 稼 | 움직일 動 | 비율 率

생산 설비가 가동될 수 있는 최대 시간과 실지로 가동한 시간의 비율.
예 원전의 ☐☐☐이 줄면 전기료 인상이 불가피하다.

➕ **가동(稼動):** 사람이나 기계 등이 움직여 일함.
➕ **원전(原電):** 원자력 발전소.

거동
들 擧 | 움직일 動

몸을 움직임. 또는 그런 짓이나 태도.
예 ☐☐이 불편하신 할머니의 짐을 들어 드렸다.

동선
움직일 動 | 줄 線

건축물의 내외부에서, 사람이나 물건이 어떤 목적이나 작업을 위하여 움직이는 자취나 방향을 나타내는 선.
예 여행 계획을 짤 때는 ☐☐을 짧게 하는 것이 좋다.

선동적
부채질할 煽 | 움직일 動 | 어조사 的

남을 부추겨 어떤 일이나 행동을 하게 하는 것.
예 언론은 ☐☐☐인 보도를 자제해야 한다.

➕ **자제(自制):** 자기의 감정이나 욕망을 스스로 억제함.

등(登) 오르다

등단
오를 登 | 단 壇

「1」 연단(演壇)이나 교단(教壇) 같은 곳에 오름.
예 청중은 강연자의 ☐☐을 기다리며 무대를 바라보았다.
「2」 어떤 사회적 분야에 처음으로 등장함. 주로 문단(文壇)에 처음으로 등장하는 것을 이름.
예 아버지께서는 올해 소설가로 ☐☐하셨다.

➕ **연단(演壇):** 연설이나 강연을 하는 사람이 올라서는 단.
➕ **교단(教壇):** 교사가 강의할 때 올라서는 단.
➕ **문단(文壇):** 문인들의 사회.

등용
오를 登 | 쓸 用

인재를 뽑아서 씀.
예 조선 시대의 과거 제도는 인재 ☐☐의 수단이었다.

📌 **더 알기** '등용'은 '登庸'이라는 한자로도 쓰인다.
➕ **채용(採用):** 사람을 골라서 씀.

등재
오를 登 | 실을 載

「1」 일정한 사항을 장부나 대장에 올림.
예 석굴암은 유네스코에 ☐☐된 세계 문화유산 중 하나이다.
「2」 서적이나 잡지 등에 실음.
예 그의 논문이 학술지에 ☐☐되었다.

➕ **게재(揭載):** 글이나 그림 등을 신문이나 잡지 등에 실음.

락(落) 떨어지다

낙담
떨어질 落 | 마음 膽

바라던 일이 뜻대로 되지 않아 마음이 몹시 상함.
예 성적이 떨어져 [ ][ ]한 친구를 위로해 주었다.

> **더알기** '담(膽)'은 '쓸개'라는 뜻 외에 '마음'이라는 뜻으로도 쓰인다.
> **유** 낙심(落心): 바라던 일이 이루어지지 않아 마음이 상함.

누락
샐 漏 | 떨어질 落

기입되어야 할 것이 기록에서 빠짐. 또는 그렇게 되게 함.
예 참가자 명단에 [ ][ ]된 사람이 없도록 꼼꼼히 검토하였다.

퇴락
무너질 頹 | 떨어질 落

「1」 낡아서 무너지고 떨어짐.
예 지자체는 [ ][ ]한 골목을 재정비하는 데 힘썼다.
「2」 지위나 수준 등이 뒤떨어짐.
예 그는 [ ][ ]한 지식인 중의 하나였다.

> **+** 지자체(地自體): '지방 자치 단체'를 줄여 이르는 말.

락(樂) 즐기다, 노래(악), 좋아하다(요)

낙관적
즐길 樂 | 볼 觀 | 어조사 的

「1」 인생이나 사물을 밝고 희망적이게 보는 것.
예 내 동생은 워낙 [ ][ ][ ]이라 늘 웃는 얼굴이다.
「2」 앞으로의 일 등이 잘되어 갈 것으로 여기는 것.
예 선생님은 이번 시험 결과를 [ ][ ][ ]으로 본다.

> **반** 비관적(悲觀的): ① 인생을 어둡게만 보아 슬퍼하거나 절망스럽게 여기는 것. ② 앞으로의 일이 잘 안될 것이라고 보는 것.

낙천적
즐길 樂 | 하늘 天 | 어조사 的

세상과 인생을 즐겁고 좋은 것으로 여기는 것.
예 나는 인생을 [ ][ ][ ]으로 살기로 하였다.

> **반** 염세적(厭世的): 세상을 싫어하고 모든 일을 어둡고 부정적인 것으로 보는 것.

희희낙락
기쁠 喜 | 기쁠 喜
즐길 樂 | 즐길 樂

매우 기뻐하고 즐거워함.
예 아이들은 [ ][ ][ ][ ]하며 수다를 늘어놓았다.

> **더알기** '樂'은 '즐길 락', '노래 악', '좋아할 요'라는 뜻과 음으로 쓰인다.
> 예 音樂(음악),
> 樂山樂水(요산요수)

래(來) 오다

유래
말미암을 由 | 올 來

사물이나 일이 생겨남. 또는 그 사물이나 일이 생겨난 바.
예 고사성어는 옛이야기에서 [ ][ ]한 한자 성어이다.

> **유** 내력(來歷): 일정한 과정을 거치면서 이루어진 까닭.

초래
부를 招 | 올 來

일의 결과로서 어떤 현상을 생겨나게 함.
예 한순간의 실수가 심각한 결과를 [ ][ ]하기도 한다.

☑ '무지, 무식'에 관한 한자 성어

등하불명
등잔 燈 | 아래 下
아닐 不 | 밝을 明

등잔 밑이 어둡다는 뜻으로, 가까이에 있는 물건이나 사람을 잘 찾지 못함을 이르는 말.

예 ☐☐☐☐이라더니, 안경을 끼고 있는 걸 깜빡하고 안경을 찾았지 뭐야.

더알기 '등하불명'은 '업은 아이 삼 년 찾는다'라는 우리말 속담과 뜻이 통한다.

마이동풍
말 馬 | 귀 耳
동녘 東 | 바람 風

동풍이 말의 귀를 스쳐 간다는 뜻으로, 남의 말을 귀담아듣지 않고 지나쳐 흘려버림을 이르는 말.

예 아무리 말해도 내 충고는 그에게 ☐☐☐☐일 뿐이다.

목불식정
눈 目 | 아닐 不
알 識 | 고무래 丁

아주 간단한 글자인 '丁(정)' 자를 보고도 그것이 '고무래'라는 뜻인 줄을 알지 못한다는 뜻으로, 아주 까막눈임을 이르는 말.

예 형은 열 살이 되어서야 겨우 ☐☐☐☐을 면하였다.

더알기 '목불식정'은 '낫 놓고 기역 자도 모른다'라는 우리말 속담과 뜻이 통한다.

우이독경
소 牛 | 귀 耳
읽을 讀 | 글 經

쇠귀에 경 읽기라는 뜻으로, 아무리 가르치고 일러 주어도 알아듣지 못함을 이르는 말.

예 동생은 고집이 세서 내가 몇 번을 타일러도 ☐☐☐☐이다.

➕ 마이동풍, 어디서 생겨난 말일까?

중국 당나라의 유명한 시인인 '이백'에게는 '왕십이'라는 친구가 있었어요. 하루는 왕십이가 이백에게 당시의 시대 상황을 안타까워하는 시를 보냈어요. 그때는 전쟁터에 나가 공을 세운 무인을 추켜세우고, 이백이나 왕십이처럼 글을 짓는 문인을 홀대하는 시대였지요. 왕십이의 시를 읽은 이백은 친구에게 다음과 같은 답장을 보냈다고 해요.

'향긋한 봄바람[東風]이 말[馬]의 귀[耳]를 스쳐 가도 말은 아무것도 느끼지 못하는 것처럼, 우리가 아무리 좋은 시를 써도 이 시대는 우리의 시를 알아주지 않는구나.'

이백의 편지 내용은 '마이동풍(馬耳東風)'이라는 성어로 쓰여, 남의 말을 귀담아듣지 않거나 좋은 충고를 듣지 않는 것을 의미하게 되었습니다.

아, 봄바람 같은 내 신세여……

[01~05] 다음 한자의 뜻 또는 음을 쓰시오.

01 來 (   ) 래   **02** 登 오르다 (   )   **03** 落 떨어지다 (   )

04 動 (   ) 동   **05** 樂 즐기다 (   ), 노래 (   ), 좋아하다 (   )

[06~11] 다음 십자말풀이를 완성하시오.

		06		
		07		
08				09
			10	
		11		

세로
06 남을 부추겨 어떤 일이나 행동을 하게 하는 것.
08 세상과 인생을 즐겁고 좋은 것으로 여기는 것.
09 일정한 사항을 장부나 대장에 올림.
10 낡아서 무너지고 떨어짐.

가로
07 사람이나 물건이 움직이는 자취나 방향을 나타내는 선.
08 앞으로의 일 등이 잘되어 갈 것으로 여기는 것.
09 인재를 뽑아서 씀.
11 기입되어야 할 것이 기록에서 빠짐.

[12~13] 제시된 초성과 뜻을 참고하여 빈칸에 들어갈 어휘를 쓰시오.

12 ㄴ ㄷ : 바라던 일이 뜻대로 되지 않아 마음이 몹시 상함.
예 형은 기말고사 성적이 떨어져서 크게 (   )하였다.

13 ㅊ ㄹ : 일의 결과로서 어떤 현상을 생겨나게 함.
예 에너지 낭비와 환경 오염은 결국 기후 변화를 (   )할 것이다.

[14~15] 빈칸에 들어갈 어휘를 〈보기〉에서 찾아 쓰시오.

보기
등하불명   마이동풍   목불식정   희희낙락

14 동생은 어제부터 겨울 방학이라 신이 나서 (   )이다.

15 '(   )'은 '낫 놓고 기역 자도 모른다'라는 우리말 속담과 뜻이 통한다.

랭(冷) 차다

냉담
찰 冷 | 맑을 淡

「1」 태도나 마음씨가 동정심 없이 차가움.
예 관중의 ☐☐한 반응에 사회자가 적잖이 당황하였다.
「2」 어떤 대상에 흥미나 관심을 보이지 않음.
예 그는 정치에 관해서는 ☐☐한 태도를 보였다.

> **더 알기** '랭(冷)'이 단어의 첫음절에 쓰이면 '냉'으로 읽힌다.

냉소
찰 冷 | 웃음 笑

쌀쌀한 태도로 비웃음. 또는 그런 웃음.
예 배우는 ☐☐에 찬 목소리로 독설을 내뱉었다.

> ➕ 독설(毒舌): 모질고 독한 말.

냉전
찰 冷 | 싸움 戰

「1」 직접적으로 무력을 사용하지 않고, 경제·외교·정보 등을 수단으로 하는 국제적 대립.
예 제2차 세계 대전 이후 동서 간의 ☐☐ 시대가 열렸다.
「2」 두 대상의 대립이나 갈등 구조를 비유적으로 이르는 말.
예 나는 요즘 가장 친한 친구와 ☐☐ 상태이다.

냉정
찰 冷 | 마음 情

태도가 정다운 맛이 없고 차가움.
예 오늘따라 친구의 말투가 ☐☐하게 느껴졌다.

> ➕ 냉정(冷靜): 생각이나 행동이 감정에 좌우되지 않고 침착함.

력(力) 힘

근력
힘줄 筋 | 힘 力

「1」 근육의 힘. 또는 그 힘의 지속성.
예 할아버지께서는 연세에 비해 ☐☐이 좋으시다.
「2」 일을 능히 감당하여 내는 힘.
예 비록 ☐☐이 부치기는 하나, 최선을 다할 것이다.

> 🔁 기력(氣力): 사람의 몸으로 활동할 수 있는 정신과 육체의 힘.

역동적
힘 力 | 움직일 動 | 어조사 的

힘차고 활발하게 움직이는 것.
예 새들이 ☐☐☐으로 날갯짓을 하였다.

효력
효과 效 | 힘 力

「1」 약 등을 사용한 후에 얻는 보람.
예 진통제의 ☐☐이 떨어지면 환자가 고통을 느낀다.
「2」 법률이나 규칙 등의 작용.
예 이 계약서는 법적 ☐☐을 상실하였다.

> 🔁 효험(效驗): 일의 좋은 보람. 또는 어떤 작용의 결과.

련(連) 잇닿다

연발 잇닿을 連 | 일어날 發	「1」 연이어 일어남. 예 오늘따라 나는 실수 ☐☐이다. 「2」 총이나 대포, 화살 등을 잇따라 쏨. 예 산 너머에서 ☐☐로 쏘아 대는 총소리가 들려 왔다.	🔄 **단발(單發):** ① 총알이나 대포의 한 발. ② 어떤 일이 연속하여 일어나지 않고 단 한 번만 일어남.
연방 잇닿을 連 | 모 方	연속해서 자꾸. 예 학생들은 ☐☐ 고개를 끄덕였다.	➕ **연속(連續):** 끊이지 않고 죽 이어지거나 지속함.
연작시 잇닿을 連 | 지을 作 | 시 詩	여러 시인이나 한 시인이 하나의 주제 아래 쓴 여러 개의 시를 하나로 만든 시. 예 이 시는 '여름'이라는 제목으로 쓰인 ☐☐☐이다.	

렬(劣) 못하다

열등감 못할 劣 | 등급 等 | 느낄 感	자기를 남보다 못하거나 무가치한 인간으로 낮추어 평가하는 감정. 예 ☐☐☐에 빠지기보다 자기 계발에 힘쓰는 것이 낫다.	
열세 못할 劣 | 기세 勢	상대편보다 힘이나 세력이 약함. 또는 그 힘이나 세력. 예 ☐☐에 몰린 상대편은 죽을힘을 다하여 뛰기 시작하였다.	🔄 **우세(優勢):** 상대편보다 힘이나 세력이 강함. 또는 그 힘이나 세력.
열악 못할 劣 | 나쁠 惡	품질이나 능력, 시설 등이 매우 떨어지고 나쁨. 예 형은 ☐☐한 환경에서도 열심히 공부하였다.	

렴(廉) 청렴하다, 값싸다, 살피다

염치 청렴할 廉 | 부끄러울 恥	체면을 차릴 줄 알며 부끄러움을 아는 마음. 예 그녀는 ☐☐도 없이 자랑을 늘어놓았다.	➕ **몰염치(沒廉恥):** 염치가 없음. ➕ **파렴치(破廉恥):** 염치를 모르고 뻔뻔스러움.
염가 값쌀 廉 | 값 價	매우 싼 값. 예 상인들은 남은 물건을 ☐☐로 판매하였다.	
염탐 살필 廉 | 찾을 探	몰래 남의 사정을 살피고 조사함. 예 적진으로 ☐☐을 나간 병사들이 오늘 밤에 돌아온다.	➕ **탐정(探偵):** 드러나지 않은 사정을 몰래 살펴 알아냄. 또는 그런 일을 하는 사람.

☑ '소박한 삶'에 관한 한자 성어

단사표음
밥그릇 簞 | 밥 食
표주박 瓢 | 음료 飲

대나무로 만든 밥그릇에 담은 밥과 표주박에 든 물이라는 뜻으로, 청빈하고 소박한 생활을 이르는 말.

예 옛 선비들은 ☐☐☐☐에도 감사할 줄 알았다.

> **더알기** '먹을 식(食)'이 '밥' 이라는 뜻으로 쓰일 때는 '사'로 읽힌다.
> ➕ **청빈(淸貧):** 성품이 깨끗하고 재물에 대한 욕심이 없어 가난함.

빈이무원
가난할 貧 | 말 이을 而
없을 無 | 원망할 怨

가난하지만 남을 원망하지 않음.

예 할머니께서는 평생 ☐☐☐☐을 신념으로 삼고 사셨다.

> **더알기** '말 이을 而'는 국어의 접속어와 같은 역할을 하는 한자로, '그리고, 그래서, 그러나(하지만)' 등의 뜻으로 쓰인다.

안분지족
편안할 安 | 분수 分
알 知 | 만족할 足

편안한 마음으로 제 분수를 지키며 만족할 줄 앎.

예 ☐☐☐☐하여 사는 것이 정신 건강에 좋다.

> **더알기** '분(分)'은 '분수'를 뜻하기도 하며, '족(足)'은 '만족하다'라는 의미로도 쓰인다.

안빈낙도
편안한 安 | 가난할 貧
즐길 樂 | 도리 道

가난한 생활을 하면서도 편안한 마음으로 도를 즐겨 지킴.

예 나는 ☐☐☐☐를 실천하며 남은 인생을 보낼 것이다.

➕ 단사표음, 어디서 생겨난 말일까?

중국의 대학자였던 '공자'는 일생 동안 무려 3천 명의 제자를 두었어요. 공자는 그중에서도 '안회'라는 제자를 무척 아꼈지요. 안회 역시 공자의 기대에 맞추어 열정을 바쳐 학문을 닦았어요. 얼마나 열심히 공부했는지, 스물아홉 살에 백발이 되었을 정도예요.

안회는 너무 가난해서 끼니를 거르는 일이 많았는데, 그래도 학문을 게을리 하지 않았어요. 그런 안회를 보며 공자는 칭찬을 아끼지 않았지요.

"어질구나, 안회야. 다른 사람은 대나무 그릇에 담긴 밥과 표주박에 든 물을 마시는 가난한 삶을 쉽게 견디지 못할 텐데, 너는 그런 생활 속에서도 즐거움을 잃지 않는구나!"라고 하면서 말이에요.

이 이야기에서 유래한 '단사표음'은 가난하지만 소박한 삶을 의미하는 말이 되었습니다.

안회야, 내가 널 많이 아낀단다!

[01 ~ 05] 다음 한자의 뜻 또는 음을 쓰시오.

01 力 힘 (   )   **02** 冷 차다 (   )   **03** 劣 (   ) 렬

04 連 (   ) 련   **05** 廉 청렴하다, 값싸다, 살피다 (   )

[06 ~ 08] 빈칸에 알맞은 말을 넣어 밑줄 친 어휘의 뜻을 완성하시오.

06 열세에 몰리던 우리 팀은 상대 팀을 역전승으로 이겼다.

➡ 상대편보다 힘이나 세력이 (   ).

07 오빠가 염치도 없이 내 빵을 몰래 먹어 버리고 입을 싹 닦았다.

➡ 체면을 차릴 줄 알며 (   )을 아는 마음.

08 끝까지 잘못을 인정하지 않은 정치인에게 국민들은 냉소 섞인 비판을 멈추지 않았다.

➡ 쌀쌀한 태도로 (   ).

[09 ~ 11] 〈보기〉의 글자를 조합하여 빈칸에 들어갈 어휘를 쓰시오.

> 보기
>
> 감   등   발   연   염   열   탐

09 나는 공부를 잘하는 단짝 친구에게 □□□을 느낀다.

10 아름다운 공연을 본 우리 가족은 감탄사를 □□하였다.

11 가게 안에는 장사의 비결을 □□하러 온 손님이 반 이상이었다.

[12 ~ 14] 다음 뜻에 해당하는 한자 성어를 〈보기〉에서 찾아 쓰시오.

> 보기
>
> 단사표음   빈이무원   안분지족   안빈낙도

12 가난하지만 남을 원망하지 않음. _____

13 가난한 생활을 하면서도 편안한 마음으로 도를 즐겨 지킴. _____

14 대나무 그릇에 밥을 먹고 표주박의 물을 마시는 청빈하고 소박한 생활. _____

록(錄) 기록하다

녹취 기록할 錄 | 취할 取	방송 등의 내용을 녹음함. 또는 녹음한 것을 글로 옮겨 기록함. 예 서기는 회의 내용을 ☐☐하여 문서로 옮겼다.	➕ 녹취록(錄取錄): 대화의 내용을 녹음한 기록.
녹화 기록할 錄 | 그림 畫	사물의 모습이나 움직임 등을 나중에 다시 볼 수 있도록 텔레비전 카메라나 비디오카메라 또는 비디오 기기를 통하여 필름, 테이프 등에 담아 둠. 예 저녁 7시부터 국가 대항 축구 경기가 ☐☐ 중계될 예정이다.	➕ 녹화(綠化): 산이나 들 등에 나무나 화초를 심어 푸르게 함.
부록 붙을 附 | 기록할 錄	「1」 본문 끝에 덧붙이는 기록. 예 참고 문헌은 ☐☐에 실려 있다. 「2」 신문, 잡지 등의 본지에 덧붙인 지면이나 따로 내는 책자. 예 별책 ☐☐으로 기출 문제집이 제공된다.	➕ 참고 문헌(參考文獻): 연구를 하는 데 참고를 한 서적이나 문서. ➕ 별책(別册): 따로 엮어 만든 책.
초록 뽑을 抄 | 기록할 錄	필요한 부분만을 뽑아서 적음. 또는 그런 기록. 예 김 교수는 논문의 ☐☐을 일목요연하게 작성하였다.	➕ 일목요연(一目瞭然): 한 번 보고 대번에 알 수 있을 만큼 분명하고 뚜렷함.

론(論) 논하다

논박 논할 論 | 논박할 駁	어떤 주장이나 의견에 대해 잘못된 점을 조리 있게 공격하여 말함. 예 젊은 학자의 주장은 금세 ☐☐의 대상이 되었다.	⑪ 반박(反駁): 어떤 의견, 주장, 논설 등에 반대하여 말함.
논쟁 논할 論 | 다툴 爭	서로 다른 의견을 가진 사람들이 각각 자기의 주장을 말이나 글로 논하여 다툼. 예 토론자들의 열띤 ☐☐은 밤새 계속되었다.	➕ 쟁론(爭論): ① 서로 다투어 토론함. ② 서로 다투는 이론.
논제 논할 論 | 제목 題	논설이나 논문, 토론 등의 주제나 제목. 예 다음 모임의 ☐☐는 무엇으로 정할까?	
논지 논할 論 | 뜻 旨	논하는 말이나 글의 목적이나 뜻. 예 이 글의 ☐☐를 요약하면 다음과 같다.	⑪ 논의(論意): 논하는 말이나 글의 뜻이나 의도.

루(累) 포개다

누적
포갤 累 | 쌓을 積

포개어 여러 번 쌓음. 또는 포개져 여러 번 쌓임.
예 수면 시간이 부족하면 피로가 ☐☐ 된다.

➕ 축적(蓄積): 지식, 경험, 자금 등을 모아서 쌓음. 또는 모아서 쌓은 것.

누진적
포갤 累 | 나아갈 進
어조사 的

가격, 수량 등이 더해짐에 따라 그에 대한 비율이 점점 높아지는 것.
예 초고층 건물을 지으려면 건축비가 ☐☐☐으로 높아진다.

리(利) 이롭다, 날카롭다

예리
날카로울 銳 | 날카로울 利

「1」 끝이 뾰족하거나 날이 선 상태.
예 송곳 끝이 ☐☐하다.
「2」 관찰이나 판단이 정확하고 날카로움.
예 형사가 ☐☐한 관찰력으로 범인을 잡아냈다.

이점
이로울 利 | 점 點

이로운 점.
예 유럽 여행은 다양한 문화를 접할 수 있다는 ☐☐이 있다.

이타적
이로울 利 | 남 他
어조사 的

자기의 이익보다는 다른 이의 이익을 더 꾀하는 것.
예 그는 ☐☐☐인 삶의 태도로 많은 사람의 존경을 받았다.

➕ 이타주의(利他主義): 자기를 희생함으로써 다른 사람의 행복과 이익을 늘리려는 생각 또는 태도.
🔄 이기적(利己的): 자기 자신의 이익만을 꾀하는 것.

리(理) 다스리다

이치
다스릴 理 | 이를 致

정당하고 도리에 맞는 원리. 또는 근본이 되는 목적이나 중요한 뜻.
예 자연의 ☐☐를 거스르면 재해를 입는다.

➕ 재해(災害): 지진, 홍수 등의 재앙으로 말미암아 받는 피해.

이상
다스릴 理 | 생각 想

생각할 수 있는 범위 안에서 가장 완전하다고 여겨지는 상태.
예 그는 ☐☐을 실현하기 위하여 끊임없이 노력한다.

➕ 이상향(理想鄉): 인간이 생각할 수 있는 최선의 상태를 갖춘 완전한 사회.
🔄 현실(現實): 현재 실제로 존재하는 사실·상태.

이성적
다스릴 理 | 성질 性
어조사 的

올바른 가치와 지식을 가지고 논리에 맞게 생각하고 판단하는 능력을 바탕으로 한 것.
예 급한 일일수록 ☐☐☐으로 대처해야 한다.

➕ 감상적(感傷的): 쉽게 슬퍼하거나 기뻐하는 것.

✔ '부정적 태도'에 관한 한자 성어

감탄고토 달 甘 l 삼킬 呑 쓸 苦 l 토할 吐	달면 삼키고 쓰면 뱉는다는 뜻으로, 자신의 비위에 따라서 사리의 옳고 그름을 판단함을 이르는 말. 예 ☐☐☐☐의 태도로 살면 주변에 친구가 남아 있기 어렵다.	➕ 비위(脾胃): 어떤 것을 좋아하거나 싫어하는 성 미. 또는 그러한 기분. ➕ 사리(事理): 일의 이치.

수수방관 소매 袖 l 손 手 곁 傍 l 볼 觀	팔짱을 끼고 보고만 있다는 뜻으로, 간섭하거나 거들지 않고 그대로 버려둠을 이르는 말. 예 ☐☐☐☐할 때는 언제고, 인제 와서 왜 참견합니까?

아전인수 나 我 l 밭 田 끌 引 l 물 水	자기 논에 물 대기라는 뜻으로, 자기에게만 이롭게 되도록 생각하거 나 행동함을 이르는 말. 예 ☐☐☐☐ 격으로 해석하는 것을 삼가십시오.

토사구팽 토끼 兔 l 죽을 死 개 狗 l 삶아질 烹	토끼가 죽으면 토끼를 잡던 사냥개도 필요 없게 되어 주인에게 삶아 먹히게 된다는 뜻으로, 필요할 때는 쓰고 필요 없을 때는 야박하게 버리는 경우를 이르는 말. 예 전쟁을 승리로 이끈 장수가 왕에게 ☐☐☐☐을 당하였다.

➕ 토사구팽, 어디서 생겨난 말일까?

중국 월(越)나라의 임금 '구천'에게는 '범려'와 '문종'이라는 훌륭한 신하가
있었어요. 두 사람은 전쟁에 나가 큰 공을 세웠고, 임금은 그들에게
높은 벼슬을 내리며 칭찬했지요.

그런데 범려는 벼슬을 마다하더니 이웃 나라인 제(齊)나라로
도망쳐 숨어 살았어요. 그러고는 문종에게 다음과 같은 편지를 썼지요.
'새를 사냥한 후에는 좋은 활도 쓸모가 없어져 어두운 곳에 처박
힌다네. 그와 마찬가지로 토끼를 잡고 나면 필요 없어진 사냥개는
주인에게 삶아 먹히지.'

범려는 이제 필요 없어진 자기들이 버려지게 될 것을 직감하고 문종에게도
어서 몸을 피하라는 말을 전하려 한 거예요. 하지만 고민을 하며 시간을 끌던
문종은 곧 임금의 자리를 빼앗으려 한다는 누명을 썼고, 결국 스스로 목숨을 끊게
되었답니다.

잡느라 수고했다.

흐흐, 이제 네놈들은 필요 없게 되었구나.

도망쳐~

확인 문제

정답 및 해설 43쪽

[01 ~ 05] 다음 한자의 뜻을 쓰시오.

01 理 ( ) 리   02 論 ( ) 론   03 利 ( ) 리

04 累 ( ) 루   05 錄 ( ) 록

[06 ~ 08] 제시된 초성과 뜻을 참고하여 빈칸에 들어갈 어휘를 쓰시오.

06 ㄴㅊ : 방송 등의 내용을 녹음함.

⑩ 조사관은 증인의 증언을 ( )하여 보관해 두었다.

07 ㅇㅅㅈ : 논리에 맞게 생각하고 판단하는 능력을 바탕으로 한 것.

⑩ 인간은 동물과 달리 ( )으로 생각할 수 있는 능력이 있다.

08 ㄴㅈㅈ : 가격, 수량 등이 더해짐에 따라 그에 대한 비율이 점점 높아지는 것.

⑩ 세금은 소득이나 재산에 따라 ( )으로 적용되기도 한다.

[09 ~ 11] 다음 뜻에 해당하는 어휘에 ∨표 하시오.

09 논설이나 논문, 토론 등의 주제나 제목.   ☐ 논제 ☐ 논지

10 포개어 여러 번 쌓음. 또는 포개져 여러 번 쌓임.   ☐ 누적 ☐ 축적

11 어떤 주장이나 의견에 대해 잘못된 점을 조리 있게 공격하여 말함.   ☐ 논박 ☐ 논쟁

[12 ~ 14] 제시된 초성을 참고하여 빈칸에 들어갈 한자 성어를 쓰시오.

12 그는 모든 일에 ㅇㅈㅇㅅ 격으로 이기적인 판단을 한다. _____

13 아이들은 학급의 왕따 문제를 해결하려 하지 않고 ㅅㅅㅂㄱ하였다. _____

14 비위에 따라 ㄱㅌㄱㅌ하는 사람과는 가까이 지내지 않는 것이 좋다. _____

01 〈보기〉의 밑줄 친 어휘의 의미로 가장 적절한 것은?

보기

싸움의 대세는 이미 우리에게 유리하게 기울어 있다.

① 큰 권세
② 근육의 힘
③ 병이 위급한 상태
④ 일을 능히 감당하여 내는 힘
⑤ 일이 진행되어 가는 결정적인 형세

02 밑줄 친 부분을 바꾼 표현으로 적절하지 않은 것은?

① 제 이름이 참가자 명단에서 빠진(→ 퇴락된) 것 같습니다.
② 아버지는 그런 변명을 너그럽게 받아들이지(→ 용납하지) 않을 것이다.
③ 이달 말부터 백화점에서 매우 싼 값으로(→ 염가로) 물건을 판다고 한다.
④ 그를 도와준 대가로 사례를 받을 생각은 처음부터 마음속(→ 염두)에 없었다.
⑤ 신기술에 대한 소유권 다툼이 두 회사 간 갈등의 직접적인 원인(→ 도화선)이 되었다.

03 〈보기〉의 빈칸에 들어갈 어휘를 순서대로 바르게 나열한 것은?

보기

학교 (　　　　) 축구 경기에서 (　　　　)에 몰린 우리 학교 팀은 응원단의 (　　　　)한 반응에도 (　　　　)하지 않고 끝까지 최선을 다하여 마침내 동점 골을 기록하였다.

① 대항 – 열세 – 냉담 – 체념
② 대등 – 약세 – 냉랭 – 좌절
③ 대응 – 우세 – 냉정 – 절망
④ 반항 – 열등감 – 분노 – 냉소
⑤ 저항 – 열악 – 무관심 – 단념

04 제시된 어휘를 활용하여 만든 문장으로 적절하지 않은 것은?

① 낙관적 → 아무리 상황이 낙관적이라도 내 꿈을 포기하지 않을 것이다.
② 선동적 → 시위 주동자들이 선동적인 구호를 외치며 거리를 행진하였다.
③ 능동적 → 부모님께서는 내가 능동적으로 진로를 결정하도록 이끌어 주셨다.
④ 독창적 → 세종 대왕은 백성을 위해 '훈민정음'이라는 독창적인 문자를 만들었다.
⑤ 독자적 → 그는 동양화에 서양 회화 기법을 도입한 독자적인 화풍으로 주목받고 있다.

고난도

05 〈보기〉의 시조에 드러나는 정서와 가장 관계 깊은 한자 성어는?

> ──── 보기 ────
>
> 보리밥 풋나물을 알맞게 먹은 후에
> 바위 끝 물가에서 실컷 노니노라.
> 그 밖에 남은 일이야 부러워할 줄이 있으랴.
>
> － 윤선도, 「만흥」 중에서

① 고립무원　　② 혈혈단신　　③ 사고무친　　④ 안분지족　　⑤ 전화위복

06 밑줄 친 어휘의 의미가 서로 대립하는 것끼리 연결되지 <u>않은</u> 것은?

① 나는 외국어에 <u>능숙</u>하다. － 형의 운전 실력은 <u>미숙</u>하다.
② 그는 언제나 <u>낙천적</u>이다. － 이 영화에서는 <u>염세적</u>인 분위기가 느껴진다.
③ 언니는 <u>단조</u>로운 생활을 좋아한다. － 지구 온난화는 <u>복합적</u>인 문제에서 비롯된다.
④ 멋진 풍경을 보고 감탄사를 <u>연발</u>하였다. － 이상 기온 현상이 <u>단발</u>에 그치기를 기대한다.
⑤ 두 문명에는 <u>동질성</u>이 있다. － 독일은 통일 이후 <u>이질성</u>을 극복하는 데 오랜 시간이 걸렸다.

07 한자 성어와 속담 또는 관용구의 의미가 유사한 것끼리 연결되지 <u>않은</u> 것은?

① 설상가상 － 엎친 데 덮치다　　　　　　② 표리부동 － 겉 다르고 속 다르다
③ 안하무인 － 빈 수레가 요란하다　　　　④ 감탄고토 － 맛이 좋으면 넘기고 쓰면 뱉는다
⑤ 계란유골 － 안되는 사람은 뒤로 넘어져도 코가 깨진다

고난도

08 '귀납'의 의미를 참고할 때, 귀납적 방법으로 결론을 끌어낸 것은?

> 귀납(歸納): 개별적인 특수한 사실이나 원리로부터 일반적이고 보편적인 명제 및 법칙을 유도해 내는 일.

① 모든 사람은 먹어야 산다. 철수는 사람이다. 철수도 먹어야 산다.
② 모든 사람은 죽는다. 소크라테스는 사람이다. 그러므로 소크라테스는 죽는다.
③ 참새는 알을 깨고 나온다. 비둘기도 알을 깨고 나온다. 타조도 알을 깨고 나온다. 그러므로 모든 새는 알을 깨고 나온다.
④ 좋은 집을 짓기 위해서는 땅을 잘 다지고 기둥을 세우는 등 기초 공사를 튼튼하게 해야 한다. 이와 마찬가지로 좋은 글을 쓰기 위해서는 글의 뼈대가 되는 개요를 잘 구성해야 한다.
⑤ 마라톤은 수많은 어려움을 견디며 끝까지 포기하지 않을 때 결승점에 도달할 수 있는 운동이다. 이와 마찬가지로 우리 인생도 힘든 상황을 만났을 때 포기하지 않고 끝까지 노력해야 삶의 목표를 이룰 수 있다.

막(漠) 넓다

막막
넓을 漠 | 넓을 漠

「1」 아주 넓거나 멀어 아득함.
예 눈앞에 바다가 ☐☐하게 펼쳐져 있다.
「2」 아득하고 막연함.
예 앞으로 어떻게 먹고살지 ☐☐하다.

막연
넓을 漠 | 그럴 然

「1」 갈피를 잡을 수 없게 아득함.
예 사회자는 남은 행사를 어떻게 끌고 가야 할지 ☐☐하였다.
「2」 뚜렷하지 못하고 어렴풋함.
예 나는 ☐☐하게나마 친구의 마음을 이해하였다.

> **더알기** '갈피를 못 잡다'라는 말은 '갈라진 일이나 사물의 경계에서 방향을 잡지 못함'을 의미한다.
> ➕ **명확(明確)**: 명백하고 확실함.

만(滿) 차다, 가득하다

만개
가득할 滿 | 필 開

꽃이 활짝 다 핌. = 만발
예 봄이 되자 길가에 개나리와 진달래가 ☐☐하였다.

만료
찰 滿 | 마칠 了

기한이 다 차서 끝남.
예 내년이면 대통령의 임기가 ☐☐된다.

> ➕ **기한(期限)**: 미리 한정하여 놓은 시기.
> ➕ **임기(任期)**: 임무를 맡아보는 일정한 기간.

망(茫) 아득하다

망망대해
아득할 茫 | 아득할 茫
큰 大 | 바다 海

한없이 크고 넓은 바다.
예 ☐☐☐☐에 섬 하나가 외로이 떠 있다.

> ➕ **한(限)없이**: 끝이 없이.

망연자실
아득할 茫 | 그럴 然
스스로 自 | 잃을 失

멍하니 정신을 잃음.
예 오빠는 지갑을 잃어버리고 ☐☐☐☐하여 집으로 들어왔다.

망(望) 바라다, 바라보다, 원망하다

관망
볼 觀 | 바라볼 望

「1」 한발 물러나서 어떤 일이 되어 가는 형편을 바라봄.
예 우선 사태를 [ ][ ]한 후에 해결책을 마련합시다.
「2」 풍경 등을 멀리서 바라봄.
예 이곳은 시내를 [ ][ ]하기에 좋은 장소이다.

➕ 관조(觀照): 고요한 마음으로 사물이나 현상을 관찰하거나 비추어 봄.

선망
부러워할 羨 | 바랄 望

부러워하여 바람.
예 그는 많은 사람에게 [ ][ ]의 대상이 되었다.

전망
펼 展 | 바라볼 望

「1」 넓고 먼 곳을 멀리 바라봄. 또는 멀리 내다보이는 경치.
예 산 정상에 올라 탁 트인 [ ][ ]을 바라보았다.
「2」 앞날을 헤아려 내다봄. 또는 내다보이는 장래의 상황.
예 투자자들은 [ ][ ]이 밝은 사업에 투자하려고 한다.

🔄 조망(眺望): 먼 곳을 바라봄. 또는 그런 경치.

책망
꾸짖을 責 | 원망할 望

잘못을 꾸짖거나 나무라며 못마땅하게 여김.
예 선생님은 숙제를 안 한 학생들을 [ ][ ]하였다.

➕ 칭찬(稱讚): 좋은 점이나 착하고 훌륭한 일을 높이 평가함. 또는 그런 말.

매(媒) 매개

매개
매개 媒 | 끼일 介

둘 사이에서 양편의 관계를 맺어 줌.
예 나는 음악을 [ ][ ]로 친구와 가까워졌다.

➕ 중개(仲介): 제삼자로서 두 당사자 사이에 서서 일을 주선함.

촉매
닿을 觸 | 매개 媒

「1」 자신은 변화하지 않으면서 다른 물질의 화학 반응을 매개하여 반응 속도를 빠르게 하거나 늦추는 일. 또는 그런 물질.
예 이 약품은 액체를 고체화하는 [ ][ ] 역할을 한다.
「2」 어떤 일을 유도하거나 변화시키는 일을 비유적으로 이르는 말.
예 두 기업의 화해는 양국 관계를 회복시키는 [ ][ ]가 되었다.

➕ 유도(誘導): 사람이나 물건을 목적한 장소나 방향으로 이끎.

매(魅) 매혹하다

매료
매혹할 魅 | 완전히 了

사람의 마음을 완전히 사로잡아 홀리게 함.
예 관객들은 가수의 목소리에 [ ][ ]되었다.

📖 더알기 '료(了)'는 '마치다'라는 뜻 외에 '완전히'라는 뜻으로도 쓰인다.
🔄 매혹(魅惑): 남의 마음을 사로잡아 홀림.

매력
매혹할 魅 | 힘 力

사람의 마음을 사로잡아 끄는 힘.
예 그는 [ ][ ]적인 목소리를 가지고 있다.

☑ '부모, 효도'에 관한 한자 성어

망운지정
바라볼 望 | 구름 雲
어조사 之 | 마음 情

구름을 바라보는 마음이라는 뜻으로, 자식이 객지에서 고향에 계신 어버이를 생각하는 마음을 이르는 말.

예 해외에 나간 형은 전화로 □□□□의 심정을 전하였다.

사친이효
섬길 事 | 어버이 親
써 以 | 효도 孝

세속 오계의 하나로, 어버이를 섬기기를 효도로써 함을 이르는 말.

예 신라 시대 화랑들은 □□□□를 중요한 규범으로 여겼다.

> **더알기** '세속 오계'는 신라 화랑의 다섯 가지 계율로, 사군이충·사친이효·교우이신·임전무퇴·살생유택을 이른다.

혼정신성
어두울 昏 | 정할 定
새벽 晨 | 살필 省

밤에는 부모의 잠자리를 보아 드리고 이른 아침에는 부모의 밤새 안부를 묻는다는 뜻으로, 부모를 잘 섬기고 효성을 다함을 이르는 말.

예 아버지는 □□□□하며 할아버지를 깍듯이 모셨다.

풍수지탄
바람 風 | 나무 樹
어조사 之 | 탄식할 歎

바람과 나무의 탄식이라는 뜻으로, 효도를 다하지 못한 채 어버이를 여읜 자식의 슬픔을 이르는 말.

예 할머니가 돌아가신 후 어머니는 □□□□으로 종일 눈물을 흘렸다.

> **더알기** '풍수지탄'은 '나무는 고요하고자 하나 바람이 그치지 않고, 자식은 효도하려 하나 어버이가 기다려 주지 않는다.'라는 「한시외전」의 글에서 유래하였다.

➕ 풍수지탄, 실제로 어떻게 쓰일까?

확인 문제

[01 ~ 06] 다음 한자의 뜻을 쓰시오.

01 茫 (   ) 망   02 漠 (   ) 막   03 滿 (   ) 만

04 媒 (   ) 매   05 魅 (   ) 매   06 望 (   ) 망

[07 ~ 09] 제시된 초성과 뜻을 참고하여 빈칸에 들어갈 어휘를 쓰시오.

07 ㅁㅇㅈㅅ : 멍하니 정신을 잃음.
　예 농부는 가뭄이 든 논을 보며 (   )하였다.

08 ㅍㅅㅈㅌ : 효도를 다하지 못한 채 어버이를 여읜 자식의 슬픔.
　예 부모님이 돌아가신 날, 형과 나는 (   )으로 목 놓아 울었다.

09 ㅁㅇㅈㅈ : 자식이 객지에서 고향에 계신 어버이를 생각하는 마음.
　예 향수병이 오래된 데다 (   )까지 겹쳐 슬픔이 몰려왔다.

[10 ~ 12] 다음 문장에 어울리는 어휘를 고르시오.

10 말라리아는 모기를 (매개 | 촉매)로 하여 전염된다.

11 그는 친구들의 다툼을 그저 (관망 | 전망)하고 있었다.

12 연예인은 많은 청소년이 (선망 | 책망)하는 직업 중의 하나이다.

[13 ~ 15] 빈칸에 들어갈 어휘를 〈보기〉에서 찾아 쓰시오.

보기

막연   만개   만료   매료

13 사회자의 멋진 말솜씨에 (   )되지 않은 사람이 없었다.

14 비가 온 후 살구꽃이 (   )하여 아름다운 경관을 이루었다.

15 그 환자는 병에 걸렸을지도 모른다는 (   )한 불안감을 느꼈다.

맹(盲) 눈멀다

맹목적
눈멀 盲 | 눈 目 | 어조사 的

주관이나 원칙이 없이 덮어놓고 행동하는 것.

예 부모님께서는 나를 ☐☐☐으로 사랑해 주신다.

맹신
눈멀 盲 | 믿을 信

옳고 그름을 가리지 않고 덮어놓고 믿는 일.

예 약을 ☐☐해서 함부로 먹는 행동은 바람직하지 않다.

➕ **맹종(盲從):** 옳고 그름을 가리지 않고 남이 시키는 대로 덮어놓고 따름.

맹점
눈멀 盲 | 점 點

「1」 미처 생각이 미치지 못한, 모순되는 점이나 틈.

예 입시 제도의 ☐☐을 노린 불법 입학 사례가 적발되었다.

「2」 망막에서 시각 신경을 이루는 신경 섬유들이 모이는 곳.

예 ☐☐에는 시각 세포가 없어서 빛에 대한 반응이 없다.

➕ **모순(矛盾):** 어떤 사실의 앞뒤, 또는 두 사실이 이치상 어긋나서 서로 맞지 않음.

면(面) 낯, 방면

면담
낯 面 | 말씀 談

서로 만나서 이야기함.

예 시장은 ☐☐을 통해 시민들의 의견을 들었다.

➕ **대담(對談):** 마주 대하고 말함. 또는 그런 말.

면모
낯 面 | 모양 貌

「1」 얼굴의 모양.

예 나는 그 배우의 아름다운 ☐☐에 반하였다.

「2」 사람이나 사물의 겉모습. 또는 그 됨됨이.

예 그는 논리적인 말솜씨로 평론가의 ☐☐를 드러냈다.

🔁 **면목(面目):** ① 얼굴의 생김새. ② 사람이나 사물의 겉모습.

면박
낯 面 | 논박할 駁

면전에서 꾸짖거나 나무람.

예 선생님은 지각한 학생들에게 ☐☐을 주었다.

➕ **타박:** 허물이나 결함을 나무라거나 핀잔함.

반면
반대할 反 | 방면 面

뒤에 오는 말이 앞의 내용과 상반됨을 나타내는 말.

예 봉사 활동은 힘이 드는 ☐☐에 보람이 있다.

📌 **더알기** '반면'은 주로 '반면에'라는 형태로 쓰인다.

이면
속 裏 | 방면 面

「1」 물체의 뒤쪽 면. = 뒷면

예 텔레비전의 ☐☐에 제품 번호가 적혀 있다.

「2」 겉으로 나타나거나 눈에 보이지 않는 부분.

예 누나는 감정의 ☐☐을 잘 드러내지 않는다.

🔄 **표면(表面):** 겉으로 나타나거나 눈에 띄는 부분.

멸(滅) 없어지다, 멸하다

박멸
칠 撲 | 멸할 滅

모조리 잡아 없앰.

예 이 약품은 해충을 ☐☐하는 데 쓰인다.

➕ **섬멸(殲滅):** 모조리 무찔러 멸망시킴.

소멸
사라질 消 | 없어질 滅

사라져 없어짐.

예 언어는 시간의 흐름에 따라 끊임없이 생성되고 ☐☐한다.

➕ **생성(生成):** 사물이 생겨남. 또는 사물이 생겨 이루어지게 함.

파멸
깨뜨릴 破 | 없어질 滅

파괴되어 없어짐.

예 전쟁은 적군과 아군을 모두 ☐☐로 몰아갔다.

➕ **멸망(滅亡):** 망하여 없어짐.

명(名) 이름

명목
이름 名 | 항목 目

「1」 겉으로 내세우는 이름.

예 구단이 내세운 감독은 ☐☐만 있고 실질적인 힘이 없었다.

「2」 구실이나 이유.

예 안전 요원은 질서 유지를 ☐☐으로 관객의 이동을 막았다.

➕ **구단(球團):** 야구, 축구, 농구 등을 사업으로 하는 단체.

➕ **실질(實質):** 실제로 있는 본바탕.

명분
이름 名 | 신분 分

「1」 각각의 이름이나 신분에 따라 마땅히 지켜야 할 도리.

예 옛 선비들은 물질적 이익보다 ☐☐을 중시하였다.

「2」 일을 꾀할 때 내세우는 구실이나 이유 등.

예 ☐☐ 없는 다툼은 서로에게 손해를 입힌다.

더알기 신분에 따른 도리는 임금과 신하, 부모와 자식, 부부 등의 사이에 지켜야 할 도덕상의 일을 이른다.

익명성
숨길 匿 | 이름 名 | 성질 性

어떤 행위를 한 사람이 누구인지 드러나지 않는 특성.

예 사이버 공간의 가장 큰 특징은 ☐☐☐이다.

명(明) 밝다, 밝히다

규명
얽힐 糾 | 밝힐 明

어떤 사실을 자세히 따져서 바로 밝힘.

예 경찰은 사고의 원인을 ☐☐하기 위하여 애썼다.

➕ **규정(規定):** ① 규칙으로 정함. ② 내용이나 성격, 의미 등을 밝혀 정함.

명료
밝을 明 | 밝힐 瞭

뚜렷하고 분명함.

예 주장하는 글에서는 ☐☐한 표현을 쓰는 것이 좋다.

➕ **명백(明白):** 의심할 바 없이 아주 뚜렷함.

명암
밝을 明 | 어두울 暗

「1」 밝음과 어두움을 통틀어 이르는 말.

예 이 그림에는 ☐☐이 뚜렷하게 드러나 있다.

「2」 기쁜 일과 슬픈 일 또는 행복과 불행을 통틀어 이르는 말.

예 대선 토론회 이후 두 후보의 ☐☐이 엇갈리고 있다.

➕ **대선(大選):** 대통령을 뽑는 선거.

➕ **희비(喜悲):** 기쁨과 슬픔을 아울러 이르는 말.

✔ '기다림, 소식'에 관한 한자 성어

오매불망 깰 寤 │ 잠잘 寐 아닐 不 │ 잊을 忘	자나 깨나 잊지 못함. 예 그녀는 고향을 떠난 아들을 ☐☐☐☐ 그리워한다.
일일여삼추 하나 一 │ 날 日 같을 如 │ 석 三 │ 가을 秋	하루가 삼 년 같다는 뜻으로, 몹시 애태우며 기다림을 이르는 말. 예 전쟁터에 나간 자식을 기다리고 있자니 ☐☐☐☐☐이다.

더알기 '추(秋)'는 여기에서 '1년'이라는 뜻으로 쓰였다. 1년에 한 번씩 가을이 오기 때문에 1년이라는 의미로도 쓰인다.

학수고대 학 鶴 │ 머리 首 괴로울 苦 │ 기다릴 待	학의 목처럼 목을 길게 빼고 간절히 기다림. 예 동생은 장난감 선물이 도착하기를 ☐☐☐☐하고 있다.
함흥차사 다 咸 │ 일어날 興 보낼 差 │ 사신 使	심부름을 가서 오지 않거나 늦게 온 사람을 이르는 말. 예 누나는 심부름을 갔다 하면 ☐☐☐☐이다.

더알기 '함흥'은 함경남도 중남부에 있는 지역의 이름이다.

➕ 함흥차사, 어디서 생겨난 말일까?

조선을 세운 태조 '이성계'는 1398년에 둘째 아들인 '정종'에게 왕위를 물려주고, 고향인 함흥으로 떠났습니다. 당시 이성계의 자식들은 서로 왕위를 차지하기 위해 난리였는데, 그런 모습이 보기 싫어서 한양을 떠난 것이지요.

형제들을 죽이고 결국 왕위를 차지한 다섯째 아들, 태종 '이방원'은 왕위에 오른 후에도 왠지 마음이 편치 않았습니다. 그래서 함흥에 계신 아버지께 용서를 빌고 다시 궁궐로 모셔 오려 했지요. 이때 아버지를 모시러 함흥으로 간 신하에게 '차사'라는 벼슬을 주었는데, 중요한 일을 하기 위해 파견한 임시 벼슬이었어요.

그러나 형제를 죽이고 왕위에 오른 태종을 못마땅하게 여긴 이성계는 차사가 찾아올 때마다 그들을 죽이거나 잡아 가두어 돌려보내지 않았다고 해요.

이때부터 한 번 가면 돌아오지 않는 사람을 가리켜 '함흥차사'라고 했답니다.

확인 문제

정답과 해설 45쪽

[01 ~ 05] 다음 한자의 뜻 또는 음을 쓰시오.

01 明 (   ) 명   02 名 이름 (   )   03 面 (   ) 면

04 盲 눈멀다 (   )   05 滅 (   ) 멸

[06 ~ 08] 제시된 초성과 뜻을 참고하여 빈칸에 들어갈 어휘를 쓰시오.

06 ㅇ ㅁ ㅂ ㅁ : 자나 깨나 잊지 못함.
    예 그는 그녀가 돌아오기를 (   ) 기다린다.

07 ㅁ ㅁ : ① 겉으로 내세우는 이름. ② 구실이나 이유.
    예 일제 강점기에는 갖가지 (   )으로 수탈이 이루어졌다.

08 ㅇ ㅁ ㅅ : 어떤 행위를 한 사람이 누구인지 드러나지 않는 특성.
    예 인터넷의 (   )을 악용한 범죄가 점점 늘고 있다.

[09 ~ 11] 다음 뜻에 해당하는 어휘를 〈보기〉에서 찾아 쓰시오.

보기

면모   명료   명암   박멸   이면   파멸

09 모조리 잡아 없앰.   _____

10 겉으로 나타나거나 눈에 보이지 않는 부분.   _____

11 기쁜 일과 슬픈 일 또는 행복과 불행을 통틀어 이르는 말.   _____

[12 ~ 14] 〈보기〉의 글자를 조합하여 빈칸에 들어갈 어휘를 쓰시오.

보기

고   대   맹   면   박   수   점   학

12 형은 대학 합격 소식을 [ ][ ][ ]하며 기다렸다.

13 법의 [ ][ ]을 파고든 주가 조작에 당국은 속수무책이다.

14 동생은 형에게 [ ][ ]을 당하면서도 늘 형을 졸졸 따라다녔다.

모(侮) 업신여기다

모멸
업신여길 侮 | 업신여길 蔑

업신여기고 얕잡아 봄.
예 주인공은 상대역을 ☐☐에 찬 눈길로 바라보았다.

⊕ 멸시(蔑視): 업신여기거나 하찮게 여겨 깔봄.

모욕감
업신여길 侮 | 욕될 辱
느낄 感

모욕을 당하는 느낌.
예 그는 친구들의 놀림에 ☐☐☐을 느꼈다.

⊕ 모욕(侮辱): 깔보고 욕되게 함.

수모
받을 受 | 업신여길 侮

모욕을 받음.
예 인조는 삼전도에서 청나라에 무릎을 꿇는 ☐☐를 겪었다.

⊕ 창피(猖披): 체면이 깎이는 일이나 아니꼬운 일을 당함. 또는 그에 대한 부끄러움.

몰(沒) 빠지다, 없다

골몰
골몰할 汨 | 빠질 沒

다른 생각을 할 여유도 없이 한 가지 일에만 파묻힘.
예 형은 책 읽기에 ☐☐하여 내 말을 전혀 듣지 못하였다.

매몰
묻을 埋 | 빠질 沒

보이지 않게 파묻히거나 파묻음.
예 산사태로 도로가 ☐☐되었다.

몰두
빠질 沒 | 머리 頭

어떤 일에 온 정신을 다 기울여 열중함.
예 요즘 나는 자동차 부품 연구에 ☐☐하고 있다.

⊕ 열중(熱中): 한 가지 일에 정신을 쏟음.

몰상식
없을 沒 | 항상 常 | 알 識

상식이 전혀 없음.
예 영화관에서 웃고 떠드는 것은 ☐☐☐한 행동이다.

더 알기 '몰(沒)-'은 단어 앞에 쓰여 '그것이 전혀 없음'을 뜻하는 말이다.
예 몰염치(沒廉恥)

몰입
빠질 沒 | 들 入

깊이 파고들거나 빠짐.
예 배우는 감정 ☐☐을 통해 좋은 연기를 펼친다.

출몰
날 出 | 없을 沒

어떤 현상이나 대상이 나타났다 사라졌다 함.
예 마을 뒷산에 멧돼지가 심심치 않게 ☐☐한다.

묘(妙) 묘하다

교묘
교묘할 巧 | 묘할 妙

솜씨나 재주 등이 재치 있게 약삭빠르고 묘함.
예 상대 선수의 [ ][ ]한 반칙으로 우리 팀이 열세에 몰렸다.

⊕ 약삭빠르다: 눈치가 빠르거나, 자기 잇속에 맞게 행동하는 데 재빠르다.

기묘
기이할 奇 | 묘할 妙

생김새 등이 이상하고 묘함.
예 산 정상에 [ ][ ]한 모양의 바위가 자리 잡고 있다.

⊕ 기이(奇異): 기묘하고 이상함.

묘미
묘할 妙 | 맛 味

미묘한 재미나 흥취.
예 그는 요즘 낚시에 [ ][ ]를 느끼고 있다.

⊕ 흥취(興趣): 흥과 취미를 아울러 이르는 말.

미묘
작을 微 | 묘할 妙

뚜렷하지 않고 야릇하고 묘함.
예 나는 친구의 [ ][ ]한 감정 변화를 느낄 수 있었다.

⊕ 야릇하다: 무엇이라 표현할 수 없이 묘하고 이상하다.

절묘
끊을 絶 | 묘할 妙

비할 데가 없을 만큼 아주 묘함.
예 그의 예상은 늘 [ ][ ]하게 들어맞았다.

[더알기] '끊을 絶'은 여기에서 '매우, 몹시'라는 뜻으로 쓰였다.

무(無) 없다

무궁무진
없을 無 | 다할 窮
없을 無 | 다할 盡

끝이 없고 다함이 없음.
예 역사 속에는 [ ][ ][ ][ ]한 이야기가 숨어 있다.

⊕ 무한(無限): 수(數), 양(量), 공간, 시간 등에 일정한 제한이나 한계가 없음.

무기력
없을 無 | 기운 氣 | 힘 力

어떠한 일을 감당할 수 있는 기운과 힘이 없음.
예 [ ][ ][ ]한 상태를 벗어나려면 일단 몸을 일으켜야 한다.

무료
없을 無 | 즐거울 聊

흥미 있는 일이 없어 심심하고 지루함.
예 휴일에 [ ][ ]함을 달래려고 만화책을 읽었다.

무모
없을 無 | 꾀 謀

앞뒤를 잘 헤아려 깊이 생각하는 신중성이나 꾀가 없음.
예 때로는 [ ][ ]한 시도가 기발한 결과를 낳기도 한다.

무분별
없을 無 | 나눌 分 | 나눌 別

분별이 없음.
예 [ ][ ][ ]한 국토 개발은 환경 파괴를 초래한다.

⊕ 분별(分別): ① 서로 다른 일이나 사물을 구별하여 가름. ② 세상 물정에 대한 바른 생각이나 판단.

무안
없을 無 | 얼굴 顔

수줍거나 창피하여 볼 낯이 없음.
예 문득 어제 저지른 실수가 떠올라 [ ][ ]하였다.

✔ '노력, 준비'에 관한 한자 성어

분골쇄신 가루 粉 | 뼈 骨 부술 碎 | 몸 身	뼈를 가루로 만들고 몸을 부순다는 뜻으로, 정성으로 노력함을 이르는 말. 또는 그렇게 하여 뼈가 가루가 되고 몸이 부서짐. 예 독립운동가들은 조국의 광복을 위해 ☐☐☐☐하여 싸웠다.	
와신상담 누울 臥 | 땔나무 薪 맛볼 嘗 | 쓸개 膽	불편한 땔나무에 몸을 눕히고 쓸개를 맛본다는 뜻으로, 원수를 갚거나 마음먹은 일을 이루기 위하여 온갖 어려움과 괴로움을 참고 견딤을 비유적으로 이르는 말. 예 그는 아버지의 원수를 갚기 위해 ☐☐☐☐하며 기다렸다.	**더알기** '와신상담'은 중국 오(吳)나라의 왕 '부차'가 아버지의 원수를 갚기 위해 장작더미 위에서 자며 월(越)나라의 왕 '구천'에게 복수할 것을 맹세하고, 그에게 패배한 구천이 쓸개를 핥으면서 복수를 다짐한 데서 유래하였다.
우공이산 어리석을 愚 | 존칭 公 옮길 移 | 산 山	우공이 산을 옮긴다는 뜻으로, 어떤 일이든 끊임없이 노력하면 반드시 이루어짐을 이르는 말. 예 나는 ☐☐☐☐의 마음으로 피아노 연습에 몰두하였다.	
유비무환 있을 有 | 갖출 備 없을 無 | 근심 患	미리 준비가 되어 있으면 걱정할 것이 없음. 예 장군은 병사들에게 ☐☐☐☐의 자세를 당부하였다.	

➕ 우공이산, 어디서 생겨난 말일까?

옛날 중국에 '우공(愚公)'이라는 아흔 살 노인이 살고 있었습니다. 우공의 집 앞에는 너비가 약 275km나 되고, 높이가 30km나 되는 태항산과 왕옥산이 가로막고 있어서 생활하는 데 무척 불편했어요.

어느 날 우공은 가족들을 모아 놓고 두 산을 옮기자고 제안했어요. 처음에는 반대하던 가족들도 나중에는 우공을 도와 산의 흙을 퍼서 발해 바다로 꾸준히 옮겼지요. 그 모습을 본 한 이웃이 우공에게 어리석은 짓을 하지 말라며 비웃었어요.

그러자 우공은 "내가 앞으로 살날이 얼마 안 남았지만, 내 자손들이 이 일을 계속한다면, 언젠가는 두 산이 평평해질 것이다."라고 대답했어요.

이 말을 들은 산신(山神)이 하늘의 왕을 찾아가 우공의 이야기를 전하자, 하늘의 왕은 그의 끈기와 노력에 감동하여 산을 다른 곳으로 옮겨 주었다고 합니다.

이처럼 '우공이산'은 노력하면 어떤 일이든 반드시 이루어짐을 의미하는 말입니다.

확인 문제

정답과 해설 45쪽

[01 ~ 04] 다음 한자의 뜻을 쓰시오.

01 無 (　　　　　) 무   02 沒 (　　　　　) 몰   03 侮 (　　　　　) 모

04 妙 (　　　　　) 묘

[05 ~ 11] 다음 십자말풀이를 완성하시오.

05	06		07	08
09	10		11	

가로
05 모욕을 받음.
07 생김새 등이 이상하고 묘함.
09 다른 생각을 할 여유도 없이 한 가지 일에만 파묻힘.
11 앞뒤를 잘 헤아려 깊이 생각하는 신중성이나 꾀가 없음.

세로
06 업신여기고 얕잡아 봄.
08 미묘한 재미나 흥취.
10 깊이 파고들거나 빠짐.
11 흥미 있는 일이 없어 심심하고 지루함.

[12 ~ 14] 빈칸에 알맞은 말을 넣어 밑줄 친 어휘의 뜻을 완성하시오.

12 그는 새로운 아이디어를 무궁무진으로 쏟아 냈다.
➡ (　　　　　)이 없고 다함이 없음.

13 요새는 가짜를 진짜처럼 절묘하게 잘 만들어서 구분하기 어렵다.
➡ 비할 데가 없을 만큼 아주 (　　　　　).

14 그는 친구에게 배신당한 후 무기력한 상태로 몇 날 며칠을 보냈다.
➡ 어떠한 일을 감당할 수 있는 (　　　　　)과 힘이 없음.

[15 ~ 16] 빈칸에 들어갈 한자 성어를 〈보기〉에서 찾아 쓰시오.

보기
와신상담　　　우공이산　　　유비무환

15 작년에 패배의 쓴맛을 본 우리 팀은 (　　　　　)하며 훈련에 임하고 있다.

16 독감 예방을 위해 (　　　　　)의 마음가짐으로 개인위생에 철저히 신경 씁시다.

문(文) 글월, 무늬

문맹
글월 文 | 눈멀 盲

배우지 못하여 글을 읽거나 쓸 줄을 모름. 또는 그런 사람.

예 나는 마흔 살이 되어서야 [ ][ ]에서 벗어났다.

문명
무늬 文 | 밝을 明

인류가 이룩한 물질적, 기술적, 사회 구조적인 발전. 자연 그대로의 원시적 생활에 상대하여 발전되고 세련된 삶의 모습을 뜻함.

예 이집트의 나일강 유역은 고대 [ ][ ]의 발상지이다.

➕ 발상지(發祥地): 역사적으로 가치 있는 어떤 일이나 사물이 처음 나타난 곳.

문물
무늬 文 | 물건 物

문화의 산물. 정치, 경제, 종교, 예술, 법률 등 문화에 관한 모든 것.

예 개항 이후, 서구 [ ][ ]이 물밀듯 들어왔다.

➕ 산물(産物): 어떤 것에 의하여 생겨나는 사물이나 현상.

문체
글월 文 | 몸 體

문장의 개성적 특색. 시대, 문장의 종류, 글쓴이에 따라 그 특성이 문장의 전체 또는 부분에 드러남.

예 그 작가의 글은 [ ][ ]가 꽤 화려하다.

물(物) 물건

물색
물건 物 | 빛 色

「1」 물건의 빛깔.

예 그녀는 [ ][ ]이 고운 옷을 차려입었다.

「2」 어떤 기준으로 거기에 알맞은 사람이나 물건, 장소를 고르는 일.

예 학생회 위원들은 회장 후보를 [ ][ ] 중이다.

「3」 어떤 일의 까닭이나 형편.

예 동생이 [ ][ ]을 모르고 떼를 쓰다가 어머니께 혼났다.

「4」 자연의 경치.

예 주말에 놀러 갈 [ ][ ] 좋은 장소를 찾고 있다.

물정
물건 物 | 사정 情

세상의 이러저러한 실정이나 형편.

예 그는 세상 [ ][ ]을 잘 모른다.

➕ 실정(實情): 실제의 사정이나 정세.

물질적
물건 物 | 바탕 質 | 어조사 的

물질과 관련된 것.

예 나는 [ ][ ][ ]인 풍요보다 정신적인 행복을 추구한다.

➕ 물질(物質): ① 인간의 정신과 반대되는 개념으로, 객관적으로 존재하는 실체. ② 재물.

미(眉) 눈썹

미간
눈썹 眉 | 사이 間

두 눈썹의 사이.
예 그는 [ ]을 찡그리며 생각에 잠겼다.

백미
흰 白 | 눈썹 眉

흰 눈썹이라는 뜻으로, 여럿 가운데에서 가장 뛰어난 사람이나 훌륭한 물건을 비유적으로 이르는 말
예 춘향전은 한국 고전 문학의 [ ]라 불리는 작품이다.

> **더알기** '백미'는 중국 촉한 때 재주가 많던 마씨(馬氏) 다섯 형제 중에 눈썹에 흰 털이 난 '마량'이 가장 뛰어났다는 데서 유래하였다.

미(微) 작다

미동
작을 微 | 움직일 動

약간 움직임.
예 아기가 [ ]도 없이 아빠를 쳐다보았다.

미물
작을 微 | 물건 物

「1」 작고 변변치 않은 물건.
예 비록 [ ]이지만, 제 성의를 받아 주십시오.
「2」 인간에 비하여 보잘것없는 것이라는 뜻으로, '동물'을 이르는 말.
예 [ ]도 자기를 키워 준 주인을 알아본다.

> **⊕ 변변하다:** ① 됨됨이나 생김새 등이 흠이 없고 어지간하다. ② 제대로 갖추어져 충분하다.

미미
작을 微 | 작을 微

보잘것없이 아주 작음.
예 문밖에 [ ]하게 흔들리는 불빛이 보였다.

미온적
작을 微 | 따뜻할 溫 | 어조사 的

태도가 미적지근한 것.
예 지도자들은 [ ]인 태도로 협상에 임하였다.

민(民) 백성

민간
백성 民 | 사이 間

「1」 일반 백성들 사이.
예 이 노래는 [ ]에서 전해 오다가 판소리로 정착된 것이다.
「2」 관청이나 정부 기관에 속하지 않음.
예 이 다리는 [ ] 기업에서 건설하였다.

민심
백성 民 | 마음 心

백성의 마음.
예 임금은 늘 '[ ]은 천심'이라 말하며 백성의 삶을 헤아렸다.

> **⊕ 천심(天心):** 하늘의 뜻.

민초
백성 民 | 풀 草

'백성'을 질긴 생명력을 가진 잡초에 비유하여 이르는 말.
예 [ ]들의 삶은 날로 나아지고 있었다.

> **⊕ 잡초(雜草):** 가꾸지 않아도 저절로 나서 자라는 여러 가지 풀.

✔ '뛰어난 재주'에 관한 한자 성어

군계일학 무리 群 ｜ 닭 鷄 하나 一 ｜ 학 鶴	닭의 무리 가운데에서 한 마리의 학이란 뜻으로, 많은 사람 가운데서 뛰어난 인물을 이르는 말. 예 오빠는 어디를 가나 ☐☐☐☐이다.
낭중지추 주머니 囊 ｜ 가운데 中 어조사 之 ｜ 송곳 錐	주머니 속의 송곳이라는 뜻으로, 재능이 뛰어난 사람은 숨어 있어도 저절로 사람들에게 알려짐을 이르는 말. 예 ☐☐☐☐라더니, 역시 인재는 저절로 눈에 띄는구나!
불세출 아닐 不 ｜ 세상 世 ｜ 날 出	좀처럼 세상에 나타나지 않을 만큼 뛰어남. 예 그는 누구나 인정하는 ☐☐☐의 영웅이다.
압권 누를 壓 ｜ 책 卷	「1」 여러 책이나 작품 가운데 제일 잘된 책이나 작품. 예 이 작품이 이번 백일장에서 단연 ☐☐이다. 「2」 하나의 책이나 작품 가운데 가장 잘된 부분. 예 남녀 주인공의 이별 장면이 바로 이 드라마의 ☐☐이다. 「3」 여럿 가운데 가장 뛰어난 것. 예 우리 학교 축제의 ☐☐은 밴드부의 공연이다.

> **더 알기** '압권'은 고대 중국의 관리 등용 시험에서 가장 뛰어난 답안지를 다른 답안지 위에 얹어 놓았다는 데서 유래하였다.

➕ 낭중지추, 어디서 생겨난 말일까?

중국 전국 시대 말기에 조(趙)나라는 진(秦)나라의 침략을 받았어요. 망할 위기에 놓인 조나라는 이웃인 초(楚)나라에 도움을 청하기 위해 재상인 평원군과 함께 떠날 인재를 뽑았어요. 그때 '모수'라는 사람이 자기를 데려가 달라고 청하자, 평원군이 모수에게 다음과 같이 물었어요.

"현명한 선비는 주머니에 든 송곳과 같아서 그 끝이 저절로 밖으로 드러나기 마련이네. 그런데 나는 그대에 관해 들은 바가 없으니, 그대의 능력을 인정할 수 없네."

그러자 모수가 대답했어요.

"그래서 저는 오늘 저를 주머니에 넣어 달라고 부탁하는 것입니다. 만약 저를 더 일찍 주머니에 넣으셨다면, 송곳이 이미 주머니를 뚫고 나와 자루까지 드러났을 것입니다."

모수의 재치 있는 대답에 감동한 평원군은 모수와 함께 초나라로 가서 초나라 왕을 설득하여 조나라를 위기에서 구해냈답니다.

이 이야기에서 유래하여 '낭중지추'는 재능이 뛰어난 사람을 비유하는 말로 쓰이게 되었습니다.

저를 전적으로 믿으셔야 합니다.

으악, 깜짝이야!

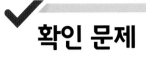

확인 문제

[01 ~ 05] 다음 한자의 뜻 또는 음을 쓰시오.

01 文 (   ) 문   02 民 백성 (   )   03 眉 눈썹 (   )

04 物 (   ) 물   05 微 (   ) 미

[06 ~ 08] 제시된 초성을 참고하여 빈칸에 들어갈 어휘를 쓰시오.

06 글의 ㅁ ㅊ 는 작가의 개성을 드러낸다.   _____

07 그는 마치 순수한 아이처럼 세상 ㅁ ㅈ 에 어두웠다.   _____

08 당시 학생들은 방학마다 귀향하여 한글을 가르치며 ㅁ ㅁ 퇴치에 힘썼다.   _____

[09 ~ 11] 다음 문장에 어울리는 어휘를 고르시오.

09 홍수 피해 지역에 정부의 (물질적 | 미온적) 지원이 필요하다.

10 자동 탐지 장치로 적군의 (미동 | 민심)까지 파악할 수 있다고 한다.

11 서양 (문물 | 미물)이 도입되면서 거리에 양복을 입은 사람들이 등장하였다.

[12 ~ 14] 밑줄 친 '이 말'에 해당하는 어휘를 쓰시오.

12 이 말은 재능이 뛰어난 사람은 주머니 속의 송곳과 같아서
    숨어 있어도 저절로 드러나게 된다는 뜻이야.   _____

13 이 말은 '좀처럼 세상에 나타나지 않을 만큼 뛰어남'이라는 뜻으로,
    '○○○의 작품', '○○○의 인재'와 같은 표현으로 쓰여.   _____

14 이 말은 '여러 책이나 작품 가운데 제일 잘된 책이나 작품'을 의미해.
    옛날 관리 등용 시험에서 가장 뛰어난 답안지를 맨 위에 얹어 놓은 데서 유래했어.   _____

밀(密) 빽빽하다, 자세하다, 몰래

면밀
얽힐 綿 | 자세할 密

자세하고 빈틈이 없음.
예 경찰은 이번 사건을 ☐☐하게 분석하고 있다.

➕ 용의주도(用意周到): 꼼꼼히 마음을 써서 일에 빈틈이 없음.

밀렵
몰래 密 | 사냥 獵

허가를 받지 않고 몰래 사냥함.
예 무분별한 ☐☐으로 야생 동물의 수가 점점 줄고 있다.

더 알기 '렵(獵)'이 단어의 첫음절에 쓰이면 '엽'으로 읽힌다.
예 엽기적(獵奇的), 엽총(獵銃)

밀접
빽빽할 密 | 이을 接

아주 가깝게 맞닿아 있음. 또는 그런 관계에 있음.
예 두 사람은 아주 ☐☐한 사이이다.

밀정
몰래 密 | 염탐할 偵

남몰래 사정을 살핌. 또는 그런 사람.
예 일제 강점기 때 일본군의 ☐☐ 노릇을 하는 사람이 있었다.

박(迫) 핍박하다, 닥치다

박두
닥칠 迫 | 머리 頭

기일이나 시기가 가까이 닥쳐옴.
예 기대하던 영화의 개봉이 ☐☐하였다.

➕ 기일(期日): 정해진 날짜.

박절
핍박할 迫 | 끊을 切

「1」 인정이 없고 쌀쌀함.
예 손님은 가게 주인의 ☐☐한 태도에 더욱 화가 났다.
「2」 일이 바싹 닥쳐서 매우 급함.
예 제가 오늘 사정이 ☐☐하여 먼저 가 보겠습니다.

➕ 인정(人情): ① 남을 동정하는 따뜻한 마음. ② 세상 사람들의 마음.
🔁 절박(切迫): ① 어떤 일이나 때가 가까이 닥쳐서 몹시 급함. ② 인정이 없고 냉정함.

박진감
닥칠 迫 | 나아갈 進 | 느낄 感

세차게 밀고 나아가는 느낌.
예 어제 본 축구 경기는 정말 ☐☐☐이 넘쳤다.

박해
핍박할 迫 | 해칠 害

못살게 굴어서 해롭게 함.
예 조선 후기에는 천주교 ☐☐가 매우 심하였다.

➕ 핍박(逼迫): 바싹 죄어서 몹시 괴롭게 굶.

박(剝) 벗기다

박제
벗길 剝 │ 만들 製

동물의 가죽을 곱게 벗겨 썩지 않도록 한 뒤에 솜이나 대팻밥 등을 넣어 살아 있을 때와 같은 모양으로 만듦. 또는 그렇게 만든 물건.
예 자연사 박물관에는 멸종된 동물들이 □□ 되어 있다.

박탈감
벗길 剝 │ 빼앗을 奪 │ 느낄 感

박탈당하였다고 여기는 느낌이나 기분.
예 나는 때때로 쌍둥이 동생에게 심리적 □□□을 느낀다.

➕ 박탈(剝奪): 남의 재물이나 권리, 자격 등을 빼앗음.

박리
벗길 剝 │ 떠날 離

벗겨 냄.
예 요즘은 피부를 매끄럽게 하기 위한 □□ 수술이 행하여진다.

박(博) 넓다

박애
넓을 博 │ 사랑 愛

모든 사람을 평등하게 사랑함.
예 간디는 종교와 인종, 국가를 뛰어넘은 □□를 실천하였다.

해박
갖출 該 │ 넓을 博

여러 방면으로 학식이 넓음.
예 반장은 □□한 지식으로 친구들의 인기를 얻었다.

박(薄) 엷다

각박
심할 刻 │ 엷을 薄

「1」 인정이 없고 삭막함.
예 날이 갈수록 세상인심이 □□해진다.
「2」 땅이 거칠고 기름지지 않음.
예 우리는 □□한 땅을 일구어 나무를 심었다.
「3」 돈 등을 지나치게 아껴 넉넉하지 않음.
예 □□한 형편이라 다른 사람을 도울 처지가 못 된다.

📌 더 알기 '각(刻)'은 '새기다, 모질다, 심하다' 등의 뜻으로 쓰인다.
🔁 야박(野薄): 태도가 차갑고 인정이 없음.

박대
엷을 薄 │ 대접할 待

「1」 정성을 들이지 않고 아무렇게나 대접함. = 푸대접
예 그는 친구들을 문전 □□하였다.
「2」 인정 없이 모질게 대함.
예 「안네의 일기」에는 유대인에 대한 독일의 □□가 나타나 있다.

🔄 후대(厚待): 아주 잘 대접함. 또는 그런 대접.

박색
엷을 薄 │ 빛 色

아주 못생긴 얼굴. 또는 그런 사람. 흔히 여자에게 많이 씀.
예 그녀는 비록 □□이지만, 뛰어난 말솜씨로 매력을 뽐냈다.

➕ 추녀(醜女): 얼굴이 못생긴 여자.

☑ '공부'에 관한 한자 성어

박학다식 넓을 博ㅣ배울 學 많을 多ㅣ알 識	학식이 넓고 아는 것이 많음. 예 형은 책을 많이 읽어서 □□□□하다.	
온고지신 익힐 溫ㅣ옛날 故 알 知ㅣ새로울 新	옛것을 익히고 그것을 미루어서 새것을 앎. 예 이 작품에는 과거와 현재를 통합한 □□□□의 지혜가 담겨 있다.	
절차탁마 끊을 切ㅣ갈 磋 다듬을 琢ㅣ갈 磨	옥이나 돌 등을 갈고 닦아서 빛을 낸다는 뜻으로, 부지런히 학문과 덕행을 닦음을 이르는 말. 예 우리는 시험을 앞두고 □□□□의 자세로 공부에 임하였다.	➕ 연마(研磨): ① 주로 돌이나 쇠붙이, 보석, 유리 등의 고체를 갈고 닦아서 표면을 반질반질하게 함. ② 학문이나 기술 등을 힘써 배우고 닦음.
형설지공 반딧불 螢ㅣ눈 雪 어조사 之ㅣ공 功	반딧불·눈과 함께 하는 노력이라는 뜻으로, 고생을 하면서 부지런하고 꾸준하게 공부하는 자세를 이르는 말. 예 그는 가난한 형편에도 □□□□으로 대학에 합격하였다.	

➕ 형설지공, 어디서 생겨난 말일까?

중국 진(晉)나라에 '차윤'이라는 소년이 있었어요. 그는 어린 시절부터 책 읽기를 아주 좋아했는데, 집안이 가난해서 등불을 켜는 데 쓸 기름이 없었어요.

밤에도 책을 읽고 싶었던 차윤은 궁리 끝에 얇은 천으로 주머니를 만들어 그 안에 반딧불이 수십 마리를 넣었어요. 반딧불이는 밤에 반짝이는 빛을 내기 때문에 그 빛으로 책을 비추어 글을 읽으려고 한 것이지요. 이렇게 열심히 노력한 차윤은 훗날 중앙 정부의 고급 관리인 상서랑이 되었어요.

또, 같은 시대를 살았던 '손강'이라는 소년도 가난하여 겨울날 쌓인 눈에 반사된 달빛에 책을 비추어 읽었다고 해요. 추위를 견디며 창으로 몸을 내밀어 책을 읽었던 손강도 마침내 관청의 장관인 어사대부라는 벼슬에 오르게 되었답니다.

이처럼 '형설지공'은 곤란한 상황 속에도 부지런하고 꾸준하게 공부하는 자세를 뜻하는 말로 쓰입니다.

[01 ~ 05] 다음 한자의 뜻을 쓰시오.

01 迫 (   ) 박   **02** 博 (   ) 박   **03** 薄 (   ) 박

04 剝 (   ) 박   **05** 密 (   ) 밀

[06 ~ 08] 제시된 초성을 참고하여 밑줄 친 말을 대신할 수 있는 어휘를 쓰시오.

06 누나는 여러 방면으로 학식이 넓은 사람이다.

　　　　ㅎ　ㅂ한 → (   )

07 그는 이번 주에 제출할 과제를 자세하고 빈틈없이 검토하고 있다.

　　　　ㅁ　ㅁ하게 → (   )

08 고전 소설 「박씨전」의 주인공은 얼굴이 아주 못생겨서 남편에게 모진 대접을 받았다.

　　　　ㅂ　ㅅ하여 → (   )　　ㅂ　ㄷ를 → (   )

[09 ~ 11] 밑줄 친 어휘의 뜻을 고르시오.

09 박진감 넘치는 농구 경기를 보니 스트레스가 확 풀린다.

① 진실에 가까운 느낌.　　　　　　② 세차게 밀고 나아가는 느낌.

10 과제 제출 기한을 앞두고 나는 박절한 마음으로 마무리를 서둘렀다.

① 인정이 없고 쌀쌀함.　　　　　　② 일이 바싹 닥쳐서 매우 급함.

11 옆집에 누가 사는지도 모르는 도시 생활이 요즘 들어 각박하게 느껴진다.

① 인정이 없고 삭막함.　　　　　　② 땅이 거칠고 기름지지 않음.

③ 돈 등을 지나치게 아껴 넉넉하지 않음.

[12 ~ 14] 빈칸에 들어갈 어휘를 〈보기〉에서 찾아 쓰시오.

┌─ 보기 ─┐

밀접　　박두　　박탈감　　박학다식　　형설지공

12 전염병 예방을 위하여 환자와의 (   ) 접촉을 피해야 합니다.

13 원고 마감일이 (   )하여 김 작가는 글 쓰는 일에 열중하고 있다.

14 학벌을 기준으로 차별하는 사장의 태도에 직원들은 심한 (   )을/를 느꼈다.

반(反) 돌이키다, 반대하다

반감
반대할 反 | 느낄 感

반대하거나 반항하는 감정.
예 말을 함부로 하면 상대방이 ☐☐을 가질 수 있다.

반박
반대할 反 | 논박할 駁

어떤 의견, 주장, 논설 등에 반대하여 말함.
예 그의 논리는 ☐☐할 여지가 없이 완벽하였다.

유 **논박(論駁)**: 어떤 의견에 대해 잘못된 점을 조리 있게 공격하여 말함.

반사회적
반대할 反 | 모일 社
모일 會 | 어조사 的

사회의 규범이나 질서 또는 이익에 반대되는 것.
예 일부 연예인은 ☐☐☐☐인 행동으로 비난을 받는다.

반전
반대할 反 | 구를 轉

「1」 반대 방향으로 구르거나 돎.
예 세탁기는 세탁조의 물에 ☐☐을 일으켜서 빨래의 때를 뺀다.
「2」 위치, 방향, 순서 등이 반대로 됨.
예 이 카메라에는 좌우 ☐☐ 기능이 있다.
「3」 일의 형세가 뒤바뀜.
예 영화의 결말 부분에 극적인 ☐☐이 일어났다.

유 **역전(逆轉)**: ① 형세가 뒤집힘. 또는 형세를 뒤집음. ② 거꾸로 회전함.

발(發) 피다

계발
열 啓 | 필 發

슬기나 재능, 사상 등을 일깨워 줌.
예 그는 평소에 꾸준히 자기 ☐☐을 한다.

유 **개발(開發)**: 지식이나 재능 등을 발달하게 함.

발산
필 發 | 흩어질 散

「1」 감정 등을 밖으로 드러내어 해소함. 또는 분위기 등을 한껏 드러냄.
예 아기는 웃음과 울음으로 감정을 ☐☐한다.
「2」 냄새, 빛, 열 등이 사방으로 퍼져 나감.
예 방향제에서 좋은 향기가 ☐☐된다.

➕ **수렴(收斂)**: ① 돈이나 물건 등을 거두어들임. ② 의견이나 사상 등이 여럿으로 나뉘어 있는 것을 하나로 모아 정리함.

발원
필 發 | 근원 源

「1」 흐르는 물줄기가 처음 생김. 또는 그런 곳. = 발원지
예 아무리 큰 강이라도 그 ☐☐은 조그만 샘이다.
「2」 사회 현상이나 사상 등이 맨 처음 생겨남. 또는 그런 곳. = 발원지
예 동학 농민 운동의 ☐☐은 전라도 고부군이다.

방(放) 놓다

방류
놓을 放 | 흐를 流

「1」 모아서 가두어 둔 물을 흘려 보냄.

예 폐수를 함부로 ☐☐하면 강이 오염된다.

「2」 물고기를 기르기 위하여, 어린 새끼 고기를 강물에 놓아 보냄.

예 어부는 그물에 걸린 어린 물고기를 ☐☐하였다.

➕ 방생(放生): 사람에게 잡힌 생물을 놓아주는 일.

방심
놓을 放 | 마음 心

마음을 다잡지 않고 풀어 놓아 버림.

예 경찰이 ☐☐한 틈에 범인이 달아나 버렸다.

🔁 부주의(不注意): 조심을 하지 않음.

방자
놓을 放 | 방자할 恣

「1」 어려워하거나 조심스러워하는 태도가 없이 무례하고 건방짐.

예 그는 ☐☐한 태도로 어른들의 눈총을 받았다.

「2」 제멋대로 거리낌 없이 노는 태도가 있음.

예 선비들은 정자에 모여 웃고 떠들며 ☐☐하게 술을 마셨다.

방치
놓을 放 | 둘 置

내버려 둠.

예 길가에 ☐☐된 쓰레기에서 악취가 난다.

🔁 방관(傍觀): 어떤 일에 직접 나서서 관여하지 않고 곁에서 보기만 함.

배(排) 밀치다

배척
밀칠 排 | 물리칠 斥

따돌리거나 거부하여 밀어 내침.

예 개화기에는 외세를 ☐☐하는 움직임이 곳곳에서 일어났다.

➕ 배제(排除): 받아들이지 않고 물리쳐 제외함.

배타적
밀칠 排 | 남 他 | 어조사 的

남을 배척하는 것.

예 그는 이유 없이 ☐☐☐인 태도를 보인다.

안배
잡아당길 按 | 밀칠 排

알맞게 잘 배치하거나 처리함.

예 수능을 앞두고는 체력을 잘 ☐☐해야 한다.

더알기 '안배'는 '按配'라는 한자로도 쓰인다.

백(白) 희다, 말하다, 명백하다

독백
홀로 獨 | 말할 白

「1」 혼자서 중얼거림.

예 나는 동생의 ☐☐을 엿들었다.

「2」 배우가 상대역 없이 혼자 말하는 행위. 또는 그런 대사.

예 ☐☐은 관객에게 인물의 심리를 전달하는 데 효과적이다.

명백
밝을 明 | 명백할 白

의심할 바 없이 아주 뚜렷함.

예 변호사는 ☐☐한 증거를 들어 의뢰인을 변호하였다.

➕ 막연(漠然): ① 갈피를 잡을 수 없게 아득함. ② 뚜렷하지 못하고 어렴풋함.

✅ '불안한 마음'에 관한 한자 성어

노심초사
근심할 勞 | 마음 心
애태울 焦 | 생각 思

몹시 마음을 쓰며 애를 태움.
예 그는 연락이 없는 자식을 [ ][ ][ ][ ] 하며 기다렸다.

전전긍긍
두려워할 戰 | 두려워할 戰
떨릴 兢 | 떨릴 兢

몹시 두려워서 벌벌 떨며 조심함.
예 다시 전쟁이 일어날까 두려운 백성들은 늘 [ ][ ][ ][ ] 하였다.

> **더 알기** '전(戰)'은 '싸움'이라는 뜻 외에 '두려워서 떨다'라는 뜻으로도 쓰인다.
> 예 **전율(戰慄)**: 몹시 두렵거나 큰 감동(感動)을 느껴 몸이 벌벌 떨리는 것.

전전반측
돌아누울 輾 | 구를 轉
돌이킬 反 | 옆 側

누워서 몸을 이리저리 뒤척이며 잠을 이루지 못함.
예 나는 밤새도록 잠을 못 이루고 [ ][ ][ ][ ] 하였다.

좌불안석
앉을 坐 | 아닐 不
편안할 安 | 자리 席

앉아도 자리가 편안하지 않다는 뜻으로, 마음이 불안하거나 걱정스러워서 한군데에 가만히 앉아 있지 못하고 안절부절못하는 모양을 이르는 말.
예 오빠의 제대 소식을 기다리는 엄마는 종일 [ ][ ][ ][ ] 이다.

➕ 노심초사, 실제로 어떻게 쓰일까?

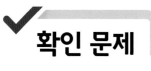
확인 문제

정답과 해설 46쪽

[01 ~ 05] 다음 한자의 뜻 또는 음을 쓰시오.

01 發 (   ) 발   02 反 돌이키다, 반대하다 (   )   03 放 놓다 (   )

04 排 (   ) 배   05 白 희다, 말하다, 명백하다 (   )

[06 ~ 08] 제시된 초성을 참고하여 다음 뜻에 해당하는 어휘를 쓰시오.

06 [ㅇ | ㅂ] : 알맞게 잘 배치하거나 처리함.   _____

07 [ㅂ | ㅂ] : 어떤 의견, 주장, 논설 등에 반대하여 말함.   _____

08 [ㅂ | ㅈ] : 어려워하거나 조심스러워하는 태도가 없이 무례하고 건방짐.   _____

[09 ~ 10] 다음 문장에 어울리는 어휘를 고르시오.

09 조선 시대에는 불교를 (발산 | 배척)하는 정책을 펼쳤다.

10 우리가 (계발 | 방류 | 방심)한 사이에 적군이 갑자기 공격해 왔다.

[11 ~ 14] 제시된 어휘의 뜻을 〈보기〉에서 찾아 번호를 쓰시오.

> 보기
> ① 몹시 마음을 쓰며 애를 태움.
> ② 몹시 두려워서 벌벌 떨며 조심함.
> ③ 누워서 몸을 이리저리 뒤척이며 잠을 이루지 못함.
> ④ 마음이 불안하거나 걱정스러워서 한군데에 가만히 앉아 있지 못하고 안절부절못하는 모양.

11 노심초사 _____   12 전전긍긍 _____

13 전전반측 _____   14 좌불안석 _____

공부한 날짜 ◯월 ◯일

고난도

01 밑줄 친 한자의 뜻이 바르게 연결된 것은?

① 관망(觀望) – 차다
② 규명(糾明) – 이름
③ 미간(眉間) – 작다
④ 박해(迫害) – 넓다
⑤ 방류(放流) – 놓다

고난도

02 어휘의 사전적 의미와 그 용례의 연결이 적절하지 <u>않은</u> 것은?

> **맹목적** ··· ㉠
> 주관이나 원칙이 없이 덮어놓고 행동하는 것.
> ¶ 나는 부모님을 따라 <u>맹목적</u>으로 종교를 믿었다.
> **명분** ··· ㉡
> 일을 꾀할 때 내세우는 구실이나 이유 등.
> ¶ 남에게 존경받는 위치에 있는 사람이라면 그에 걸맞은 <u>명분</u>을 지켜야 한다.
> **무기력** ··· ㉢
> 어떠한 일을 감당할 수 있는 기운과 힘이 없음.
> ¶ 나는 도시에 처음 왔을 때 시골과 다른 환경에 좌절을 느껴 <u>무기력</u>해졌다.
> **발원** ··· ㉣
> 사회 현상이나 사상 등이 맨 처음 생겨난 곳.
> ¶ 우리는 종교 개혁의 <u>발원</u>이 된 지역으로 수학여행을 떠난다.
> **전망** ··· ㉤
> 앞날을 헤아려 내다봄. 또는 내다보이는 장래의 상황.
> ¶ 신기술의 발달로 인터넷 속도가 더욱더 빨라질 <u>전망</u>이다.

① ㉠   ② ㉡   ③ ㉢   ④ ㉣   ⑤ ㉤

03 〈보기〉의 밑줄 친 단어와 문맥적 의미가 동일하게 쓰인 것은?

> (보기)
> 우리 회사는 훌륭한 인재를 <u>물색</u>하는 데 시간과 노력을 아끼지 않는다.

① 나는 <u>물색</u>이 아름다운 봄을 좋아한다.
② 우리는 휴가 때마다 <u>물색</u> 좋은 장소를 찾아다닌다.
③ 그들은 일이 왜 그렇게 되었는지 <u>물색</u>도 모르고 날뛰었다.
④ 나는 다니던 직장을 그만두고 새로운 일자리 <u>물색</u>에 나섰다.
⑤ 할머니가 자주 입던 <u>물색</u>이 고운 한복을 보니 할머니를 보고 싶다.

04 제시된 상황에서 쓸 수 있는 한자 성어로 적절하지 <u>않은</u> 것은?

① 심부름을 보냈는데 아무리 기다려도 오지 않는 상황 → 함흥차사

② 어려운 가정 형편에도 부지런하고 꾸준하게 공부하는 상황 → 형설지공

③ 효도를 다하지 못한 채 부모님을 여읜 자식이 슬퍼하는 상황 → 풍수지탄

④ 포기하지 않고 끊임없이 노력하여 어려운 일을 이루어낸 상황 → 노심초사

⑤ 재능이 뛰어나 드러내지 않아도 저절로 사람들에게 알려진 상황 → 낭중지추

05 제시된 어휘를 활용하여 만든 문장으로 적절하지 <u>않은</u> 것은?

① 미물 → 미물도 소중한 생명이니 아끼고 사랑해야 한다.

② 소멸 → 농부들은 해충을 소멸하기 위해 농약을 뿌렸다.

③ 책망 → 그는 지갑을 잃어버려서 아내에게 책망을 들었다.

④ 몰상식 → 산에다 쓰레기를 버리는 것은 몰상식한 행동이다.

⑤ 명암 → 인생에도 명암이 있어서 살다 보면 좋은 일도 있고 나쁜 일도 있다.

06 〈보기〉의 ㉠~㉢ 중 어디에도 들어갈 수 <u>없는</u> 것은?

> ┌─── 보기 ───┐
>
> ㉠ 우리 축구팀은 시합 준비를 위해 훈련에 (   )하였다.
> ㉡ 무계획하고 (   )한 자연 개발이 환경 파괴를 야기하였다.
> ㉢ 이 작품이 이번 백일장에 응모한 작품 중에서 (   )(으)로 평가되었다.

① 골몰   ② 압권   ③ 몰입   ④ 무분별   ⑤ 망연자실

고난도

07 ⓐ~ⓔ의 문맥적 의미로 적절하지 <u>않은</u> 것은?

> 그는 퇴근 후에 자기 ⓐ계발을 위해 다양한 책을 읽었다. 그중에서도 주로 고전을 읽었는데, 고전에 담긴 ⓑ온고지신의 지혜를 터득하기 위해 ⓒ절차탁마로 노력하였다. 그러한 노력 덕에 ⓓ박학다식해진 그는 어디에서나 다양한 매력을 ⓔ발산하여 주위 사람들에게 인기를 얻었다.

① ⓐ: 슬기나 재능, 사상 등을 일깨워 줌.

② ⓑ: 옛것을 익히고 그것을 미루어서 새것을 앎.

③ ⓒ: 옥이나 돌 등을 갈고 닦아서 빛을 내는 것처럼 부지런히 학문과 덕행을 닦음.

④ ⓓ: 학식이 넓고 아는 것이 많음.

⑤ ⓔ: 냄새, 빛, 열 등이 사방으로 퍼져 나감.

번(翻) 뒤집다, 번역하다

번복
뒤집을 翻 | 엎어질 覆

이리저리 뒤집거나 고침.
예 심판의 판정 □□으로 관중석은 아수라장이 되었다.

> 더알기 '번복'은 '飜覆'이라는 한자로도 쓰인다.

번역
번역할 翻 | 번역할 譯

어떤 언어로 된 글을 다른 언어의 글로 옮김.
예 그녀는 프랑스어를 우리말로 □□하는 일을 한다.

> 더알기 '번역'은 '飜譯'이라는 한자로도 쓰인다.

번연
뒤집을 翻 | 그럴 然

깨달음이 갑작스러움.
예 나는 내 생각이 잘못되었음을 □□히 깨달았다.

> 더알기 '번연'은 '幡然'이라는 한자로도 쓰이며, 주로 '번연히'라는 형태의 부사로 쓰인다.

변(變) 변하다

변모
변할 變 | 모양 貌

모양이나 모습이 달라지거나 바뀜. 또는 그 모양이나 모습.
예 몇 년 만에 찾은 고향은 중소 도시로 □□해 있었다.

> ⊕ 변형(變形): 모양이나 형태가 달라지거나 달라지게 함. 또는 그 달라진 형태.

변질
변할 變 | 바탕 質

성질이 달라지거나 물질의 질이 변함. 또는 그런 성질이나 물질.
예 생선은 여름철에 □□되기 쉬운 식품이다.

변천
변할 變 | 바꿀 遷

세월의 흐름에 따라 바뀌고 변함.
예 전시회에서 우리나라 의복의 □□을 한눈에 볼 수 있었다.

> ⊕ 변화(變化): 사물의 성질, 모양, 상태 등이 바뀌어 달라짐.

변화무쌍
변할 變 | 될 化
없을 無 | 견줄 雙

변하는 정도가 비할 데 없이 심함.
예 금강산의 경치는 계절에 따라 □□□□하다.

임기응변
임할 臨 | 때 機
응할 應 | 변할 變

그때그때 처한 사태에 맞추어 즉각 그 자리에서 결정하거나 처리함.
예 그는 □□□□으로 재빨리 위기를 넘겼다.

> ⊕ 방편(方便): 그때그때의 경우에 따라 편하고 쉽게 이용하는 수단과 방법.

별(別) 나누다, 다르다

별개
다를 別 | 낱 個

관련성이 없이 서로 다름.

예 이 문제는 그 문제와 [ ][ ]로 다루어져야 한다.

➕ **개별(個別)**: 여럿 중에서 하나씩 따로 나누어 있는 상태.

별고
다를 別 | 까닭 故

「1」 특별한 사고.

예 할아버지께서는 [ ][ ] 없이 잘 계시는지요?

「2」 별다른 까닭.

예 그는 [ ][ ] 없이 결석하는 일이 잦았다.

식별
알 識 | 나눌 別

분별하여 알아봄.

예 한우와 수입 소고기를 [ ][ ]하기는 쉽지 않다.

➕ **판별(判別)**: 옳고 그름이나 좋고 나쁨을 판단하여 구별함. 또는 그런 구별.

차별화
다를 差 | 나눌 別 | 될 化

둘 이상의 대상을 각각 등급이나 수준 등의 차이를 두어 구별된 상태가 되게 함.

예 이번 신제품은 기존 제품과 확실하게 [ ][ ][ ]된 것이다.

병(病) 질병

병변
질병 病 | 변할 變

병이 원인이 되어 일어나는 생체의 변화.

예 피부 [ ][ ]이 사라질 때까지 약물 치료를 하였다.

➕ **생체(生體)**: 생물의 몸. 또는 살아 있는 몸.

병약
질병 病 | 약할 弱

병으로 인하여 몸이 쇠약함.

예 그 친구는 얼굴이 창백해서 [ ][ ]한 인상을 준다.

와병
누울 臥 | 질병 病

병으로 자리에 누움. 또는 병을 앓고 있음.

예 어제 우리 가족은 [ ][ ] 중이신 할머님 댁에 다녀왔다.

보(普) 넓다, 두루

보급률
두루 普 | 미칠 及 | 비율 率

널리 전달되어 골고루 퍼진 정도.

예 정부는 주택 [ ][ ][ ]을 높이기 위해 다양한 정책을 시도 중이다.

보편성
두루 普 | 두루 遍 | 성질 性

모든 것에 두루 미치거나 통하는 성질.

예 우리는 문화적 [ ][ ][ ]과 특수성의 조화를 추구하여야 한다.

🔁 **일반성(一般性)**: 전체에 두루 해당하는 성질.

✅ '비슷한 처지'에 관한 한자 성어

동병상련 같을 同ㅣ질병 病 서로 相ㅣ불쌍히 여길 憐	같은 병을 앓는 사람끼리 서로 가엾게 여긴다는 뜻으로, 어려운 처지에 있는 사람끼리 서로 가엾게 여김을 이르는 말. 예 두 사람은 같은 아픔을 겪고 ☐☐☐☐의 정을 느꼈다.	
오월동주 나라 이름 吳ㅣ나라 이름 越 같을 同ㅣ배 舟	서로 적의를 품은 사람들이 한자리에 있게 된 경우나 서로 협력하여야 하는 상황을 비유적으로 이르는 말. 예 다툰 친구와 같은 모둠이라니, ☐☐☐☐나 마찬가지이다.	➕ 적의(敵意): 적으로 대하는 마음.
유유상종 무리 類ㅣ무리 類 서로 相ㅣ따를 從	같은 무리끼리 서로 사귐. 예 ☐☐☐☐이라고, 그녀의 친구들은 다들 똑똑하다.	**더알기** '류(類)'는 단어의 첫음절에서만 '유'로 읽혀야 맞지만, 이 경우에는 사람들의 발음이 이미 굳어져 '유유상종'으로 읽는다.
초록동색 풀 草ㅣ초록빛 綠 같을 同ㅣ빛 色	풀색과 녹색은 같은 색이라는 뜻으로, 처지가 같은 사람들끼리 한패가 되는 경우를 비유적으로 이르는 말. 예 ☐☐☐☐ 아니랄까 봐, 두 형제는 서로를 몹시 챙긴다.	

➕ 오월동주, 어디서 생겨난 말일까?

중국 춘추 시대에 오(吳)나라와 월(越)나라는 크고 작은 전쟁을 치르면서 늘 사이가 안 좋았어요. 그러던 어느 날 두 나라 사람이 같은 배를 타고 강을 건너게 되었는데, 둘은 배 안에서도 서로 으르렁대며 경계했어요.

그런데 배가 강 중간에 이르렀을 무렵, 갑자기 바람이 불고 비가 쏟아지더니 거센 파도가 일면서 강물이 배 안으로 들이닥치기 시작했어요. 배는 순식간에 아수라장이 되었지요. 뱃사공이 돛대에 묶인 줄을 풀어 돛을 펼치려고 안간힘을 썼지만, 격렬한 비바람 때문에 돛을 펼치기가 쉽지 않았어요.

그때 오나라와 월나라 사람이 너 나 할 것 없이 돛대에 달려들었고, 그들은 비바람에 맞서 함께 돛을 펼쳤어요. 배는 점차 안정되었지요. 배가 뒤집히려는 위기의 순간에 한마음으로 힘을 합쳐 위기를 극복한 거예요.

이 이야기에서 유래하여 '오월동주'는 서로 좋지 않은 관계이더라도 힘을 합쳐야 하는 상황을 비유하게 되었답니다.

확인 문제

[01~05] 다음 한자의 뜻 또는 음을 쓰시오.

01 別 (　　　　) 별　　**02** 病 (　　　　) 병　　**03** 普 넓다, 두루 (　　　　)

04 變 (　　　　) 변　　**05** 翻 뒤집다, 번역하다 (　　　　)

[06~08] 빈칸에 알맞은 말을 넣어 밑줄 친 '이 말'에 해당하는 어휘를 완성하시오.

06 <u>이 말</u>은 '변하는 정도가 비할 데 없이 심함'을 이르는 말이야.　　　　→ 변 [　] 무 [　]

07 <u>이 말</u>은 '둘 이상의 대상을 각각 차이를 두어 구별된 상태가 되게 함'을 뜻해.
'품질의 ○○○, 서비스의 ○○○'와 같은 표현으로 쓰여.　　　　→ [　] 별 [　]

08 <u>이 말</u>은 '그때그때 처한 사태에 맞추어 즉각 그 자리에서 처리함'을 의미해.
'○○○○에 능하다, ○○○○으로 위기를 넘겼다'와 같은 형태로 쓰이지.　　　　→ 임 [　][　] 변

[09~11] 빈칸에 들어갈 어휘를 〈보기〉에서 찾아 쓰시오.

보기
번복　　번연　　변모　　병약　　식별

09 한번 정해진 규칙을 마음대로 (　　　　　　)해서는 안 된다.

10 졸업 후 10년 만에 찾아간 학교는 크게 (　　　　　　)해 있었다.

11 공군은 항공기의 종류를 (　　　　　　)할 수 있는 기계를 가지고 있다.

[12~14] 제시된 초성을 참고하여 다음 상황에 어울리는 한자 성어를 쓰시오.

12 ㅇㅇㅅㅈ 이라더니 비슷한 녀석들끼리 몰려다니는구나.　　　　＿＿＿＿＿＿

13 나와 그는 둘 다 홀어머니 밑에서 자라서 서로에게 ㄷㅂㅅㄹ 을 느껴.　　　　＿＿＿＿＿＿

14 사이가 나쁜 앞집과 물난리를 같이 헤쳐 나가야 하다니 ㅇㅇㄷㅈ 가 따로 없네.　　　　＿＿＿＿＿＿

복(復) 회복하다

광복 빛 光 ┃ 회복할 復	빼앗긴 주권을 도로 찾음. 예 많은 사람이 조국의 [ ][ ]을 위하여 몸을 바쳤다.	더알기 '복(復)'이 '다시'라는 뜻으로 쓰일 때는 '부'로 읽힌다. 예 부활(復活)
복구 회복할 復 ┃ 예 舊	「1」 손실 이전의 상태로 회복함. 예 태풍 피해 지역의 [ ][ ]를 위하여 많은 사람이 지원에 나섰다. 「2」 시스템이 정상적으로 작동하지 않을 때, 문제가 생기기 바로 앞의 상태로 회복시켜 프로그램의 처리를 계속할 수 있게 함. 예 어제 컴퓨터의 손상된 파일을 [ ][ ]하느라 밤을 새웠다.	➕ 복귀(復歸): 본디의 자리나 상태로 되돌아감.
복원 회복할 復 ┃ 처음 元	원래대로 회복함. 예 불에 탄 문화재의 [ ][ ]이 시급하다.	더알기 '복원'은 '復原'이라는 한자로도 쓰인다.
복위 회복할 復 ┃ 자리 位	폐위되었던 황제 또는 국왕이나 그의 아내가 다시 그 자리에 오름. 예 숙종은 폐위되었던 인현왕후를 [ ][ ]시켰다.	➕ 폐위(廢位): 왕이나 왕비 등의 자리를 폐함.

본(本) 근본

본관 근본 本 ┃ 꿸 貫	시조(始祖)가 난 곳. 예 당신은 [ ][ ]이 어디입니까?	➕ 시조(始祖): 한 겨레나 가계의 맨 처음이 되는 조상.
본연 근본 本 ┃ 그럴 然	본디 생긴 그대로의 타고난 상태. 예 학업에 정진하는 것이 학생 [ ][ ]의 자세이다.	
본의 근본 本 ┃ 뜻 意	「1」 본디부터 변함없이 그대로 가지고 있는 마음. = 본심 예 [ ][ ] 아니게 폐를 끼치게 되었습니다. 「2」 꾸밈이나 거짓이 없는 참마음. = 본심 예 부디 저의 [ ][ ]를 오해하지 마십시오.	
본질 근본 本 ┃ 바탕 質	본디부터 가지고 있는 사물 자체의 성질이나 모습. 예 그 둘의 모양은 다르지만, [ ][ ]은 같다.	

부(附) 붙다, 붙이다

부여
붙을 附 | 줄 與
사람에게 권리·명예·임무 등을 지니도록 해 주거나, 사물이나 일에 가치·의의 등을 붙여 줌.
예 선생님께서는 나에게 특별한 임무를 [ ][ ]하셨다.

부착
붙을 附 | 붙을 着
떨어지지 않게 붙음. 또는 그렇게 붙이거나 닮.
예 전봇대에 불법 광고물이 [ ][ ]되어 있다.

> **더 알기** '부착'은 '付着'이라는 한자로도 쓰인다.

첨부
더할 添 | 붙일 附
안건이나 문서 등을 덧붙임.
예 메일에 [ ][ ]된 파일을 확인해 주십시오.

부(賦) 부과하다, 주다

부과
부과할 賦 | 매길 課
「1」 세금이나 부담금 등을 매기어 부담하게 함.
예 정부는 사치품에 특별 소비세를 [ ][ ]하였다.
「2」 일정한 책임이나 일을 부담하여 맡게 함.
예 상사가 부하 직원에게 업무를 [ ][ ]하였다.

천부적
하늘 天 | 줄 賦 | 어조사 的
태어날 때부터 지닌 것.
예 내 동생은 음악에 [ ][ ][ ]인 재능이 있다.

> ➕ 선천적(先天的): 태어날 때부터 지니고 있는 것.

분(分) 나누다

분간
나눌 分 | 가릴 揀
「1」 사물이나 사람의 옳고 그름 등의 정체를 구별하거나 가려서 앎.
예 나는 그의 말이 진심인지 장난인지 [ ][ ]이 안 간다.
「2」 어떤 대상이나 사물을 다른 것과 구별하여 냄.
예 그는 진짜 보석과 가짜 보석을 [ ][ ]하는 전문가이다.

분배
나눌 分 | 나눌 配
몫몫이 별러 나눔. = 배분
예 사장은 직원들에게 이익을 고르게 [ ][ ]하였다.

분별
나눌 分 | 나눌 別
「1」 서로 다른 일이나 사물을 구별하여 가름.
예 곤충의 암수를 [ ][ ]하기는 쉽지 않다.
「2」 세상 물정에 대한 바른 생각이나 판단.
예 나는 언제나 [ ][ ] 있게 행동하려고 애쓴다.

> 🔀 변별(辨別): 세상에 대한 경험이나 식견에서 나오는 생각이나 판단.

분산
나눌 分 | 흩어질 散
갈라져 흩어짐. 또는 그렇게 되게 함.
예 우리나라의 군대는 여러 지역으로 [ ][ ]하여 배치되어 있다.

> 🔁 집중(集中): 한곳을 중심으로 하여 모임. 또는 그렇게 모음.

✅ '나쁜 정치'에 관한 한자 성어

가렴주구 가혹할 苛 | 거둘 斂 벨 誅 | 구할 求	세금을 가혹하게 거두어들이고, 무리하게 재물을 빼앗음. 예 부패한 관리들의 ☐☐☐☐로 백성은 비참한 삶을 살았다.	➕ **수탈(收奪)**: 강제로 빼앗음.
가정맹어호 가혹할 苛 | 정치 政 사나울 猛 | 어조사 於 호랑이 虎	가혹한 정치는 호랑이보다 무섭다는 뜻으로, 혹독한 정치의 폐가 큼을 이르는 말. 예 ☐☐☐☐☐는 모진 정치가 백성에게 얼마나 큰 고통이었는지 보여 주는 말이다.	[더알기] '어조사 於'는 여기에서 '~보다(비교)'라는 뜻으로 쓰였다.
지록위마 가리킬 指 | 사슴 鹿 할 爲 | 말 馬	윗사람을 농락하여 권세를 마음대로 함을 이르는 말. 또는 모순된 것을 끝까지 우겨서 남을 속이려는 짓을 비유적으로 이르는 말. 예 그는 꼭두각시 황제를 세우고 ☐☐☐☐하며 횡포를 부렸다.	➕ **권세(權勢)**: 권력과 세력.
혹세무민 미혹할 惑 | 세상 世 속일 誣 | 백성 民	세상을 어지럽히고 백성을 미혹하게 하여 속임. 예 국민들은 ☐☐☐☐하는 정치인에게 따끔한 일침을 가하였다.	

➕ 지록위마, 어디서 생겨난 말일까?

중국 진(秦)나라 말기에 진시황이 병에 걸려 죽자, 둘째 아들인 '호해'가 왕위를 이었어요. 그러나 어린 나이에 왕위에 올라 정치에 어두웠던 호해를 대신하여 진시황의 환관(왕의 시중을 드는 내시)이던 '조고'가 조정의 막강한 권력을 쥐게 되었지요.

어느 날, 조고는 조정의 대신들 앞에서 호해에게 사슴 한 마리를 바치며 '말'이라고 말했어요. 호해가 웃으며 장난으로 받아들이자, 조고는 정색하며 말했어요.

"누가 감히 폐하와 장난을 하겠습니까? 폐하께서 믿지 못하시겠다면 여기에 있는 대신들에게 물어보십시오."

호해가 대신들에게 묻자, 조고를 겁낸 대신들이 대부분 말이라고 대답했어요. 몇몇 정직한 대신만이 사슴이라고 답했지요.

얼마 뒤 조고는 사슴이라고 답한 대신들을 모두 죽였고, 그 후 궁궐에서는 아무도 조고의 말을 거스르지 않았어요.

이 이야기에서 나온 '지록위마'는 윗사람을 멋대로 주무르고 권세를 마음대로 휘두르는 것을 의미하게 되었습니다.

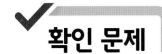

확인 문제

[01 ~ 05] 다음 한자의 뜻 또는 음을 쓰시오.

01 分 나누다 (   )   **02** 本 (   ) 본   **03** 附 붙다, 붙이다 (   )

04 復 (   ) 복   **05** 賦 (   ) 부

[06 ~ 08] 제시된 초성을 참고하여 밑줄 친 말을 대신할 수 있는 어휘를 쓰시오.

06 짙은 안개 때문에 바로 옆에 있는 사람도 <u>누구인지 구별</u>하기가 어려웠다.

ㅂㄱ → (   )

07 마을 사람들은 장마로 무너진 다리를 <u>이전의 상태로 회복</u>하기 위해 힘을 모았다.

ㅂㄱ → (   )

08 정부는 인구의 수도권 집중을 막기 위하여 주요 기관을 지방으로 <u>흩어서</u> 배치하였다.

ㅂㅅ하여 → (   )

[09 ~ 11] 다음 문장에 어울리는 어휘를 고르시오.

09 그녀는 손상된 유물을 (복원 | 복위)하는 데 온 힘을 쏟고 있다.

10 학교의 사물함 문에는 각 학생의 이름표가 (부착 | 첨부)되어 있다.

11 직원들이 불만을 품지 않도록 이익을 공평하게 (부과 | 분배)하여야 한다.

[12 ~ 14] 다음 뜻에 해당하는 한자 성어를 〈보기〉에서 찾아 쓰시오.

┌─ 보기 ─┐

가렴주구   가정맹어호   지록위마   혹세무민

12 윗사람을 농락하여 권세를 마음대로 함.   _____

13 세상을 어지럽히고 백성을 미혹하게 하여 속임.   _____

14 가혹한 정치는 호랑이보다 무섭다는 뜻으로, 혹독한 정치의 폐가 큼을 이르는 말.   _____

분(奮) 떨치다

고군분투
외로울 孤 | 군사 軍
떨칠 奮 | 싸울 鬪

「1」 따로 떨어져 도움을 받지 못하게 된 군사가 많은 수의 적군과 용감하게 잘 싸움.
예 전쟁에서 끝까지 ☐☐☐☐한 병사가 훈장을 받았다.
「2」 남의 도움을 받지 않고 힘에 벅찬 일을 잘해 나가는 것을 비유적으로 이르는 말.
예 그녀는 일을 마무리하기 위하여 혼자서 ☐☐☐☐하였다.

➕ 분투(奮鬪): 있는 힘을 다하여 싸우거나 노력함.
➕ 악전고투(惡戰苦鬪): 매우 어려운 조건을 무릅쓰고 힘을 다하여 고생스럽게 싸움.

분발
떨칠 奮 | 일어날 發

마음과 힘을 다하여 떨쳐 일어남.
예 감독은 선수들에게 한층 더 ☐☐할 것을 당부하였다.

더알기 '발(發)'은 '피다'라는 뜻 외에 '일어나다'라는 뜻으로도 쓰인다.

분연
떨칠 奮 | 그럴 然

떨쳐 일어서는 기운이 세차고 꿋꿋한 모양.
예 농민과 승려들까지 ☐☐히 일어나 독립운동에 나섰다.

더알기 '분연'은 주로 '분연히'라는 형태의 부사로 쓰인다.

불(不) 아니다

불가사의
아닐 不 | 가히 可
생각 思 | 의논할 議

사람의 생각으로는 미루어 헤아릴 수 없이 이상하고 야릇함.
예 피라미드는 세계 7대 ☐☐☐☐ 중 하나이다.

부정부패
아닐 不 | 바를 正
썩을 腐 | 패할 敗

바르지 못하고 타락함.
예 정부는 ☐☐☐☐를 없애겠다는 강한 의지를 보였다.

더알기 '불(不)'은 일반적으로 'ㄷ, ㅈ'으로 시작하는 글자 앞에서 '부'로 읽힌다.
➕ 타락(墮落): 올바른 길에서 벗어나 잘못된 길로 빠지는 일.

부조리
아닐 不 | 조리 條 | 다스릴 理

이치에 맞지 않거나 도리에 어긋남. 또는 그런 일.
예 시민 단체는 정부에 ☐☐☐한 사회 제도를 개선할 것을 요구하였다.

🔄 비리(非理): 올바른 이치나 도리에서 어그러짐.

불순물
아닐 不 | 순수할 純 | 물건 物

순수한 물질에 섞여 있는 순수하지 않은 물질.
예 이 샤워기에는 ☐☐☐을 걸러내는 필터가 들어 있다.

비(批) 비평하다

비준
비평할 批 | 승인할 准

조약을 헌법상의 조약 체결권자가 최종적으로 확인·동의하는 절차. 우리나라에서는 대통령이 국회의 동의를 얻어 행함.

예 국회의 [ ][ ]을 얻지 못한 조약은 성립되지 않는다.

➕ 조약(條約): 국가 간의 권리와 의무를 국가 간의 합의에 따라 법적 구속을 받도록 규정하는 행위.

비판적
비평할 批 | 판단할 判
어조사 的

현상이나 사물의 옳고 그름을 판단하여 밝히거나 잘못된 점을 지적하는 것.

예 책을 읽을 때는 [ ][ ][ ]인 시각과 사고를 잃지 않아야 한다.

비평
비평할 批 | 평론할 評

「1」 사물의 옳고 그름, 아름다움과 추함 등을 분석하여 가치를 논함.

예 그는 전시된 작품에 대해 날카롭게 [ ][ ]하였다.

「2」 남의 잘못을 드러내어 이러쿵저러쿵 좋지 않게 말하여 퍼뜨림.

예 당사자가 없는 곳에서 그를 [ ][ ]하는 것은 옳지 못하다.

🔄 평론(評論): 사물의 가치, 우열, 선악 등을 평가하여 논함.

비(卑) 낮다, 낮추다

비속어
낮을 卑 | 속될 俗 | 말씀 語

격이 낮고 속된 말.

예 함부로 [ ][ ][ ]를 쓰는 사람은 품위가 없어 보인다.

비천
낮을 卑 | 천할 賤

지위나 신분이 낮고 천함.

예 그는 비록 [ ][ ]한 신분으로 태어났으나 높은 벼슬에 올랐다.

🔄 존귀(尊貴): 지위나 신분이 높고 귀함.

비하
낮출 卑 | 아래 下

「1」 자기 자신을 낮춤.

예 지나친 자기 [ ][ ]는 정신 건강에 해롭다.

「2」 업신여겨 낮춤.

예 두 후보는 서로를 [ ][ ]하는 발언을 서슴지 않았다.

비(非) 아니다, 그르다

비단
아닐 非 | 다만 但

부정하는 말 앞에서 '다만', '오직'의 뜻으로 쓰이는 말.

예 [ ][ ] 동물뿐 아니라 사람도 본능의 지배를 받는다.

➕ 단지(但只): 다른 것이 아니라 오로지.

비범
아닐 非 | 무릇 凡

보통 수준보다 훨씬 뛰어남.

예 그는 [ ][ ]한 능력으로 이번 대회에서 우승을 차지하였다.

🔄 평범(平凡): 뛰어나거나 색다른 점이 없이 보통임.

시비
옳을 是 | 그를 非

「1」 옳음과 그름.

예 판사는 [ ][ ]를 가려 판결을 내렸다.

「2」 옳고 그름을 따지는 말다툼.

예 사소한 [ ][ ]가 결국 큰 싸움이 되었다.

➕ 시시비비(是是非非): ① 여러 가지의 잘잘못. ② 옳고 그름을 따지며 다툼.

✅ '도리'에 관한 한자 성어

군신유의 임금 君 │ 신하 臣 있을 有 │ 의리 義	임금과 신하 사이의 도리는 의리에 있음을 이르는 말. 예 ☐☐☐☐는 임금과 신하 사이의 의리와 충성을 강조한 덕목이다.	**더알기** '오륜(五倫)'은 유학에서, 사람이 지켜야 할 다섯 가지 도리로, 부자유친, 군신유의, 부부유별, 장유유서, 붕우유신을 이른다.
부자유친 아버지 父 │ 아들 子 있을 有 │ 친할 親	아버지와 아들 사이의 도리는 친하고 가깝게 사랑하는 데 있음을 이르는 말. 예 아빠와 나는 ☐☐☐☐을 실천하기 위해 둘만의 캠핑을 간다.	➕ **부부유별(夫婦有別):** 남편과 아내 사이의 도리는 서로 침범하지 않음에 있음을 이르는 말.
붕우유신 벗 朋 │ 벗 友 있을 有 │ 믿을 信	벗과 벗 사이의 도리는 믿음에 있음을 이르는 말. 예 두 친구는 평생 ☐☐☐☐의 도리를 지키기로 맹세하였다.	
장유유서 어른 長 │ 어릴 幼 있을 有 │ 차례 序	어른과 어린이 사이의 도리는 엄격한 차례가 있고 복종해야 할 질서가 있음을 이르는 말. 예 어르신께 자리를 양보하는 젊은이를 보면 ☐☐☐☐의 미덕이 느껴진다.	

➕ 장유유서, 실제로 어떻게 쓰일까?

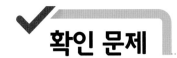
[01 ~ 05] 다음 한자의 뜻을 쓰시오.

01 不 (   ) 불   **02** 非 (   ) 비   **03** 卑 (   ) 비

04 批 (   ) 비   **05** 奮 (   ) 분

[06 ~ 12] 다음 십자말풀이를 완성하시오.

06		07		
			08	
09	10			
			11	
			12	

가로

06 남의 도움을 받지 않고 힘에 벅찬 일을 잘해 나가는 것.
08 지위나 신분이 낮고 천함.
09 바르지 못하고 타락함.
12 보통 수준보다 훨씬 뛰어남.

세로

07 떨쳐 일어서는 기운이 세차고 꿋꿋한 모양.
08 업신여겨 낮춤.
10 이치에 맞지 않거나 도리에 어긋남.
11 옳고 그름을 따지는 말다툼.

[13 ~ 15] 제시된 초성과 뜻을 참고하여 빈칸에 들어갈 어휘를 쓰시오.

13 ㅂㅂ : 마음과 힘을 다하여 떨쳐 일어남.
예 우리 팀은 어린 선수들의 (   )에 힘입어 결승에 진출하였다.

14 ㅂㅍ : 사물의 옳고 그름, 아름다움과 추함 등을 분석하여 가치를 논함.
예 그 기사에는 날카로운 (   )과 풍자가 담겨 있다.

15 ㅂㄱㅅㅇ : 사람의 생각으로는 미루어 헤아릴 수 없이 이상하고 야릇함.
예 중국의 만리장성은 세계 7대 (   )에 포함된다.

[16 ~ 17] 빈칸에 알맞은 말을 넣어 다음 뜻에 해당하는 오륜의 항목을 완성하시오.

16 벗과 벗 사이의 도리는 믿음에 있음.   → 붕 □ 유 □

17 어른과 어린이 사이의 도리는 엄격한 차례가 있고 복종해야 할 질서가 있음.   → 장 □ □ 서

비(悲) 슬프다

비보
슬플 悲 | 알릴 報

슬픈 기별이나 소식.
예 갑작스러운 ☐☐에 가족들은 눈물을 감추지 못하였다.

반 낭보(郞報): 기쁜 기별이나 소식.

비장
슬플 悲 | 씩씩할 壯

슬프면서도 그 감정을 억눌러 씩씩하고 장함.
예 출정을 앞둔 장병들 사이에 ☐☐한 분위기가 감돌았다.

비탄
슬플 悲 | 탄식할 歎

몹시 슬퍼하면서 탄식함. 또는 그 탄식.
예 숭례문의 화재 소식에 온 나라가 ☐☐에 빠졌다.

➕ 탄식(歎息): 한탄하여 한숨을 쉼. 또는 그 한숨.

비(費) 쓰다

사비
사사로울 私 | 쓸 費

개인이 사사로이 부담하고 지출하는 비용.
예 형이 ☐☐를 털어 아이스크림을 사 주었다.

유 자비(自費): 필요한 비용을 자기가 부담하는 것. 또는 그 비용.

여비
여행할 旅 | 쓸 費

여행하는 데에 드는 비용.
예 그는 ☐☐를 마련하기 위하여 아르바이트를 시작하였다.

더 알기 '려(旅)'는 '나그네'라는 뜻 외에 '여행하다'라는 뜻으로도 쓰인다.

허비
헛될 虛 | 쓸 費

헛되이 씀. 또는 그렇게 쓰는 비용.
예 쓸데없는 일에 시간을 ☐☐하지 않기로 하였다.

➕ 낭비(浪費): 시간이나 재물 등을 헛되이 씀.
➕ 절약(節約): 함부로 쓰지 않고 꼭 필요한 데에만 써서 아낌.

빈(頻) 자주

빈도
자주 頻 | 도수 度

같은 현상이나 일이 반복되는 도수(度數).
예 위염은 한국인에게 발생 ☐☐가 높은 질환이다.

➕ 도수(度數): 거듭하는 횟수.

빈번
자주 頻 | 번거로울 繁

번거로울 정도로 횟수가 잦음.
예 요즘 들어 일기 예보가 빗나가는 일이 ☐☐하다.

사(死) 죽다

사각지대
죽을 死 | 뿔 角
땅 地 | 띠 帶

「1」 어느 위치에 섬으로써 사물이 눈으로 보이지 않게 되는 각도. 또는 어느 위치에서 거울이 사물을 비출 수 없는 각도.
예 운전을 할 때는 ⬚⬚⬚⬚를 신경 써야 한다.
「2」 관심이나 영향이 미치지 못하는 구역을 비유적으로 이르는 말.
예 복지의 ⬚⬚⬚⬚에 놓인 이웃을 위하여 쌀을 나누어 주었다.

사수
죽을 死 | 지킬 守

죽음을 무릅쓰고 지킴.
예 우리 군대는 기지를 ⬚⬚하기 위하여 온 힘을 다하였다.

사활
죽을 死 | 살 活

죽기와 살기라는 뜻으로, 어떤 중대한 문제를 비유적으로 이르는 말.
예 국가 대표 선수단은 ⬚⬚을 걸고 경기에 임하겠다고 밝혔다.

옥사
감옥 獄 | 죽을 死

감옥살이를 하다가 감옥에서 죽음.
예 안중근 의사는 독립을 위해 애쓰다 뤼순 감옥에서 ⬚⬚하였다.

사(事) 일

다반사
차 茶 | 밥 飯 | 일 事

차를 마시고 밥을 먹는 일처럼 보통 있는 예사로운 일을 이르는 말.
예 그는 어려서부터 몸이 약해서 결석하는 일이 ⬚⬚⬚였다.

매사
매양 每 | 일 事

하나하나의 모든 일. 일마다.
예 선생님께서는 ⬚⬚에 빈틈이 없으시다.

사리
일 事 | 다스릴 理

일의 이치.
예 형은 ⬚⬚에 밝아 일을 빠르게 잘 처리한다.

➕ 이치(理致): 사물의 정당한 조리(條理). 또는 도리에 맞는 취지.

사변
일 事 | 변할 變

「1」 사람의 힘으로는 피할 수 없는 천재(天災)나 그 밖의 큰 사건.
예 태풍의 영향으로 주민들은 마을이 폐허가 되는 ⬚⬚을 겪었다.
「2」 전쟁에까지 이르지는 않았으나 경찰의 힘으로는 막을 수 없어 무력을 사용하게 되는 난리.
예 경찰은 ⬚⬚을 일으킨 주동자를 공개 수배하였다.
「3」 한 나라가 상대국에 선전 포고도 없이 침입하는 일.
예 증조할아버지께서는 6·25 ⬚⬚ 때 가족과 헤어지셨다.

➕ 천재지변(天災地變): 지진, 홍수, 태풍 등의 자연 현상으로 인한 재앙.
➕ 선전 포고(宣戰布告): 한 나라가 다른 나라에 대하여 전쟁을 시작한다는 것을 공식적으로 알리는 일.

종사
따를 從 | 일 事

「1」 어떤 일에 마음과 힘을 다함.
예 나는 한동안 피아노 연습에 ⬚⬚하기로 마음먹었다.
「2」 어떤 일을 일삼아서 함.
예 아버지께서는 평생 작물 재배에 ⬚⬚하셨다.

☑ '자연'에 관한 한자 성어

물아일체
물건 物 | 나 我
하나 一 | 몸 體

외부 사물과 자신, 또는 물질세계와 정신세계가 어울려 하나가 됨.
예 산 정상에 올랐을 때 우리는 □□□□의 경지에 이르렀다.

연하고질
안개 煙 | 노을 霞
고질 痼 | 병 疾

안개와 노을을 사랑하는 고질병이라는 뜻으로, 자연의 아름다운 경치를 몹시 사랑하고 즐기는 성질이나 버릇을 이르는 말.
예 우리 가족은 매달 숲속 캠핑을 즐기다 □□□□이 생겼다.

➕ 연하(煙霞): ① 안개와 노을. ② 고요한 산수의 경치.
➕ 고질(痼疾): ① 오랫동안 앓고 있어 고치기 어려운 병. ② 오래되어 바로잡기 어려운 나쁜 버릇.

요산요수
좋아할 樂 | 산 山
좋아할 樂 | 물 水

산수(山水)의 자연을 즐기고 좋아함.
예 그는 산속에서 □□□□하며 살기를 꿈꾼다.

더 알기 '락(樂)'이 '좋아하다'라는 뜻으로 쓰일 때는 '요'로 읽힌다.

천석고황
샘 泉 | 돌 石
기름 膏 | 명치끝 肓

샘과 돌을 좋아하는 병이 고황(膏肓)에 들었다는 뜻으로, 자연의 아름다운 경치를 몹시 사랑하고 즐기는 성질이나 버릇을 이르는 말.
예 그의 자연 사랑은 그야말로 □□□□이라 할 만하다.

➕ 천석(泉石): 물과 돌로 이루어진 자연의 경치.
➕ 고황(膏肓): 심장과 횡격막의 사이로. 이 부분에 병이 들면 낫기 어렵다고 함.

➕ 물아일체, 실제로 어떻게 쓰일까?

[01 ~ 05] 다음 한자의 뜻 또는 음을 쓰시오.

01 死 (   ) 사   **02** 事 일 (   )   **03** 悲 (   ) 비

04 費 쓰다 (   )   **05** 頻 자주 (   )

[06 ~ 07] 밑줄 친 어휘의 뜻을 고르시오.

06 보호의 <u>사각지대</u>에 놓인 아이들이 아직도 불법 노동에 시달리고 있다.
　　① 어느 위치에 섬으로써 사물이 눈으로 보이지 않게 되는 각도.
　　② 관심이나 영향이 미치지 못하는 구역을 비유적으로 이르는 말.

07 바닷가 마을은 갑자기 밀어닥친 해일로 바닷물에 잠기는 <u>사변</u>을 겪었다.
　　① 한 나라가 상대국에 선전 포고도 없이 침입하는 일.
　　② 경찰의 힘으로는 막을 수 없어 무력을 사용하게 되는 난리.
　　③ 사람의 힘으로는 피할 수 없는 천재(天災)나 그 밖의 큰 사건.

[08 ~ 10] 빈칸에 알맞은 말을 넣어 밑줄 친 어휘의 뜻을 완성하시오.

08 치매는 연령대가 높을수록 발생 <u>빈도</u>가 높다.
　➡ 같은 현상이나 일이 반복되는 (   ).

09 농부는 폭우에 쓰러진 벼를 보며 <u>비탄</u>에 잠겼다.
　➡ 몹시 슬퍼하면서 (   )함.

10 주민들은 지역의 재개발을 반대하며 마을을 <u>사수</u>하기 위하여 애썼다.
　➡ (   )을 무릅쓰고 지킴.

[11 ~ 13] 〈보기〉의 설명을 참고하여 다음 한자 성어에 드러나는 자연물을 바르게 연결하시오.

> 〔보기〕
> 　우리 조상들은 자연을 사랑해서 자연을 즐기고 사랑하는 것에 관한 한자 성어를 많이 남겼다. 이 한자 성어들에는 일부의 자연물에 자연 전체를 빗대어 표현하는 방법이 많이 쓰였다.

11 연하고질 •　　　　　　• ㉠ 산과 물

12 요산요수 •　　　　　　• ㉡ 샘과 돌

13 천석고황 •　　　　　　• ㉢ 안개와 노을

사(思) 생각

사모
생각 思 | 그리워할 慕

「1」 애틋하게 생각하고 그리워함.
예 시간이 흐를수록 그녀를 [ ][ ]하는 마음이 커졌다.
「2」 우러러 받들고 마음속 깊이 따름.
예 나는 스승님의 인격을 [ ][ ]한다.

➕ 흠모(欽慕): 기쁜 마음으로 공경하며 사모함.

사상
생각 思 | 생각 想

「1」 어떠한 사물에 대하여 가지고 있는 구체적인 사고나 생각.
예 음악은 목소리나 악기로 [ ][ ]과 감정을 나타내는 예술이다.
「2」 지역, 사회, 인생 등에 관한 일정한 인식이나 견해.
예 자서전에는 주인공의 인생철학과 [ ][ ]이 담겨 있다.

사색
생각 思 | 더듬을 索

어떤 것에 대하여 깊이 생각하고 이치를 따짐.
예 가을은 [ ][ ]에 잠기기에 좋은 계절이다.

역지사지
바꿀 易 | 처지 地
생각 思 | 어조사 之

처지를 바꾸어서 생각하여 봄.
예 우리는 [ ][ ][ ][ ]하여 서로를 이해해 보기로 하였다.

산(産) 낳다

부산물
버금 副 | 낳을 産 | 물건 物

「1」 중심이 되는 물건을 만드는 과정에서 더불어 생기는 물건.
예 콩을 가공할 때 나오는 [ ][ ][ ]을 썩혀 거름을 만들 수 있다.
「2」 어떤 일을 할 때에 부수적으로 생기는 일이나 현상.
예 환경 오염은 산업화의 [ ][ ][ ]이다.

➕ 버금: 으뜸의 바로 아래. 또는 그런 지위에 있는 사람이나 물건.
➕ 부수적(附隨的): 주된 것이나 기본적인 것에 붙어서 따르는 것.

산지
낳을 産 | 땅 地

생산되어 나오는 곳.
예 온라인으로 주문한 배추가 [ ][ ]에서 직송되었다.

➕ 직송(直送): 곧바로 보냄.
➕ 생산지(生産地): 어떤 물품을 만들어 내는 곳. 또는 그 물품이 저절로 생겨나는 곳.

산출
낳을 産 | 날 出

물건을 생산하여 내거나 인물·사상 등을 냄.
예 이 금광에서는 더 이상 금이 [ ][ ]되지 않는다.

산(算) 셈

승산
이길 勝 | 셈 算
이길 수 있는 가능성. 또는 그런 속타산.
예 병사들의 사기를 높이면 싸움에 ☐☐이 있을 것이다.

➕ **속타산(속打算)**: 마음속으로 이해관계를 계산해 봄. 또는 그런 계산.
➕ **승운(勝運)**: 이길 운수.

심산
마음 心 | 셈 算
마음속으로 하는 궁리나 계획. = 속셈
예 우리는 땅을 빌려 쓸 ☐☐으로 고을의 땅 부자를 찾아갔다.

추산
밀 推 | 셈 算
짐작으로 미루어 셈함. 또는 그런 셈.
예 불우 이웃 돕기 모금액이 수천만 원에 이를 것으로 ☐☐된다.

➕ **어림셈**: 대강 짐작으로 셈함. 또는 그런 셈.

삼(三) 석

삼강
석 三 | 벼리 綱
유교의 도덕에서 기본이 되는 세 가지의 규범. 임금과 신하, 부모와 자식, 남편과 아내 사이에 마땅히 지켜야 할 군위신강, 부위자강, 부위부강을 이름.
예 ☐☐과 오륜은 유교 사회의 중요한 사회 규범이었다.

더 알기 '벼리'는 '그물을 오 므렸다 펼 수 있게 위쪽 코를 꿰어 놓은 줄'로, 어떤 일의 기본이 되는 것을 의미한다.

삼삼오오
석 三 | 석 三
다섯 五 | 다섯 五
서너 사람 또는 대여섯 사람이 떼를 지어 다니거나 무슨 일을 함. 또는 그런 모양.
예 학생들이 ☐☐☐☐ 모여 도시락을 먹었다.

삼중고
석 三 | 무거울 重 | 괴로울 苦
한꺼번에 겹쳐 치르는 세 가지 고통. 특히 시각, 청각, 언어의 장애로 인한 고통을 다 가지고 있는 것을 이름.
예 헬렌 켈러는 보고, 듣고, 말하지 못하는 ☐☐☐를 겪었다.

상(上) 위, 오르다

단상
단 壇 | 위 上
교단이나 강단 등의 위.
예 나는 학교 대표로 ☐☐에 올라 연설하였다.

➕ **연설(演說)**: 여러 사람 앞에서 자기의 주의나 주장 또는 의견을 진술함.

상기
오를 上 | 기운 氣
흥분이나 부끄러움으로 얼굴이 붉어짐.
예 거짓말을 들킨 친구의 얼굴이 빨갛게 ☐☐되었다.

상전
위 上 | 벼슬 典
예전에, 종에 상대하여 그 주인을 이르던 말.
예 ☐☐ 배부르면 종 배고픈 줄 모른다.

➕ **종**: 남의 집에 딸려 천한 일을 하던 사람.

✔ '비논리'에 관한 한자 성어

모순 창 矛 ㅣ 방패 盾	어떤 사실의 앞뒤, 또는 두 사실이 이치상 어긋나서 서로 맞지 않음. 예 새 개혁안은 지금의 실정에 ☐☐된다.	🔁 배반(背反): 논리적으로 두 가지가 동시에 따로 성립할 수 없음.
어불성설 말 語 ㅣ 아닐 不 이룰 成 ㅣ 말씀 說	말이 조금도 사리에 맞지 않음. 예 물건을 망가뜨려 놓고 자기 탓이 아니라니 ☐☐☐☐이로구나!	
이율배반 두 二 ㅣ 법 律 등 背 ㅣ 반대로 反	서로 모순되어 동시에 따로 성립할 수 없는 두 개의 명제. 예 공부하기는 싫지만 1등은 하고 싶다는 말은 ☐☐☐☐적이다.	➕ 명제(命題): 어떤 문제에 대한 하나의 논리적 판단 내용과 주장을 언어나 기호로 표시한 것.
자가당착 스스로 自 ㅣ 집 家 부딪힐 撞 ㅣ 붙을 着	같은 사람의 말이나 행동이 앞뒤가 서로 맞지 않고 모순됨. 예 그는 자기의 주장을 스스로 부정하는 ☐☐☐☐에 빠졌다.	

➕ 모순, 어디서 생겨난 말일까?

중국 전국 시대 초(楚)나라에 무기를 파는 장사꾼이 있었어요.

시장에 창과 방패를 팔러 온 장사꾼은 큰소리로 외쳤어요.

"이 창은 아주 예리해서 어떤 방패도 단번에 뚫어 버립니다."

장사꾼이 창을 들고 보여 주며 설명하자, 사람들은 날카로운 창끝을 보며 감탄했어요. 그러자 신이 난 장사꾼은 방패도 꺼내 들었어요.

"이 방패로 말할 것 같으면, 아주 견고해서 어떤 창도 막아낸답니다."

장사꾼의 말재주에 사람들은 고개를 끄덕이며 창과 방패를 사려 했어요. 그때 구경꾼 중 한 사람이 다가와 물었어요.

"그렇다면 그 예리한 창으로 그 견고한 방패를 찌르면 어떻게 되오?"

구경꾼의 예리하고도 견고한 질문에 할 말을 잃은 장사꾼은 슬그머니 짐을 챙겨 달아나고 말았답니다.

그 후로 사람들은 '창과 방패'라는 뜻의 '모순'을 말이나 행동의 앞뒤가 맞지 않는 상황에 쓰게 되었습니다.

그 창으로 그 방패를 찌르면 어떻게 되오?

확인 문제

정답과 해설 49쪽

[01 ~ 05] 다음 한자의 뜻 또는 음을 쓰시오.

01 三 석 (   )   02 上 (   ) 상   03 産 낳다 (   )

04 思 (   ) 사   05 算 (   ) 산

06 제시된 어휘의 뜻을 따라 내려갔을 때, 맨 마지막에 도착한 어휘의 뜻을 〈보기〉에서 고르시오.

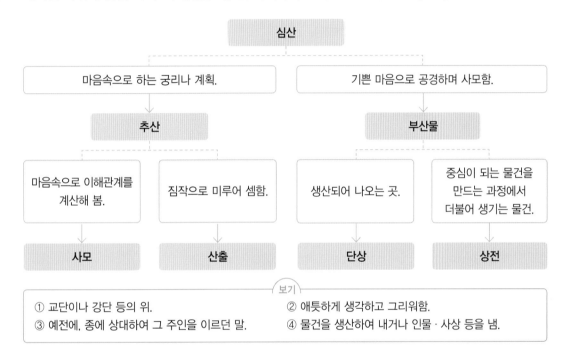

[07 ~ 08] 제시된 초성을 참고하여 빈칸에 들어갈 어휘를 쓰시오.

07 면접을 앞둔 사람들의 표정이 ㅅㄱ 되어 있었다.   _____

08 비록 ㅅㅅ 없는 시합이었지만, 우리는 최선을 다해 싸웠다.   _____

[09 ~ 10] 다음 뜻에 해당하는 한자 성어를 〈보기〉에서 찾아 쓰시오.

> 보기
>
> 삼삼오오   역지사지   이율배반   자가당착

09 서로 모순되어 동시에 따로 성립할 수 없는 두 개의 명제.   _____

10 같은 사람의 말이나 행동이 앞뒤가 서로 맞지 않고 모순됨.   _____

상(相) 서로, 형상, 재상

상당 서로 相 | 마땅할 當	일정한 액수나 수치 등에 해당함. 예 조각품을 완성하는 데에는 [　　]한 시간과 노력이 든다.	➕ 상응(相應): 서로 응하거나 어울림.
상반 서로 相 | 반대할 反	서로 반대되거나 어긋남. 예 두 사람은 [　　]된 의견을 제시하였다.	
상호 서로 相 | 서로 互	상대가 되는 이쪽과 저쪽 모두. 또는 이쪽과 저쪽이 함께. 예 이번 계약은 [　　] 합의를 바탕으로 이루어졌다.	
양상 모양 樣 | 형상 相	사물이나 현상의 모양이나 상태. 예 세월이 흐르면서 삶의 [　　]이 많이 달라졌다.	➕ 형상(形象): 사물의 생긴 모양이나 상태.
왕후장상 임금 王 | 제후 侯 장수 將 | 재상 相	제왕·제후·장수·재상을 아울러 이르는 말. 예 고려 시대의 노비 '만적'은 "[　　　　]의 씨가 따로 있느냐?"라는 말로 불평등한 사회를 비판하였다.	

상(常) 항상

상습적 항상 常 | 습관 習 | 어조사 的	좋지 않은 일을 버릇처럼 하는 것. 예 [　　　]으로 약속을 어기면 사람들에게 신뢰를 잃는다.	➕ 습관적(習慣的): 습관처럼 되어 있는 것.
상용 항상 常 | 쓸 用	일상적으로 씀. 예 전기 자동차의 [　　]화는 대기 환경에 큰 변화를 줄 것이다.	➕ 상용화(常用化): 물품 등이 일상으로 쓰이게 됨. ➕ 통용(通用): ① 일반적으로 두루 씀. ② 서로 넘나들어 두루 씀.
수상 다를 殊 | 항상 常	보통과는 달리 이상하여 의심스러움. 예 며칠 전부터 동네에 [　　]한 사람이 어슬렁거린다.	
일상사 날 日 | 항상 常 | 일 事	날마다 또는 늘 있는 일. 예 일기장에 나의 초등학생 시절 [　　　]가 꼼꼼히 적혀 있다.	➕ 일상화(日常化): 날마다 늘 있는 일이 됨. 또는 그렇게 만듦.

상(象) 코끼리, 모양, 본뜨다

상징성
모양 象 | 밝힐 徵 | 성질 性

추상적인 사물이나 개념을 구체적인 사물로 나타내는 성질.
예 시어에는 ☐☐☐이 있어 그 안에 담긴 의미를 이해해야 한다.

➕ 추상적(抽象的): 어떤 사물이 직접 경험하거나 지각할 수 있는 일정한 형태와 성질을 갖추고 있지 않은 것.

상형
본뜰 象 | 모양 形

「1」 어떤 물건의 형상을 본뜸.
「2」 한자 육서(六書)의 하나로, 물체의 형상을 본떠서 글자를 만드는 방법.
예 '日'은 해의 모양을 본떠서 만든 ☐☐ 문자이다.

➕ 육서(六書): 한자가 만들어진 여섯 가지 원리.

상(想) 생각

가상
거짓 假 | 생각 想

사실이 아니거나 사실 여부가 분명하지 않은 것을 사실이라고 가정하여 생각함.
예 ☐☐ 세계를 체험할 수 있는 전시회가 큰 인기를 끌고 있다.

➕ 가정(假定): 사실이 아니거나 또는 사실인지 아닌지 분명하지 않은 것을 임시로 인정함.

발상
필 發 | 생각 想

어떤 생각을 해 냄. 또는 그 생각.
예 창의적인 생각은 ☐☐의 전환에서 비롯된다.

상념
생각 想 | 생각 念

마음속에 품고 있는 여러 가지 생각.
예 잠이 오지 않는 밤이면 나는 ☐☐에 빠지곤 한다.

상(償) 갚다, 보상

무상
없을 無 | 보상 償

어떤 행위에 대하여 아무런 대가나 보상이 없음.
예 우리나라는 중학교 ☐☐ 교육을 시행하고 있다.

➖ 유상(有償): 어떤 행위에 대하여 보상이 있음.

배상금
물어줄 賠 | 보상 償 | 쇠 金

남에게 입힌 손해에 대해 물어 주는 돈.
예 계약을 위반한 사람이 막대한 ☐☐☐을 물게 되었다.

➕ 보상금(補償金): 피해를 보상하기 위해서 주는 돈.

보상
갚을 報 | 갚을 償

「1」 남에게 진 빚 또는 받은 물건을 갚음.
예 그녀에게 빌린 돈의 ☐☐이 어렵게 되었다.
「2」 어떤 것에 대한 대가로 갚음.
예 친구는 ☐☐도 바라지 않고 나를 도와주었다.
「3」 행위를 촉진하거나 학습 분위기를 조성하기 위하여 사람이나 동물에게 주는 물질이나 칭찬.
예 감독은 훈련에 대한 ☐☐으로 선수들에게 휴가를 주었다.

☑ '교육'에 관한 한자 성어

교학상장 가르칠 敎 | 배울 學 서로 相 | 자랄 長	가르치고 배우는 과정에서 스승과 제자가 함께 성장함. 예 우리 학급은 ⬚⬚⬚⬚을 실천하기 위하여 노력 중이다.	**더알기** '장(長)'은 '길다'라는 뜻 외에 '자라다'라는 뜻으로도 쓰인다.
맹모삼천 맏 孟 | 어머니 母 석 三 | 옮길 遷	맹자의 어머니가 아들을 가르치기 위하여 세 번이나 이사하였음을 이르는 말. 예 ⬚⬚⬚⬚은 환경이 교육에 미치는 영향을 알 수 있는 말이다.	**더알기** '맹모삼천'은 '맹모삼천지교(孟母三遷之敎)'라고도 한다.
문일지십 들을 聞 | 한 一 알 知 | 열 十	하나를 듣고 열 가지를 미루어 안다는 뜻으로, 지극히 총명함을 이르는 말. 예 그는 어려서 '⬚⬚⬚⬚'이라는 말을 들을 정도로 똑똑하였다.	**더알기** '문일지십'은 공자의 제자 중 총명하고 영리한 '안회'에 관한 이야기에서 유래하였다.
청출어람 푸를 靑 | 날 出 어조사 於 | 쪽 藍	쪽에서 뽑아낸 푸른 물감이 쪽보다 더 푸르다는 뜻으로, 제자나 후배가 스승이나 선배보다 나음을 비유적으로 이르는 말. 예 김 교수의 제자들은 ⬚⬚⬚⬚의 그림 실력을 선보였다.	**더알기** '어조사 於'는 여기에서 '~보다(비교)'라는 뜻으로 쓰였다.

➕ 맹모삼천, 어디서 생겨난 말일까?

'맹자'는 공자와 함께 중국의 학문을 이끌었던 뛰어난 학자예요. 맹자는 어린 시절 공동묘지 근처에 살았는데, 어린 맹자가 장례 치르는 놀이를 하는 것을 본 어머니는 이사를 결심했어요.

맹자와 어머니가 이사한 곳은 시장과 가까운 곳이었어요. 이번에는 맹자가 장사꾼 흉내를 내며 놀았는데, 그 모습을 본 어머니는 다시 이사하기로 마음먹었어요.

세 번째로 이사한 곳은 서당 근처였어요. 맹자는 서당 학생들의 글 읽는 모습을 흉내 내거나 예의 바르게 인사하는 모습을 따라 했어요. 그제야 어머니는 걱정을 덜고 마음을 놓았지요.

맹자의 어머니가 교육을 위해 세 번이나 집을 옮겼다는 이야기에서 나온 '맹모삼천'은 교육에 있어 주변 환경이 중요하다는 말을 전할 때 쓰입니다.

확인 문제

[01~05] 다음 한자의 뜻을 쓰시오.

01 相(   )상 02 想(   )상 03 常(   )상

04 償(   )상 05 象(   )상

[06~08] 〈보기〉의 글자를 조합하여 빈칸에 들어갈 어휘를 쓰시오.

보기

반   상   왕   용   장   후

06 우리나라는 매우 짧은 기간에 인터넷 ☐☐화가 이루어졌다.

07 형제는 컴퓨터 사용 시간 배분에 대해 ☐☐된 의견을 내놓았다.

08 '☐☐☐☐이 씨가 있나'라는 속담은 사회적 성공이 개인의 능력에 달렸음을 이르는 말이다.

[09~11] 다음 뜻에 해당하는 어휘에 ∨표 하시오.

09 일정한 액수나 수치 등에 해당함.　　　　　　　　　☐ 상당　☐ 상응

10 좋지 않은 일을 버릇처럼 하는 것.　　　　　　　　☐ 상습적　☐ 습관적

11 남에게 입힌 손해에 대해 물어 주는 돈.　　　　　　☐ 배상금　☐ 보상금

[12~14] 제시된 초성을 참고하여 빈칸에 들어갈 한자 성어를 쓰시오.

12 선생님은 학생들의 작품을 보며 ㅊㅊㅇㄹ 이라고 칭찬하였다.　　＿＿＿＿＿

13 ㅁㅇㅈㅅ 은 '하나를 듣고 열을 안다'라는 속담과 같은 뜻이다.　　＿＿＿＿＿

14 ㅁㅁㅅㅊ 은 교육에 있어서 좋은 환경이 중요함을 일깨우는 말이다.　＿＿＿＿＿

01 어휘의 사전적 의미가 바르지 않은 것은?

① 부산물: 어떤 일을 할 때에 부수적으로 생기는 일이나 현상.

② 식별: 사물이나 사람의 옳고 그름 등의 정체를 구별하거나 가려서 앎.

③ 사각지대: 관심이나 영향이 미치지 못하는 구역을 비유적으로 이르는 말.

④ 차별화: 둘 이상의 대상을 각각 등급이나 수준 등의 차이를 두어 구별된 상태가 되게 함.

⑤ 부여: 사람에게 권리·임무 등을 지니도록 해 주거나, 사물이나 일에 가치·의의 등을 붙여 줌.

02 밑줄 친 부분을 바꾼 표현으로 적절하지 않은 것은?

① 국제화에 발맞추어 학교 교육도 달라졌다(→ 변모하였다).

② 단체전 상금은 기여도에 따라 차등을 두어 나누었다(→ 부과하였다).

③ 그는 은퇴하겠다던 자신의 말을 뒤집고(→ 번복하고) 다시 무대에 섰다.

④ 이번 달에는 돈을 헛되이 써서(→ 허비해서) 용돈이 벌써 바닥을 보인다.

⑤ 교양 있는 사람은 일상생활에서 품위 있는 말을 일상적으로 쓴다(→ 상용한다).

03 〈보기〉의 한자 성어를 활용한 예문으로 적절한 것은?

> 보기
>
> 고군분투: 남의 도움을 받지 않고 힘에 벅찬 일을 잘해 나가는 것을 비유적으로 이르는 말.

① 두 사람은 같은 아픔을 겪고 고군분투의 정을 느꼈다.

② 부패한 관리들의 고군분투로 백성은 비참한 삶을 살았다.

③ 나는 친구와 평생 고군분투의 도리를 지키기로 맹세하였다.

④ 국민들은 고군분투하는 위정자에게 따끔한 일침을 가하였다.

⑤ 행사 준비에 아무도 관심이 없어서 반장만 힘겹게 고군분투 중이다.

04 제시된 어휘를 활용하여 만든 문장으로 적절하지 않은 것은?

① 복원 → 불타 버린 숭례문의 복원에 오랜 시간이 걸렸다.

② 보편성 → 우리나라는 분단국가라는 보편성을 지니고 있다.

③ 분간 → 밖은 아직 어디가 어디인지 분간하기 어려울 만큼 어두웠다.

④ 배상금 → 그 기업은 공장 소음으로 고통을 겪은 주민들에게 배상금을 건넸다.

⑤ 임기응변 → 나는 사회자의 곤란한 질문에 임기응변을 발휘하여 재치 있게 대답하였다.

05 밑줄 친 어휘의 의미가 서로 대립한다고 보기 어려운 것은?

① 매사에 너무 <u>비판적</u>일 필요는 없다. − 옛것을 <u>맹목적</u>으로 답습해서는 안 된다.

② 장영실은 <u>비천한</u> 집안에서 태어났다. − 어머니는 생명의 <u>존귀함</u>을 늘 강조하였다.

③ 단종의 <u>복위</u>를 꾀하는 움직임이 일었다. − 몇몇 신하가 비밀리에 왕의 <u>폐위</u>를 꾸몄다.

④ 누나는 <u>비범한</u> 그림 실력으로 주목을 받았다. − 나는 <u>평범한</u> 실력을 노력으로 극복하였다.

⑤ 교통량 <u>분산</u>을 위해 새 도로를 건설 중이다. − 대부분의 문화 시설이 도시에 <u>집중</u>되어 있다.

고난도

06 밑줄 친 한자 성어의 의미가 서로 유사한 것끼리 묶이지 <u>않은</u> 것은?

① ┌ 왕실의 <u>가렴주구</u>에 지친 백성은 결국 난을 일으켰다.
　 └ <u>가정맹어호</u>는 모진 정치가 맹수보다 무섭다는 뜻이다.

② ┌ 사회의 <u>모순</u>을 고발한 기자가 올해의 기자상을 받았다.
　 └ 그는 자기가 한 말을 스스로 부인하여 <u>자가당착</u>에 빠졌다.

③ ┌ 틈틈이 산을 찾는 그를 보면 <u>연하고질</u>이라는 말이 떠오른다.
　 └ 은퇴 후 시골에 내려간 아버지의 삶은 <u>천석고황</u>이 따로 없다.

④ ┌ <u>유유상종</u>이라고, 이 모임에는 성격이 적극적인 사람만 모였다.
　 └ 어려운 상황에 서로 돕는 모습을 보니 <u>오월동주</u>라는 말이 딱 맞는군.

⑤ ┌ 누가 <u>초록동색</u> 아니랄까 봐, 두 사람은 늘 같은 팀을 응원한다.
　 └ 나와 비슷한 처지에 놓인 그녀를 볼 때면 <u>동병상련</u>의 마음이 절로 든다.

07 ⓐ~ⓔ의 문맥적 의미로 적절하지 <u>않은</u> 것은?

　　나는 글쓰기에 ⓐ<u>천부적</u>인 소질을 가지고 있지는 않았다. 그러나 시를 쓰는 일을 좋아하여 시를 쓰며 ⓑ<u>빈번</u>하게 밤을 새우고, 코피를 쏟는 일이 ⓒ<u>다반사</u>였다. 그러다 마침내 시어의 ⓓ<u>상징성</u>이 잘 드러난 작품을 완성하였고, 나를 가르친 선생님께서는 ⓔ<u>청출어람</u>이라며 앞으로 훌륭한 작가가 될 수 있겠다고 칭찬하셨다.

① ⓐ: 태어날 때부터 지닌 것.

② ⓑ: 번거로울 정도로 횟수가 잦음.

③ ⓒ: 차를 마시고 밥을 먹는 일처럼 보통 있는 예사로운 일.

④ ⓓ: 직접 경험하거나 지각할 수 있는 일정한 형태와 성질을 갖추고 있지 않은 것.

⑤ ⓔ: 제자나 후배가 스승이나 선배보다 나음을 비유적으로 이르는 말.

색(索) 찾다, 더듬다

모색
찾을 摸 | 더듬을 索

일이나 사건 등을 해결할 방법이나 실마리를 더듬어 찾음.
예 우리는 대기 오염의 해결 방안을 함께 [ ][ ]하기로 하였다.

> **더 알기** '색(索)'은 '삭'으로 읽히기도 한다. 이때는 '동아줄, 꼬다, 쓸쓸하다' 등의 뜻을 나타낸다.
> 예 삭막(索莫): 쓸쓸하고 막막함.

수색
찾을 搜 | 찾을 索

「1」 구석구석 뒤지어 찾음.
예 기상 악화로 실종자 [ ][ ]에 어려움을 겪고 있다.
「2」 형사 소송법에서, 압수할 물건이나 체포할 사람을 발견할 목적으로 주거, 물건, 신체 장소 등에 대하여 행하는 강제 처분.
예 경찰은 비리 의혹이 제기된 기업에 압수 [ ][ ]을 벌였다.

> ✚ 압수(押收): 물건 등을 강제로 빼앗음.
> ✚ 처분(處分): 행정 · 사법 관청이 특별한 사건에 대하여 해당 법규를 적용하는 행위.

생(生) 나다, 살다

생경
날 生 | 굳을 硬

「1」 글의 표현이 세련되지 못하고 어설픔.
예 이 글에는 [ ][ ]한 문장이 많이 쓰였다.
「2」 익숙하지 않아 어색함.
예 여행지의 [ ][ ]한 풍경은 오히려 나에게 설렘을 주었다.

> **더 알기** '생(生)'은 '(익지 않은) 날 것'이라는 의미에서 '서투르다'라는 의미로도 쓰인다.
> ✚ 친숙(親熟): 친하여 익숙하고 허물이 없음.

생동감
살 生 | 움직일 動 | 느낄 感

생기 있게 살아 움직이는 듯한 느낌.
예 배우가 관객에게 [ ][ ][ ] 넘치는 표정으로 인사하였다.

생색
살 生 | 빛 色

「1」 다른 사람 앞에 당당히 나설 수 있거나 자랑할 수 있는 체면.
예 동생이 내 숙제를 조금 돕고는 요란하게 [ ][ ]을 냈다.
「2」 활기 있는 기색.
예 관광객이 늘면서 시골 마을에도 [ ][ ]이 돌았다.

생소
날 生 | 멀 疏

「1」 어떤 대상이 친숙하지 못하고 낯섦.
예 길이 [ ][ ]해서 운전하기가 쉽지 않다.
「2」 익숙하지 못하고 서투름.
예 나는 집안일에 [ ][ ]하여 부모님께 자주 잔소리를 듣는다.

> **더 알기** '소(疏)'는 '소통하다, 트이다'라는 뜻 외에 '드물다, 멀다'라는 의미로도 쓰인다.

선(先) 먼저, 조상

선입견
먼저 先 | 들 入 | 견해 見

어떤 대상에 대해 이미 마음속에 가지고 있는 고정된 관념이나 관점.
예 작품을 감상할 때는 [ ][ ]을 버려야 한다.

⊕ **관점(觀點)**: 사물이나 현상을 관찰할 때, 그 사람이 보고 생각하는 태도나 방향 또는 처지.

선친
조상 先 | 어버이 親

남에게 돌아가신 자기 아버지를 이르는 말.
예 다음 주에 [ ][ ]의 제사가 있습니다.

성(成) 이루다

달성
이를 達 | 이룰 成

목적한 것을 이룸.
예 목표가 계획보다 빨리 [ ][ ]되었다.

⊕ **성공(成功)**: 목적하는 바를 이룸.
⊕ **실패(失敗)**: 일을 잘못하여 뜻한 대로 되지 않거나 그르침.

성취감
이룰 成 | 나아갈 就 | 느낄 感

목적한 바를 이루었다는 느낌.
예 그림을 완성한 화가는 크나큰 [ ][ ]을 느꼈다.

양성
기를 養 | 이룰 成

「1」 가르쳐서 유능한 사람을 길러 냄.
예 김 선생님은 은퇴 후 인재 [ ][ ]에 힘쓰고 있다.
「2」 실력이나 역량 등을 길러서 발전시킴.
예 나는 창의적 사고 [ ][ ]을 위해 꾸준히 두뇌 훈련을 한다.

㊒ **육성(育成)**: 길러 자라게 함.

성(聲) 소리

성량
소리 聲 | 분량 量

사람의 목소리가 크거나 작은 정도.
예 성악가가 무대 위에서 풍부한 [ ][ ]을 뽐냈다.

⊕ **음량(音量)**: 악기 소리 등이 크거나 작게 울리는 정도.

성조
소리 聲 | 가락 調

음절 안에서 나타나는 소리의 높낮이.
예 중국어에서는 [ ][ ]에 따라 단어의 뜻이 구별된다.

개념 ⊕ '음절(音節)'은 하나의 종합된 음의 느낌을 주는 말소리의 단위이다. 음절의 수는 글자의 수와 일치한다.
예 음악을 듣다 → 5음절

종성
마칠 終 | 소리 聲

음절의 구성에서 마지막 소리인 자음. '감', '공'에서 'ㅁ', 'ㅇ' 등.
예 우리말은 초성, 중성, [ ][ ]이 모여 하나의 음절을 이룬다.

⊕ **초성(初聲)**: 음절의 구성에서 처음 소리인 자음. '종'에서 'ㅈ' 등.

☑ '변화, 변경'에 관한 한자 성어

격세지감 사이 뜰 隔 | 세상 世 어조사 之 | 느낄 感	오래지 않은 동안에 몰라보게 변하여 아주 다른 세상이 된 것 같은 느낌. 예 어른들은 요즘 세대를 보면 ☐☐☐☐ 을 느낀다고 한다.	
상전벽해 뽕나무 桑 | 밭 田 푸를 碧 | 바다 海	뽕나무밭이 변하여 푸른 바다가 된다는 뜻으로, 세상일의 변천이 심함을 비유적으로 이르는 말. 예 오랜만에 고향에 오니 ☐☐☐☐ 라는 말이 실감 난다.	➕ 변천(變遷): 세월의 흐름에 따라 바뀌고 변함.
조령모개 아침 朝 | 명령 令 저물 暮 | 고칠 改	아침에 명령을 내렸다가 저녁에 다시 고친다는 뜻으로, 법령을 자꾸 고쳐서 갈피를 잡기가 어려움을 이르는 말. 예 법이 ☐☐☐☐ 로 바뀌면, 국민에게 혼란을 줄 수 있다.	➕ 법령(法令): 법률과 명령을 아울러 이르는 말.
조변석개 아침 朝 | 변할 變 저녁 夕 | 고칠 改	아침저녁으로 뜯어고친다는 뜻으로, 계획이나 결정 등을 일관성이 없이 자주 고침을 이르는 말. 예 ☐☐☐☐ 도 유분수지, 지난달에 정한 규칙을 또 바꾸다니!	

➕ 격세지감, 실제로 어떻게 쓰일까?

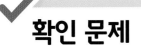

[01 ~ 05] 다음 한자의 뜻을 쓰시오.

01 生 (   ) 생   **02** 先 (   ) 선   **03** 成 (   ) 성

04 索 (   ) 색   **05** 聲 (   ) 성

[06 ~ 08] 다음 문장에 어울리는 어휘를 고르시오.

06 교육청에서는 학교 폭력을 없앨 방법을 다양하게 (모색 | 수색)하고 있다.

07 형은 어학 실력 (달성 | 양성)을 위하여 방학 동안 외국으로 연수를 떠났다.

08 처음 그 집을 방문했을 때 (생경 | 친숙)한 분위기에 적응하는 데 꽤 오랜 시간이 걸렸다.

[09 ~ 11] 밑줄 친 어휘에 대한 설명이 맞으면 ○에, 그렇지 않으면 ✕에 표시하시오.

09 그는 불우 이웃을 돕고 <u>생색</u>을 내서 비난을 받았다.
  ➡ '활기 있는 기색'을 의미한다.   (○ , ✕)

10 저는 <u>선친</u>의 뜻을 이어 가기 위해 노력하고 있습니다.
  ➡ 남에게 살아계신 자기 아버지를 이르는 말이다.   (○ , ✕)

11 한글은 모든 초성을 <u>종성</u>으로도 쓸 수 있게 만들어졌다.
  ➡ 음절의 구성에서 처음 소리인 자음을 의미하며, '밤'에서 종성은 'ㅂ'이다.   (○ , ✕)

[12 ~ 14] 빈칸에 알맞은 말을 넣어 다음 뜻에 해당하는 한자 성어를 완성하시오.

12 오래지 않은 동안에 몰라보게 변하여 아주 다른 세상이 된 것 같은 느낌.   → 격 [   ] 지 [   ]

13 뽕나무밭이 변하여 푸른 바다가 된다는 뜻으로,
세상일의 변천이 심함을 비유적으로 이르는 말.   → [   ] 전 [   ] 해

14 아침에 명령을 내렸다가 저녁에 다시 고친다는 뜻으로,
법령을 자꾸 고쳐서 갈피를 잡기가 어려움을 이르는 말.   → [   ] 령 [   ] 개

세(世) 인간, 세상

세대
세상 世 | 시대 代

「1」 어린아이가 자라서 부모 일을 이어 나갈 때까지의 30년 정도 되는 기간.
예 이 음악에는 우리보다 한 ☐☐ 앞선 어른들의 감성이 담겨 있다.
「2」 같은 시대에 살며 공통 의식을 가진 비슷한 연령층의 사람 전체.
예 젊은 ☐☐와 기성세대는 서로를 이해하며 함께 살아간다.
「3」 그때에 당면한 시대.
예 통일은 우리 ☐☐에 꼭 이루어야 할 과제이다.

➕ **기성세대(既成世代):** 현재 사회를 이끌어 가는 나이가 든 세대.

세상만사
세상 世 | 위 上
일만 萬 | 일 事

세상에서 일어나는 온갖 일.
예 내 동생은 ☐☐☐☐에 관심이 많다.

세속
세상 世 | 풍속 俗

「1」 사람이 살고 있는 모든 사회를 통틀어 이르는 말. = 세상
예 그는 산으로 들어가 ☐☐과 단절된 삶을 살고 있다.
「2」 세상의 일반적인 풍속.
예 시대의 변화에 따라 ☐☐도 달라지기 마련이다.

➕ **단절(斷絶):** 유대나 연관 관계를 끊음.

세파
세상 世 | 파도 波

모질고 거센 세상의 어려움.
예 어머니께서는 온갖 ☐☐를 견디며 나를 키우셨다.

세(勢) 형세

정세
사정 情 | 형세 勢

일이 되어 가는 형편. = 형세
예 국제 ☐☐가 하루가 다르게 변화하고 있다.

추세
달아날 趨 | 형세 勢

어떤 현상이 일정한 방향으로 나아가는 경향.
예 의학의 발달로 노인 인구가 증가 ☐☐에 있다.

➕ **대세(大勢):** 일이 진행되어 가는 결정적인 형세.

태세
모양 態 | 형세 勢

어떤 일이나 상황을 앞둔 태도나 자세.
예 어미 사슴은 새끼를 지키기 위하여 경계 ☐☐를 갖추었다.

➕ **경계(警戒):** 뜻밖의 사고가 생기지 않도록 조심하여 단속함.

속(俗) 풍속, 속되다

속물적
속될 俗 | 물건 物 | 어조사 的

교양이 없거나 식견이 좁고 세속적인 일에만 신경을 쓰는 것.
예 그는 자기에게 도움이 되는 사람만 사귀는 ☐☐☐인 인간이다.

속세
속될 俗 | 세상 世

불가에서 일반 사회를 이르는 말.
예 승려들은 ☐☐와의 인연을 끊고 오랜 시간 수행한다.

➕ **불가(佛家):** 불교를 믿는 사람. 또는 그들의 사회.

속어
속될 俗 | 말씀 語

「1」 통속적으로 쓰는 저속한 말.
예 비어와 ☐☐를 아울러 비속어라고 한다.
「2」 점잖지 못하고 상스러운 말. = 상말
예 ☐☐를 많이 쓰는 사람은 교양이 없어 보인다.

➕ **통속적(通俗的):** 세상에 널리 통하는 것.
➕ **비어(卑語):** ① 점잖지 못하고 천한 말. ② 대상을 낮추거나 낮잡는 뜻으로 이르는 말.

속(屬) 무리

속성
무리 屬 | 성질 性

사물의 특징이나 성질.
예 개구리와 뱀은 겨울잠을 자는 ☐☐이 있다.

➕ **특성(特性):** 일정한 사물에만 있는 특수한 성질.

족속
겨레 族 | 무리 屬

「1」 같은 문중이나 계통에 속하는 겨레붙이.
예 집안의 어른들이 모여 ☐☐의 번성을 비는 기도를 올렸다.
「2」 같은 패거리에 속하는 사람들을 낮잡아 이르는 말.
예 그들은 부끄러움을 모르는 한심한 ☐☐이다.

➕ **문중(門中):** 성과 본이 같은 가까운 집안.
➕ **겨레붙이:** 같은 핏줄을 이어받은 사람.
➕ **번성(繁盛):** 한창 성하게 일어나 퍼짐.

수(受) 받다

수동적
받을 受 | 움직일 動
어조사 的

스스로 움직이지 않고 다른 것의 작용을 받아 움직이는 것.
예 나는 ☐☐☐인 태도를 버리고 능동적으로 살기로 하였다.

➕ **능동적(能動的):** 다른 것에 이끌리지 않고 스스로 움직이는 것.

수령
받을 受 | 받을 領

돈이나 물품을 받아들임.
예 주문한 지 20분 만에 음식을 ☐☐하였다.

더알기 '령(領)'은 '거느리다'라는 뜻 외에 '받다'라는 뜻으로도 쓰인다.

수용
받을 受 | 받아들일 容

「1」 어떠한 것을 받아들임.
예 우리는 상대 팀의 제안을 ☐☐하기로 하였다.
「2」 감상(鑑賞)의 기초를 이루는 작용으로, 예술 작품 등을 감성으로 받아들여 즐김.
예 음악 예술의 최종 목적은 감상자의 ☐☐이라고 볼 수 있다.

➕ **거절(拒絕):** 상대편의 요구, 제안, 선물, 부탁 등을 받아들이지 않고 물리침.

✅ '성공, 출세'에 관한 한자 성어

금의환향 비단 錦 | 옷 衣 돌아올 還 | 고향 鄕	비단옷을 입고 고향에 돌아온다는 뜻으로, 출세하여 고향에 돌아가거나 돌아옴을 비유적으로 이르는 말. 예 어머니는 큰 잔치를 벌여 아들의 [ ][ ][ ][ ]을 축하하였다.
대기만성 큰 大 | 그릇 器 늦을 晩 | 이룰 成	큰 그릇을 만드는 데는 시간이 오래 걸린다는 뜻으로, 크게 될 사람은 늦게 이루어짐을 이르는 말. 예 그 작가는 오랜 무명 생활 끝에 성공한 [ ][ ][ ][ ]형 인재이다.
등용문 오를 登 | 용 龍 | 문 門	용문(龍門)에 오른다는 뜻으로, 어려운 관문을 통과하여 크게 출세하게 됨. 또는 그 관문을 이르는 말. 예 신문사의 신춘문예 공모는 젊은 소설가들의 [ ][ ][ ]이다.
입신양명 설 立 | 몸 身 날릴 揚 | 이름 名	출세하여 이름을 세상에 떨침. 예 나는 반드시 [ ][ ][ ][ ]하여 후세에 이름을 남길 것이다.

➕ **신춘문예(新春文藝):** 매해 초 신문사에서 주로 신인 작가를 발굴할 목적으로 벌이는 문예 경연 대회.
➕ **공모(公募):** 일반에게 널리 공개하여 모집함.

➕ **유방백세(流芳百世):** 꽃다운 이름이 후세에 길이 전함.

➕ 등용문, 어디서 생겨난 말일까?

중국에서 두 번째로 긴 강인 황허[黃河]에는 '용문(龍門)'이라는 골짜기가 있었어요. 그곳은 물살이 워낙 거칠고 세서 크고 힘센 물고기도 지나기 어려웠지요. 그래서인지 용문에는 한 가지 전설이 전해 내려왔는데, 물고기가 그 거친 물살을 가르고 골짜기를 오르기만 하면 용이 된다는 전설이었어요. 이 전설에서 유래하여 '용문에 오르다'라는 뜻의 '등용문'이라는 말이 만들어졌습니다.

조금 더 힘을 냅니다!

'등용문'이라는 말이 유명해진 것은 후한(後漢)의 관리 '이응' 때문이에요. 그 시대에는 왕의 시중을 드는 환관들의 권력이 대단히 컸어요. 이응은 환관들의 횡포를 두고 보지 않고 그들과 맞섰는데, 나중에 그 이름이 널리 퍼져 깨끗한 관리로 인정받게 되었지요. 당시 젊은이들은 그의 추천을 받아 벼슬길에 오르는 것을 '등용문'이라 부르며 최고의 명예로 여겼습니다.

그 뒤로 출세하기 위해 거치는 힘든 과정을 '등용문'이라고 부르게 되었답니다.

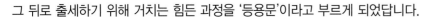

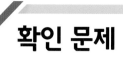

[01 ~ 05] 다음 한자의 뜻을 쓰시오.

01 世 (   ) 세　　**02** 受 (   ) 수　　**03** 俗 (   ) 속

04 勢 (   ) 세　　**05** 屬 (   ) 속

[06 ~ 08] 제시된 초성과 뜻을 참고하여 빈칸에 들어갈 어휘를 쓰시오.

06 ㅅ ㅍ : 모질고 거센 세상의 어려움.

　　예 우리 가족은 함께 (   )를 견디며 돈독해졌다.

07 ㅇ ㅅ ㅇ ㅁ : 출세하여 이름을 세상에 떨침.

　　예 아버지는 자식들이 (   )할 것이라고 굳게 믿었다.

08 ㅅ ㅁ ㅈ : 교양이 없거나 식견이 좁고 세속적인 일에만 신경을 쓰는 것.

　　예 그는 부자가 되기 위해 점점 (   )인 사람으로 변해 갔다.

[09 ~ 11] 다음 뜻에 해당하는 어휘를 〈보기〉에서 찾아 쓰시오.

보기

세대　　세속　　수령　　추세　　태세

09 돈이나 물품을 받아들임.　　　　　　　　　　　　　　　_____

10 어떤 일이나 상황을 앞둔 태도나 자세.　　　　　　　　　_____

11 같은 시대에 살며 공통 의식을 가진 비슷한 연령층의 사람 전체.　_____

[12 ~ 14] 〈보기〉의 글자를 조합하여 빈칸에 들어갈 어휘를 쓰시오.

보기

등　　문　　성　　속　　어　　용

12 공식적인 문서에 　　　를 사용해서는 안 된다.

13 그 대회는 젊은 음악가들의 　　　으로 자리 잡았다.

14 인간은 서로 어울려 살아가려는 사회적 　　　을 지니고 있다.

수(修) 닦다

보수
기울 補 | 닦을 修

건물이나 시설 등의 낡거나 부서진 것을 손보아 고침.

예 도로 ☐☐ 를 위하여 차선 하나를 막았다.

수식
닦을 修 | 꾸밀 飾

「1」 겉모양을 꾸밈.

예 그는 외출하기 전에 옷이며 구두며 ☐☐ 에 심하게 신경을 쓴다.

「2」 문장의 표현을 화려하게, 또는 기교 있게 꾸밈.

예 기사문은 과장이나 ☐☐ 없이 객관적으로 작성해야 한다.

「3」 문장에서, 체언과 용언에 말을 덧붙여 뜻을 분명하게 하는 일.

예 주성분을 ☐☐ 하여 뜻을 더해 주는 성분을 부속 성분이라 한다.

➕ 체언(體言): 문장에서 주어 등의 기능을 하는 명사, 대명사, 수사를 이르는 말.

➕ 용언(用言): 문장에서 서술어의 기능을 하는 동사, 형용사를 이르는 말.

수신
닦을 修 | 몸 身

악을 물리치고 선을 북돋아서 마음과 행실을 바르게 닦아 수양함.

예 옛 선비들은 먼저 ☐☐ 한 이후에 나라를 다스렸다.

수양
닦을 修 | 기를 養

몸과 마음을 갈고닦아 품성이나 지식 등을 높은 상태로 끌어올림.

예 책을 읽는 것은 인격을 ☐☐ 하는 데 도움이 된다.

➕ 인격(人格): 사람으로서의 품격.

숙(熟) 익다, 익숙하다

숙성
익을 熟 | 이룰 成

「1」 충분히 이루어짐.

예 가을이 되자 만물이 ☐☐ 하기 시작하였다.

「2」 효소나 미생물의 작용에 의하여 발효된 것이 잘 익음.

예 새로 담근 김치를 냉장고에 넣어 ☐☐ 시켰다.

➕ 성숙(成熟): ① 생물의 발육이 완전히 이루어짐. ② 몸과 마음이 자라서 어른스럽게 됨.

숙어
익숙할 熟 | 말씀 語

두 개 이상의 단어로 이루어져 특수한 의미를 나타내는 말의 구절.

예 '발이 넓다'는 '아는 사람이 많다.'라는 뜻의 ☐☐ 이다.

더 알기 '숙어'는 국어에서 '관용구(관용 표현)'라는 말로 쓰인다.

숙지
익숙할 熟 | 알 知

익숙하게 또는 충분히 앎.

예 신입생에게 교칙을 ☐☐ 하라고 일러 주었다.

➕ 교칙(校則): 학생이 지켜야 할 학교의 규칙.

친숙
친할 親 | 익숙할 熟

친하여 익숙하고 허물이 없음.

예 우리는 어색한 분위기를 떨치고 금세 ☐☐ 하게 대화하였다.

➕ 친밀(親密): 지내는 사이가 매우 친하고 가까움.

숭(崇) 높다

숭고
높을 崇 | 높을 高

뜻이 높고 고상함.
예 독립운동가들의 〔 〕한 희생을 결코 잊어서는 안 된다.

➕ 고상(高尙): 품위나 몸가짐의 수준이 높음.

숭배
높을 崇 | 절 拜

「1」 우러러 공경함.
예 그 가수는 팬들의 〔 〕를 받을 정도로 인기가 좋다.
「2」 신이나 부처 등의 종교적 대상을 우러러 믿고 받듦.
예 어떤 나라에서는 태양이나 늑대 등의 자연을 〔 〕하기도 한다.

➕ 숭상(崇尙): 높여 소중히 여김.

습(襲) 엄습하다, 물려받다

공습
칠 攻 | 엄습할 襲

갑자기 공격하여 침.
예 어젯밤에 적의 〔 〕으로 우리 군이 큰 피해를 입었다.

➕ 엄습(掩襲): 뜻하지 않은 사이에 습격함.
➕ 공습(空襲): '공중 습격'을 줄여 이르는 말.

답습
밟을 踏 | 물려받을 襲

예로부터 해 오던 방식이나 수법을 좇아 그대로 행함.
예 지난 세대의 잘못을 〔 〕해서는 안 된다.

➕ 수법(手法): 수단과 방법을 아울러 이르는 말.

시(時) 때

시국
때 時 | 판 局

현재 당면한 국내 및 국제 정세나 대세.
예 혼란스러운 〔 〕이 계속되자 국민들의 불안이 커졌다.

➕ 사태(事態): 일이 되어 가는 형편이나 상황. 또는 벌어진 일의 상태.

시방
때 時 | 모 方

말하는 바로 이때에. = 지금
예 삼촌은 〔 〕 뛸 듯이 기뻐하고 있다.

시점
때 時 | 점 點

시간의 흐름 가운데 어느 한 순간.
예 우리는 지금 변화를 수용해야 할 〔 〕에 와 있다.

개념 ➕ 동음이의어인 '시점(視點)'은 '소설에서, 이야기를 서술하여 나가는 방식이나 관점'을 뜻한다. 작중 서술자가 '나'인 일인칭과 '그'인 삼인칭이 있다.

시효
때 時 | 효과 效

어떤 사실 상태가 일정한 기간 동안 계속되는 일.
예 검찰은 공소 〔 〕가 끝난 사건을 재수사하지 않겠다고 밝혔다.

➕ 공소 시효(公訴時效): 범죄를 저지른 후 일정한 기간이 지나면 검사의 공소권이 없어져 그 범죄에 대해서는 공소를 제기할 수 없는 제도.

✅ '후회'에 관한 한자 성어

| **만시지탄**
늦을 晚 \| 때 時
어조사 之 \| 탄식할 歎 | 시기에 늦어 기회를 놓쳤음을 안타까워하는 탄식.
예 어차피 지금 후회해 봐야 ⬜⬜⬜⬜일 뿐이다. | |

| **망양보뢰**
잃을 亡 \| 양 羊
기울 補 \| 우리 牢 | 양을 잃고 우리를 고친다는 뜻으로, 이미 어떤 일을 실패한 뒤에 뉘우쳐도 아무 소용이 없음을 이르는 말.
예 ⬜⬜⬜⬜는 '소 잃고 외양간 고친다'라는 속담과 의미가 통한다. | **더알기** 원래는 양을 잃은 뒤에 우리를 고쳐도 늦지 않다는 뜻으로, 어떤 일을 실패해도 빨리 뉘우치고 수습하면 늦지 않는다는 말로 쓰였으나, 지금은 후회해도 소용없음을 의미할 때 주로 쓰인다. |

| **사후 약방문**
죽을 死 \| 뒤 後
약 藥 \| 처방 方 \| 글월 文 | 죽은 뒤에 약을 처방한다는 뜻으로, 때를 놓치고 어리석게 애쓰는 경우를 비유적으로 이르는 말.
예 미리 대책을 세워야지, ⬜⬜⬜⬜⬜이 무슨 소용이겠어? | ➕ **대책(對策)**: 어떤 일에 대처할 계획이나 수단. |

| **후회막급**
뒤 後 \| 뉘우칠 悔
없을 莫 \| 미칠 及 | 이미 잘못된 뒤에 아무리 후회하여도 다시 어찌할 수가 없음.
예 어제 친구와 다툰 일을 생각하니 ⬜⬜⬜⬜이다. | |

➕ 후회막급, 실제로 어떻게 쓰일까?

확인 문제

정답 및 해설 50쪽

[01 ~ 05] 다음 한자의 뜻 또는 음을 쓰시오.

01 時 때 (　　　　　)   02 修 (　　　　　) 수 03 崇 (　　　　　) 숭

04 熟 익다, 익숙하다 (　　　　　) 05 襲 (　　　　　) 습

[06 ~ 14] 다음 십자말풀이를 완성하시오.

			06				09	
07	08				10	11		
				12				
		13					14	

세로

06 말하는 바로 이때에.
08 이미 잘못된 뒤에 아무리 후회하여도 다시 어찌할 수가 없음.
09 익숙하게 또는 충분히 앎.
11 어떤 사실 상태가 일정한 기간 동안 계속되는 일.
12 몸과 마음을 갈고닦아 품성이나 지식 등을 높은 상태로 끌어올림.
14 우러러 공경함. 또는 신이나 부처 등의 종교적 대상을 우러러 믿고 받듦.

가로

07 죽은 뒤에 약을 처방한다는 뜻으로, 때를 놓치고 어리석게 애쓰는 경우를 비유적으로 이르는 말.
10 시기에 늦어 기회를 놓쳤음을 안타까워하는 탄식.
13 양을 잃고 우리를 고친다는 뜻으로, 이미 어떤 일을 실패한 뒤에 뉘우쳐도 아무 소용이 없음을 이르는 말.
14 뜻이 높고 고상함.

[15 ~ 16] 다음 문장에 어울리는 어휘를 고르시오.

15 계약이 성립한 (시국 | 시점)부터 효력이 발생한다.

16 오랜 기간 (성숙 | 숙성)을 거친 와인이 비싼 값에 팔렸다.

시(視) 보다

괄시 소홀히 할 恝 | 볼 視	업신여겨 하찮게 대함. 예 앞으로 누구도 우리 팀을 □□하지 못할 것이다.	➕ 홀대(忽待): 소홀히 대접함. ➕ 후대(厚待): 아주 잘 대접함. 또는 그런 대접.
순시 돌 巡 | 볼 視	돌아다니며 사정을 보살핌. 또는 그런 사람. 예 대통령이 지방 도시를 □□하였다.	➕ 순찰(巡察): 여러 곳을 돌아다니며 사정을 살핌.
시선 볼 視 | 줄 線	「1」 눈이 가는 길. 또는 눈의 방향. 예 아이가 새로 나온 장난감에서 □□을 떼지 못하고 서 있다. 「2」 주의 또는 관심을 비유적으로 이르는 말. 예 새로 개봉한 영화에 사람들의 □□이 집중되고 있다.	➕ 눈길: ① 눈이 가는 곳. 또는 눈으로 보는 방향. ② 주의나 관심을 비유적으로 이르는 말.
착시 어긋날 錯 | 볼 視	시각적인 착각 현상. 예 벽에 □□를 일으키는 무늬가 새겨져 있다.	➕ 착각(錯覺): 어떤 사물이나 사실을 실제와 다르게 알거나 생각함.

신(信) 믿다, 정보

신념 믿을 信 | 생각 念	굳게 믿는 마음. 예 박 감독은 우승할 것이라는 확고한 □□을 가지고 있다.	➕ 신조(信條): 굳게 믿어 지키고 있는 생각.
신용 믿을 信 | 쓸 用	「1」 사람이나 사물을 믿어 의심하지 않음. 또는 그런 믿음성의 정도. 예 자주 약속을 어기는 사람은 □□을 잃게 된다. 「2」 거래한 재화의 대가를 앞으로 치를 수 있음을 보이는 능력. 예 □□ 등급이 낮은 사람에게는 카드 발급이 제한된다.	➕ 재화(財貨): 사람이 바라는 바를 충족시켜 주는 모든 물건.
적신호 붉을 赤 | 정보 信 | 부호 號	「1」 교차로나 횡단보도 등에서 붉은 등을 켜거나 붉은 기를 달아 정지를 표시하는 교통 신호. 예 운전자들이 □□□를 확인하고 차를 멈춰 세웠다. 「2」 위험한 상태에 있음을 알려 주는 조짐을 비유적으로 이르는 말. 예 갑작스러운 식욕 감퇴는 건강의 □□□이다.	➕ 청신호(靑信號): ① 푸른 등을 켜거나 푸른 기를 달아 통행하여도 좋음을 표시하는 교통 신호. ② 어떤 일이 앞으로 잘되어 나갈 것을 보여 주는 징조를 비유적으로 이르는 말.

신(神) 귀신

신성
귀신 神 | 성스러울 聖

함부로 가까이할 수 없을 만큼 고결하고 거룩함.

예 오빠는 [ ]한 국방의 의무를 다하기 위하여 군대에 갔다.

➕ 존엄(尊嚴): 인물이나 지위 등이 감히 범할 수 없을 정도로 높고 엄숙함.

신출귀몰
귀신 神 | 날 出
귀신 鬼 | 없을 沒

귀신같이 나타났다가 사라진다는 뜻으로, 그 움직임을 쉽게 알 수 없을 만큼 자유자재로 나타나고 사라짐을 비유적으로 이르는 말.

예 홍길동은 [ ]하는 재주를 지녔다.

신(新) 새롭다

경신
고칠 更 | 새로울 新

「1」 이미 있던 것을 고쳐 새롭게 함.

예 새로 취임한 시장은 낡은 제도를 [ ]하겠다는 공약을 지켰다.

「2」 기록경기 등에서, 종전의 기록을 깨뜨림.

예 이번 대회에서 마라톤 세계 기록이 [ ]되었다.

「3」 어떤 분야의 종전 최고치나 최저치를 깨뜨림.

예 무더위로 연중 최고 기온이 매일 [ ]되고 있다.

더알기 '경(更)'이 '다시'라는 뜻으로 쓰일 때는 '갱'으로 읽힌다.

예 갱신(更新): ① 이미 있던 것을 고쳐 새롭게 함. ② 법률관계의 존속 기간을 연장하는 일.

쇄신
씻을 刷 | 새로울 新

그릇된 것이나 묵은 것을 버리고 새롭게 함.

예 이미지 [ ]을 단행한 대선 후보의 지지율이 오르고 있다.

⟳ 혁신(革新): 묵은 관습 등을 바꾸어서 새롭게 함.

참신
매우 斬 | 새로울 新

새롭고 산뜻함.

예 나는 가족들에게 여름휴가에 대한 [ ]한 아이디어를 냈다.

더알기 '참(斬)'은 '베다'라는 뜻 외에 '매우'라는 의미로도 쓰인다.

실(實) 열매, 실제

실상
실제 實 | 모양 狀

실제의 상태나 내용.

예 왕은 암행어사를 통해 부정부패의 [ ]을 파악하려 하였다.

➕ 본질(本質): 본디부터 가지고 있는 사물 자체의 성질이나 모습.

실질적
실제 實 | 바탕 質 | 어조사 的

실제로 있는 본바탕과 같거나 그것에 근거하는 것.

예 이번 공사의 [ ]인 책임자는 박 반장이다.

🔁 명목적(名目的): 실속은 없고 이름이나 구실만이 갖추어져 있는 것.

실토
실제 實 | 토할 吐

거짓 없이 사실대로 다 말함.

예 경찰은 마침내 범인의 [ ]를 받아냈다.

➕ 은폐(隱蔽): 덮어 감추거나 가리어 숨김.

실효성
실제 實 | 효과 效 | 성질 性

실제로 효과를 나타내는 성질.

예 새로 발표된 제도에 [ ]이 있을지는 두고 보아야 안다.

✅ '어리석음'에 관한 한자 성어

각주구검 새길 刻 | 배 舟 구할 求 | 칼 劍	융통성 없이 현실에 맞지 않는 낡은 생각을 고집하는 어리석음을 이르는 말. 예 새로운 시대에 적응하려면 ☐☐☐☐ 하는 태도를 버려야 한다.
견문발검 볼 見 | 모기 蚊 뽑을 拔 | 칼 劍	모기를 보고 칼을 뺀다는 뜻으로, 사소한 일에 크게 성내어 덤빔을 이르는 말. 예 형은 사춘기가 되더니 느닷없이 ☐☐☐☐ 하며 성질을 부렸다.

수주대토 지킬 守 | 그루터기 株 기다릴 待 | 토끼 兔	한 가지 일에만 얽매여 발전을 모르는 어리석은 사람을 비유적으로 이르는 말. 예 노력은 안 하고 행운만 바라는 것은 ☐☐☐☐ 나 다름없다.	**더알기** '수주대토'는 중국 송나라의 한 농부가 우연히 그루터기에 부딪쳐 죽은 토끼를 잡은 후, 또 같은 일을 바라며 일도 안 하고 그루터기만 지키고 있었다는 데서 유래하였다.
연목구어 따를 緣 | 나무 木 구할 求 | 물고기 魚	나무에 올라가서 물고기를 구한다는 뜻으로, 도저히 불가능한 일을 굳이 하려 함을 비유적으로 이르는 말. 예 끊임없이 음식을 먹으면서 살을 빼고 싶다고 말하는 것은 ☐☐☐☐ 나 마찬가지의 행동이다.	**더알기** '연(緣)'은 '인연'이라는 뜻 외에 '따르다'라는 의미로도 쓰인다.

➕ 각주구검, 어디서 생겨난 말일까?

옛날 중국 초(楚)나라의 한 젊은이가 양쯔강을 건너는 배를 탔어요. 그런데 그날따라 바람이 심하게 불어 뱃멀미를 하기 시작했어요. 뱃전에 기대어 멀미가 가라앉기를 기다리던 젊은이는 옆구리에 차고 있던 긴 칼이 불편했어요. 칼이 흔들릴 때마다 속이 더 울렁거리는 기분이었지요. 그래서 칼을 풀어 뱃전에 올려놓았어요.

그런데 그 순간, 배에 파도가 부딪히며 심하게 흔들려 칼이 물에 빠지고 말았어요. 당황한 젊은이는 품 안에서 작은 칼을 꺼내더니 뱃전에 칼이 떨어진 자리를 표시했어요. 그러고는 배가 나루터에 닿자마자 표시해 둔 자리에서 칼을 찾겠다며 강물로 뛰어들었지요. 이를 지켜보던 사람이 혀를 차며 젊은이에게 소리쳤어요.

"이보게, 배가 이미 멀리 왔는데, 왜 여기에서 칼을 찾나? 쯧쯧."

그 후로 '각주구검'은 융통성 없는 어리석은 행동을 의미하게 되었답니다.

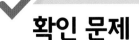
[01 ~ 05] 다음 한자의 뜻 또는 음을 쓰시오.

01 信 (   ) 신   02 新 (   ) 신   03 實 열매, 실제 (   )

04 視 보다 (   )   05 神 (   ) 신

[06 ~ 08] 빈칸에 알맞은 말을 넣어 밑줄 친 어휘의 뜻을 완성하시오.

06 나는 결국 부모님께 잘못을 <u>실토</u>하였다.

➡ 거짓 없이 (   ) 다 말함.

07 정부는 공직자의 기강을 <u>쇄신</u>하겠다고 발표하였다.

➡ 그릇된 것이나 묵은 것을 버리고 (   ) 함.

08 이번에 바뀐 입시 제도에 <u>실효성</u>이 있는지는 따져 보아야 한다.

➡ 실제로 (   )를 나타내는 성질.

[09 ~ 11] 밑줄 친 어휘의 뜻을 고르시오.

09 색다른 방식의 광고가 사람들의 <u>시선</u>을 끌었다.

① 눈의 방향.   ② 주의 또는 관심.

10 이번 선거의 투표율이 역대 최고치를 <u>경신</u>할 것으로 보인다.

① 이미 있던 것을 고쳐 새롭게 함.   ② 어떤 분야의 종전 최고치나 최저치를 깨뜨림.

11 건강에 <u>적신호</u>가 켜지기 전에 미리미리 건강 관리를 해야 한다.

① 정지를 표시하는 교통 신호.

② 위험한 상태에 있음을 알려 주는 조짐을 비유적으로 이르는 말.

[12 ~ 14] 빈칸에 알맞은 말을 넣어 밑줄 친 '이 말'에 해당하는 한자 성어를 완성하시오.

12 <u>이 말</u>은 현실에 맞지 않는 낡은 생각을 고집하는 어리석음을 의미해.   → 각 주 □ □

13 <u>이 말</u>은 모기를 보고 칼을 뺀다는 뜻으로, 사소한 일에 크게 성내는 것을 말해. → 견 □ □ 검

14 <u>이 말</u>은 나무에 올라가서 물고기를 구한다는 뜻으로,
도저히 불가능한 일을 굳이 하려 함을 비유적으로 이르는 말이야.   → □ 목 □ 어

심(心) 마음

수심
근심 愁 | 마음 心

매우 근심함. 또는 그런 마음.
예 공연을 앞둔 연주자의 얼굴에 [　　]이 가득하다.

심취
마음 心 | 취할 醉

어떤 일이나 사람에 깊이 빠져 마음을 빼앗김.
예 나는 요즘 추리 소설에 [　　]해 있다.

➕ 매료(魅了): 사람의 마음을 완전히 사로잡아 홀리게 함.

일편단심
한 一 | 조각 片
붉을 丹 | 마음 心

한 조각의 붉은 마음이라는 뜻으로, 진심에서 우러나오는 변치 않는 마음을 이르는 말.
예 신하는 임금을 [　　　　]으로 섬겼다.

회심
모일 會 | 마음 心

마음에 흐뭇하게 들어맞음. 또는 그런 상태의 마음.
예 작가는 [　　]의 미소를 지으며 원고를 내밀었다.

심(深) 깊다

심사숙고
깊을 深 | 생각 思
익을 熟 | 생각할 考

깊이 잘 생각함.
예 [　　　　]를 거듭한 끝에 최종 결정을 내렸다.

➕ 숙고(熟考): 곰곰 잘 생각함. 또는 그런 생각.

심오
깊을 深 | 깊을 奧

사상이나 이론 등이 깊이가 있고 오묘함.
예 고전에는 조상들의 [　　]한 지혜가 담겨 있다.

심층
깊을 深 | 층 層

「1」 사물의 속이나 밑에 있는 깊은 층.
예 바다의 [　　]은 수심이 깊어질수록 수온이 낮다.
「2」 겉으로 드러나지 않은, 사물이나 사건의 내부 깊숙한 곳.
예 기자는 사건을 [　　] 취재하기 위하여 사건 현장을 찾았다.

➕ 수심(水深): 강이나 바다, 호수 등의 물의 깊이.
➕ 수온(水溫): 물의 온도.
➕ 취재(取材): 작품이나 기사에 필요한 재료나 제재(題材)를 조사하여 얻음.

심화
깊을 深 | 될 化

정도나 상태가 점점 깊어짐. 또는 깊어지게 함.
예 빈부 격차의 [　　]는 계층 간의 갈등을 초래한다.

➕ 초래(招來): 일의 결과로서 어떤 현상을 생겨나게 함.

악(惡) 악하다, 미워하다(오)

간악
간사할 奸 | 악할 惡

간사하고 악독함.
예 영화 속 주인공이 [ ][ ]한 짓을 일삼았다.

악용
악할 惡 | 쓸 用

알맞지 않게 쓰거나 나쁜 일에 씀.
예 법에 대한 지식을 [ ][ ]해서는 안 된다.

빤 선용(善用): 알맞게 쓰거나 좋은 일에 씀.

악의
악할 惡 | 뜻 意

「1」 나쁜 마음.
예 [ ][ ] 없는 말일지라도 상대의 기분을 상하게 할 수 있다.
「2」 좋지 않은 뜻.
예 검찰은 수사 결과를 [ ][ ]적으로 해석하지 말 것을 당부하였다.

빤 선의(善意): ① 착한 마음. ② 좋은 뜻.

혐오감
싫어할 嫌 | 미워할 惡
느낄 感

병적으로 싫어하고 미워하는 감정.
예 다른 사람에게 [ ][ ][ ]을 주는 행동을 자제합시다.

더알기 '악(惡)'이 '미워하다'라는 뜻으로 쓰일 때는 '오'로 읽힌다.

안(安) 편안하다

안위
편안할 安 | 위로할 慰

몸을 편안하게 하고 마음을 위로함.
예 나 하나의 [ ][ ]를 위하여 온 가족이 고생하게 할 수는 없다.

➕ 위안(慰安): 위로하여 마음을 편하게 함. 또는 그렇게 하여 주는 대상.

안주
편안할 安 | 살 住

「1」 한곳에 자리를 잡고 편안히 삶.
예 나는 도시를 떠나 농촌에서의 [ ][ ]를 꿈꾼다.
「2」 현재의 상황이나 처지에 만족함.
예 현재에 [ ][ ]하면 발전이 없다.

안(案) 책상, 생각

감안
헤아릴 勘 | 생각 案

여러 사정을 참고하여 생각함.
예 날씨를 [ ][ ]하여 여행 일정을 짰다.

단안
끊을 斷 | 생각 案

어떤 사항에 대한 생각을 딱 잘라 결정함. 또는 그렇게 결정된 생각.
예 학생들은 조용히 앉아 선생님의 [ ][ ]을 기다렸다.

➕ 단정(斷定): 딱 잘라서 판단하고 결정함.

대안
대할 對 | 생각 案

어떤 일에 대처할 방안.
예 구체적인 [ ][ ] 없이 상대의 의견을 반대하는 것은 옳지 않다.

☑ '아첨, 경솔함'에 관한 한자 성어

곡학아세
굽을 曲 ㅣ 배울 學
아첨할 阿 ㅣ 세상 世

바른길에서 벗어난 학문으로 세상 사람에게 아첨함.

예 나는 ☐☐☐☐를 일삼는 사람과는 어울리고 싶지 않다.

➕ 아첨(阿諂): 남의 환심을 사거나 잘 보이려고 알랑거림.

교언영색
교묘할 巧 ㅣ 말씀 言
아름다울 令 ㅣ 빛 色

아첨하는 말과 알랑거리는 태도.

예 공자는 ☐☐☐☐한 사람 중에 어진 사람이 드물다고 하였다.

➕ 교묘(巧妙): 솜씨나 재주 등이 재치 있게 약삭빠르고 묘함.

경거망동
가벼울 輕 ㅣ 행할 舉
망령될 妄 ㅣ 움직일 動

경솔하여 생각 없이 망령되게 행동함. 또는 그런 행동.

예 아무리 일이 급해도 ☐☐☐☐하지 않는 것이 좋다.

➕ 경솔(輕率): 말이나 행동이 조심성 없이 가벼움.

부화뇌동
붙을 附 ㅣ 화할 和
우레 雷 ㅣ 같을 同

우레(천둥) 소리에 맞춰 같이한다는 뜻으로, 줏대 없이 남의 의견에 따라 움직임을 이르는 말.

예 쉽사리 ☐☐☐☐하는 태도는 남에게 믿음을 주지 못한다.

➕ 곡학아세, 어디서 생겨난 말일까?

중국 한(漢)나라의 왕 경제(景帝)는 왕위에 오르면서 훌륭한 인재들을 불러 모았습니다. 그중 한 사람인 '원고생'은 나이가 아흔이나 되는 노인으로, 강직한 성품에 바른말을 잘하기로 이름난 선비였어요. 다른 신하들은 그런 원고생을 불편해하며 비난하거나 무시하기도 했지요.

이때, 원고생과 함께 등용된 인재 중에 '공손홍'이라는 젊은 선비가 있었는데, 공손홍도 다른 신하들과 어울리며 잘못된 행동을 일삼았어요.

그러던 어느 날 원고생이 공손홍을 불러 정중한 태도로 충고했어요.

"자네는 학문을 남달리 좋아한다고 들었네. 그러니 바른 학문을 익혀 세상에 널리 전하는 일을 하게. 학문을 왜곡하여 세상에 아첨하는 일은 옳지 않다네."

그 말을 들은 공손홍은 잘못을 크게 깨닫고 원고생의 제자가 되어 그때부터 학문에 힘썼다고 합니다.

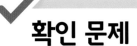

[01 ~ 05] 다음 한자의 뜻을 쓰시오.

01 心 (   ) 심   02 安 (   ) 안   03 案 (   ) 안

04 深 (   ) 심   05 惡 (   ) 악 (   ) 오

[06 ~ 08] 제시된 초성을 참고하여 밑줄 친 말을 대신할 수 있는 어휘를 쓰시오.

06   형은 요즘 악기 연주에 깊이 빠져서 교내 밴드부에 들어갔다.

ㅅ ㅊ 해서 → (   )

07   아버지께서는 퇴직 후에 시골에 자리를 잡고 편안히 살기를 꿈꾸신다.

ㅇ ㅈ 하기 → (   )

08   이 논문의 내용은 깊이가 있고 오묘해서 그 내용을 모두 이해하기가 어렵다.

ㅅ ㅇ 해서 → (   )

[09 ~ 11] 제시된 초성을 참고하여 다음 뜻에 해당하는 어휘를 쓰시오.

09   ㄱ ㅇ : 여러 사정을 참고하여 생각함.   _____

10   ㅎ ㅇ ㄱ : 병적으로 싫어하고 미워하는 감정.   _____

11   ㅎ ㅅ : 마음에 흐뭇하게 들어맞음. 또는 그런 상태의 마음.   _____

[12 ~ 14] 빈칸에 들어갈 어휘를 〈보기〉에서 찾아 쓰시오.

보기

부화뇌동   심사숙고   일편단심

---

12   임 향한 (   )이야 가실 줄이 있으랴.

13   권력자 앞이라고 쉽게 (   )해서는 안 된다.

14   사장은 (   )한 끝에 다른 회사와 계약을 맺었다.

암(暗) 어둡다

암담
어두울 暗 | 희미할 澹

「1」 어두컴컴하고 쓸쓸함.
예 바깥에는 이미 [   ]한 어둠이 깔려 있었다.
「2」 희망이 없고 절망적임.
예 그는 [   ]한 현실 앞에서도 웃음을 잃지 않았다.

➕ 찬란(燦爛): ① 빛이 번쩍거리거나 수많은 불빛이 빛나는 상태임. ② 빛깔이나 모양 등이 매우 화려함. ③ 일이나 이상(理想) 등이 매우 훌륭함.

암묵적
어두울 暗 | 잠잠할 黙
어조사 的

자기의 의사를 밖으로 나타내지 않은 것.
예 임원들은 회장의 의견에 [   ]으로 동의하였다.

암시
어두울 暗 | 보일 示

「1」 넌지시 알림. 또는 그 내용.
예 친구가 아무런 [   ]도 없이 전학을 갔다.
「2」 뜻하는 바를 간접적으로 나타내는 표현법. = 암시법
예 이 시에서 '태양'은 희망을 [   ]한다.

➕ 명시(明示): 분명하게 드러내 보임.

암전
어두울 暗 | 바꿀 轉

연극에서, 무대를 어둡게 한 상태로 무대 장치나 장면을 바꾸는 일.
예 [   ]이 끝나고 무대가 밝아지면서 주인공이 등장하였다.

➕ 명전(明轉): 연극에서, 무대를 밝게 하고 무대 장치나 장면을 바꾸는 일.

약(躍) 뛰다

도약
뛸 跳 | 뛸 躍

「1」 몸을 위로 솟구치는 일.
예 높이뛰기 선수가 높이 [   ]하여 장대를 뛰어넘었다.
「2」 더 높은 단계로 발전하는 것을 비유적으로 이르는 말.
예 우리 회사는 기술 혁신으로 세계 최정상의 기업으로 [   ]하였다.

➕ 혁신(革新): 묵은 풍속, 관습, 조직, 방법 등을 완전히 바꾸어서 새롭게 함.

비약
날 飛 | 뛸 躍

「1」 지위나 수준 등이 갑자기 빠른 속도로 높아지거나 향상됨.
예 정보 통신 분야의 기술이 [   ]적으로 성장하였다.
「2」 논리나 사고방식 등이 그 차례나 단계를 따르지 않고 뛰어넘음.
예 그의 주장은 논리의 [   ]이 심해서 설득력이 없다.

➕ 설득력(說得力): 상대편이 이쪽 편의 이야기를 따르도록 깨우치는 힘.

어(語) 말씀

어간
말씀 語 | 줄기 幹

활용어가 활용할 때에 변하지 않는 부분. '보다', '보니', '보고'에서 '보-'와 '먹다', '먹니', '먹고'에서 '먹-' 등.

예 동사나 형용사는 ☐☐과 어미로 이루어져 있다.

개념 ➕ 활용어는 문장에서 형태가 변하는 단어로, 동사, 형용사, 서술격 조사(-이다)가 이에 해당한다.

어미
말씀 語 | 꼬리 尾

어간 뒤에 결합하여 여러 가지 의미를 더해 주는 부분. '점잖다', '점잖으며', '점잖고'에서 '-다', '-으며', '-고' 등.

예 ☐☐는 쓰인 자리에 따라 '어말 어미'와 '선어말 어미'로 나뉜다.

더알기 '보았다'에서 '-다'는 어말 어미이고, '-았-'은 선어말 어미이다.

어조
말씀 語 | 고를 調

말의 가락.

예 누나는 늘 차분한 ☐☐로 말한다.

엄(嚴) 엄하다

엄수
엄할 嚴 | 지킬 守

명령이나 약속 등을 어김없이 지킴.

예 운전자는 교통 신호를 ☐☐해야 한다.

엄중
엄할 嚴 | 무거울 重

「1」 몹시 엄함.
예 경찰은 음주 운전을 ☐☐하게 단속하였다.
「2」 엄격하고 정중함.
예 직원들은 사장의 부당한 대우에 ☐☐하게 항의하였다.

➕ 정중(鄭重): 태도나 분위기가 점잖고 엄숙함.

존엄
높을 尊 | 엄할 嚴

인물이나 지위 등이 감히 범할 수 없을 정도로 높고 엄숙함.

예 모든 생명은 ☐☐하다.

여(餘) 남다

여념
남을 餘 | 생각 念

어떤 일에 대하여 생각하고 있는 것 이외의 다른 생각.

예 나는 요즘 시험을 준비하느라 ☐☐이 없다.

여담
남을 餘 | 말씀 談

이야기하는 과정에서 본 줄거리와 관계없이 흥미로 하는 딴 이야기.

예 그는 ☐☐이라며 핵심에서 벗어난 이야기를 늘어놓았다.

➕ 잡담(雜談): 쓸데없이 지껄이는 말.

여운
남을 餘 | 운치 韻

「1」 아직 가시지 않고 남아 있는 운치.
예 그 소설은 독자들에게 긴 ☐☐을 주었다.
「2」 소리가 그치거나 거의 사라진 뒤에도 아직 남아 있는 음향.
예 종소리의 ☐☐이 아직도 귓가에 남은 듯하다.

더알기 '운(韻)'은 '소리(음향), 운치' 등의 뜻으로 쓰인다.
➕ 운치(韻致): 고상하고 우아한 멋.

✅ '말'에 관한 한자 성어

유구무언 있을 有 | 입 口 없을 無 | 말씀 言	입은 있어도 말은 없다는 뜻으로, 변명할 말이 없거나 변명을 못함을 이르는 말. 예 모든 게 제 잘못이니 ☐☐☐☐입니다.	➕ 변명(辨明): 어떤 잘못이나 실수에 대하여 구실을 대며 그 까닭을 말함.
언중유골 말씀 言 | 가운데 中 있을 有 | 뼈 骨	말 속에 뼈가 있다는 뜻으로, 예사로운 말 속에 단단한 속뜻이 들어 있음을 이르는 말. 예 ☐☐☐☐이라고 했으니, 그의 말뜻을 잘 생각해 봐.	➕ 예사(例事): 보통 있는 일.
청산유수 푸를 靑 | 산 山 흐를 流 | 물 水	푸른 산에 흐르는 맑은 물이라는 뜻으로, 막힘없이 썩 잘하는 말을 비유적으로 이르는 말. 예 그는 선생님의 질문에 ☐☐☐☐로 대답하였다.	
촌철살인 마디 寸 | 쇠 鐵 죽일 殺 | 사람 人	한 치의 쇠붙이로도 사람을 죽일 수 있다는 뜻으로, 간단한 말로도 남을 감동하게 하거나 남의 약점을 찌를 수 있음을 이르는 말. 예 문학 비평가가 ☐☐☐☐으로 작품을 평론하였다.	

➕ 유구무언, 실제로 어떻게 쓰일까?

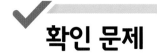

확인 문제

정답 및 해설 51쪽

[01 ~ 05] 다음 한자의 뜻 또는 음을 쓰시오.

01 語 (   ) 어   02 暗 (   ) 암   03 餘 남다 (   )

04 嚴 (   ) 엄   05 躍 뛰다 (   )

[06 ~ 10] 다음 설명이 맞으면 ○에, 그렇지 않으면 ×에 표시하시오.

06 '여담'은 아직 가시지 않고 남아 있는 운치이다.   (○ , ×)

07 '여념'은 어떤 일에 대하여 생각하고 있는 것 이외의 다른 생각이다.   (○ , ×)

08 '암전'은 연극에서, 무대를 어둡게 한 상태로 무대 장치나 장면을 바꾸는 일이다.   (○ , ×)

09 '어간'은 활용어가 활용할 때에 변하는 부분으로, '먹다'에서 '-다'와 같은 것이다.   (○ , ×)

10 '도약'은 몸을 위로 솟구치는 일 또는 더 높은 단계로 발전하는 것을 비유하는 말이다. (○ , ×)

[11 ~ 14] 사다리타기를 하여 빈칸에 들어갈 어휘의 뜻을 〈보기〉에서 찾아 번호를 쓰시오.

보기
① 변명할 말이 없거나 변명을 못함을 이르는 말.
② 막힘없이 썩 잘하는 말을 비유적으로 이르는 말.
③ 예사로운 말 속에 단단한 속뜻이 들어 있음을 이르는 말.
④ 간단한 말로도 남을 감동하게 하거나 남의 약점을 찌를 수 있음을 이르는 말.

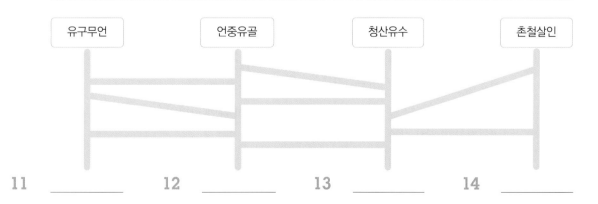

유구무언   언중유골   청산유수   촌철살인

11 _____   12 _____   13 _____   14 _____

01 제시된 한자를 활용한 어휘가 바르게 연결되지 않은 것은?

① 生(살 생) – 생동감, 생색

② 世(세상 세) – 세속, 세파

③ 熟(익숙할 숙) – 숙지, 친숙

④ 信(믿을/정보 신) – 신념, 적신호

⑤ 心(마음 심) – 일편단심, 심사숙고

02 〈보기〉를 참고할 때, 밑줄 친 '경신'이 첫 번째 뜻으로 쓰인 것은?

〈보기〉

경신(更新): 「1」 이미 있던 것을 고쳐 새롭게 함.

「2」 기록경기 등에서, 종전의 기록을 깨뜨림.

「3」 어떤 분야의 종전 최고치나 최저치를 깨뜨림.

① 그는 육상 대회에서 신기록을 경신하였다.

② 올해 대학 입시 사상 최고 경쟁률을 경신하였다.

③ 이상 기온 현상으로 매일 낮 최고 기온이 경신되고 있다.

④ 나는 독서를 통해 분야별로 경신되는 지식을 빠르게 습득한다.

⑤ 지난달부터 이어진 경기 침체로 종합 주가 지수가 최저치를 경신하였다.

고난도

03 밑줄 친 어휘의 뜻으로 적절한 것은? (정답 2개)

① 그는 세속을 등지고 승려가 되었다.

→ 세상의 일반적인 풍속.

② 공항을 나서 마주한 풍경은 생경한 느낌이었다.

→ 익숙하지 않아 어색함.

③ 경찰은 이번 사건의 유력한 용의자를 심층 조사하기로 하였다.

→ 겉으로 드러나지 않은, 사물이나 사건의 내부 깊숙한 곳.

④ 창조적인 사고 능력의 양성을 위해서는 독서를 꾸준히 해야 한다.

→ 가르쳐서 유능한 사람을 길러 냄.

⑤ 관객들은 영화 관람 후에도 슬픔의 여운 때문에 자리를 뜨지 못하였다.

→ 소리가 그치거나 거의 사라진 뒤에도 아직 남아 있는 음향.

04 다음을 읽고 문맥상 어울리는 어휘를 고르시오.

> ㉠ 통계에 따르면 요즘은 결혼을 늦게 하는 (추세 | 태세)라고 한다.
> ㉡ 우리 회사는 국내 일류 기업으로 (도약 | 비약)하기 위해 힘쓰고 있다.

05 밑줄 친 어휘의 쓰임이 적절하지 <u>않은</u> 것은?

① <u>시효</u>가 지난 유제품은 먹지 마라.
② 우리 군은 적의 공습에 대비하여 땅굴을 파 놓았다.
③ 나는 한때 여행에 <u>심취</u>하여 주말마다 어디론가 떠나곤 하였다.
④ 가난한 부모를 부끄러워하는 그의 <u>속물적</u> 모습에 나는 실망하였다.
⑤ 청중 앞에서 막힘없이 연설하는 정치인의 말솜씨는 그야말로 <u>유구무언</u>이었다.

06 제시된 상황에서 쓸 수 있는 한자 성어로 적절하지 <u>않은</u> 것은?

① 사소한 일에 크게 성내어 덤빔을 표현할 때 → 각주구검
② 줏대 없이 남의 의견에 따라 움직임을 표현할 때 → 부화뇌동
③ 출세를 하여 고향으로 돌아가게 되었음을 표현할 때 → 금의환향
④ 이미 어떤 일을 실패한 뒤에 뉘우쳐도 아무 소용이 없음을 표현할 때 → 망양보뢰
⑤ 오래지 않은 동안에 상당히 많이 달라져서 전혀 다른 세상이 되었음을 표현할 때 → 격세지감

고난도
07 ⓐ~ⓔ의 문맥적 의미로 적절한 것은?

> 새로 부임한 사장은 회사의 분위기를 ⓐ쇄신하기 위하여 애썼다. 그는 틈이 날 때마다 부서별로 ⓑ순시하며 ⓒ신출귀몰한 행적을 보여 주기도 하였다. 그런 그의 행동에 친숙함을 느끼는 직원도 있었으나, 그의 노력이 과연 ⓓ실효성을 거둘 수 있을지 의심하는 직원도 많았다. 왜냐하면 그는 회사 일에 대해 ⓔ실질적 권한을 갖고 있지 않았기 때문이다.

① ⓐ: 새롭고 산뜻함.
② ⓑ: 돌아다니며 사정을 보살핌.
③ ⓒ: 거침없이 자기 마음대로 할 수 있음.
④ ⓓ: 보람 있게 쓰거나 쓰이는 성질.
⑤ ⓔ: 알맞게 쓰거나 좋은 일에 씀.

연(然) 그러하다

겸연 불만스러울 慊	그럴 然	쑥스럽거나 미안하여 어색함. 예 지각한 친구가 [ ][ ]쩍게 뒷머리를 긁적였다.	더알기 '겸연'은 '겸연쩍다' 라는 표현으로 흔히 쓰인 다. '-쩍다'는 '그런 것을 느끼게 하는 데가 있음'이 라는 의미이다.
숙연 엄숙할 肅	그럴 然	고요하고 엄숙함. 예 법정의 분위기는 자못 [ ][ ]하였다.	➕ 자못: 생각보다 매우. ➕ 엄숙(嚴肅): ① 분위기나 의식 등이 장엄하고 정숙 함. ② 말이나 태도 등이 위엄이 있고 정중함.
완연 완연할 宛	그럴 然	눈에 보이는 것처럼 아주 뚜렷함. 예 창밖에 벌써 봄기운이 [ ][ ]하다.	
의연 굳셀 毅	그럴 然	의지가 굳세어서 끄떡없음. 예 그녀는 옥 속에 갇혀서도 [ ][ ]함을 잃지 않았다.	➕ 비굴(卑屈): 용기나 줏 대가 없이 남에게 굽히기 쉬움.

욕(辱) 욕되다

곤욕 괴로울 困	욕될 辱	심한 모욕. 또는 참기 힘든 일. 예 남의 일에 함부로 간섭했다가는 [ ][ ]을 치를 수 있다.	➕ 모욕(侮辱): 깔보고 욕 되게 함.
설욕 씻을 雪	욕될 辱	부끄러움을 씻음. 예 우리 선수단은 지난 경기의 패배를 [ ][ ]하고 승리를 거두었다.	더알기 '설(雪)'은 '눈'이라 는 뜻 외에 '씻다'라는 뜻 으로도 쓰인다.
영욕 영예 榮	욕될 辱	영예와 치욕을 아울러 이르는 말. 예 부부는 삶의 [ ][ ]을 함께 나누었다.	➕ 영예(榮譽): 영광스러운 명예.
치욕 부끄러울 恥	욕될 辱	수치와 욕됨. 예 일제 강점기의 [ ][ ]을 결코 잊어서는 안 된다.	➕ 수치(羞恥): 다른 사람 들을 볼 낯이 없거나 스스 로 떳떳하지 못함. 또는 그 런 일. = 부끄러움

위(威) 위엄

위력 위엄 威 ㅣ 힘 力	상대를 압도할 만큼 강력함. 또는 그런 힘. 예 대자연의 ☐☐ 앞에서 인간은 겸손해질 수밖에 없다.	➕ 위엄(威嚴): 존경할 만한 위세가 있어 점잖고 엄숙함. 또는 그런 태도나 기세.
위신 위엄 威 ㅣ 믿을 信	위엄과 신망을 아울러 이르는 말. 예 국가의 ☐☐을 떨어뜨린 공직자가 엄벌에 처해졌다.	➕ 신망(信望): 믿고 기대함. 또는 그런 믿음과 덕망.
위의 위엄 威 ㅣ 거동 儀	「1」 위엄이 있고 엄숙한 태도나 차림새. 예 왕은 병중에도 ☐☐를 잃지 않았다. 「2」 예법에 맞는 몸가짐. 예 웃어른께는 ☐☐를 갖추어 행동해야 한다.	➕ 위용(威容): 위엄찬 모양이나 모습.
위풍당당 위엄 威 ㅣ 기세 風 당당할 堂 ㅣ 당당할 堂	풍채나 기세가 위엄 있고 떳떳함. 예 대학에 합격한 형이 ☐☐☐☐ 한 모습으로 집에 들어왔다.	더알기 '풍(風)'은 '바람'이라는 뜻 외에 '기세'라는 의미로도 쓰인다.

유(有) 있다

유기적 있을 有 ㅣ 틀 機 ㅣ 어조사 的	생물체처럼 전체를 구성하고 있는 각 부분이 서로 밀접하게 관련을 가지고 있어서 떼어 낼 수 없는 것. 예 글을 이루는 요소나 성분은 ☐☐☐으로 얽혀 있다.	➕ 유기체(有機體): 많은 부분이 일정한 목적 아래 통일·조직되어 그 각 부분과 전체가 필연적 관계를 가지는 조직체.
유야무야 있을 有 ㅣ 어조사 耶 없을 無 ㅣ 어조사 耶	있는 듯 없는 듯 흐지부지함. 예 사건의 수사가 ☐☐☐☐로 끝났다.	더알기 '흐지부지'는 '확실하게 하지 못하고 흐리멍덩하게 넘어가거나 넘기는 모양'을 의미한다.
향유 누릴 享 ㅣ 있을 有	누리어 가짐. 예 대중들이 예술을 ☐☐할 수 있는 기회가 점점 늘어난다.	

유(遊) 놀다, 유세하다

유세 유세할 遊 ㅣ 달랠 說	자기 의견이나 자기 소속 정당의 주장을 선전하며 돌아다님. 예 거리에는 차량을 이용한 선거 ☐☐가 한창이다.	더알기 '말씀 설(說)'이 '달래다'라는 의미로 쓰일 때는 '세'로 읽힌다.
유희 놀 遊 ㅣ 놀이 戲	즐겁게 놀며 장난함. 또는 그런 행위. 예 수수께끼는 언어 ☐☐의 일종이다.	

✔ '속임수'에 관한 한자 성어

구밀복검 입 口 ㅣ꿀 蜜 배 腹 ㅣ칼 劍	입에는 꿀이 있고 배 속에는 칼이 있다는 뜻으로, 말로는 친한 듯하나 속으로는 해칠 생각이 있음을 이르는 말. 예 평소와 다른 그의 친절이 나에게는 ☐☐☐☐ 처럼 느껴졌다.	
양두구육 양 羊 ㅣ머리 頭 개 狗 ㅣ고기 肉	양의 머리를 걸어 놓고 개고기를 판다는 뜻으로, 겉보기만 그럴듯하게 보이고 속은 변변하지 않음을 이르는 말. 예 ☐☐☐☐ 으로 손님을 속인 가게가 사람들의 비난을 받았다.	➕ 비난(非難): 남의 잘못이나 결점을 책잡아서 나쁘게 말함.
조삼모사 아침 朝 ㅣ석 三 저물 暮 ㅣ넉 四	간사한 꾀로 남을 속여 희롱함을 이르는 말. 예 ☐☐☐☐ 로 속이려 하지 말고 근본적인 대책을 마련하십시오.	
호가호위 여우 狐 ㅣ빌릴 假 호랑이 虎 ㅣ위엄 威	여우가 호랑이의 위세를 빌려 거만하게 군다는 데서 유래한 말로, 남의 권력과 세력을 빌려 위세를 부림을 이르는 말. 예 그는 마치 임금인 양 ☐☐☐☐ 하며 백성을 대하였다.	➕ 위세(威勢): 사람을 두렵게 하여 복종하게 하는 힘.

➕ 조삼모사, 어디서 생겨난 말일까?

중국 송나라 때 '저공'이라는 사람이 있었습니다. 그는 원숭이를 무척 좋아해서 수십 마리의 원숭이를 길렀어요. 그러나 형편이 넉넉지 않아 원숭이의 먹이를 마련하는 게 부담스러웠어요. 고민 끝에 저공은 원숭이의 먹이를 줄이기로 하고 원숭이들을 불러 말했어요.

"이제부터 도토리를 아침에 세 개, 저녁에 네 개씩만 줄게."

그러자 원숭이들은 아침에 주는 도토리가 적다며 아우성쳤어요.

"그러면, 도토리를 아침에 네 개, 저녁에 세 개씩 주면 어떻겠니?"

아침에 하나를 더 먹게 된 원숭이들은 좋아하며 만족해했어요.

저공의 원숭이들처럼 눈앞에 보이는 차이만 알고 결과가 같은 것을 모르는 어리석음이나 잔꾀로 남을 속이는 것을 이를 때 '조삼모사'를 씁니다.

정답과 해설 52쪽

[01 ~ 05] 다음 한자의 뜻 또는 음을 쓰시오.

01 有 있다 (　　　　)　　**02** 威 (　　　　) 위　　**03** 辱 (　　　　) 욕

04 然 그러하다 (　　　　)　　**05** 遊 (　　　　) 유

[06 ~ 08] 밑줄 친 '이 말'에 해당하는 어휘를 〈보기〉에서 찾아 쓰시오.

보기

유기적　　유기체　　유세　　위력　　위신

06 이 말은 상대를 압도할 만큼 강력한 힘을 의미해.
'○○이/가 대단하다, ○○을/를 발휘하다'와 같이 쓰여.　　　──────

07 이 말은 자기 의견이나 자기 소속 정당의 주장을 선전하며 돌아다니는 것을 뜻해.
선거 때 자주 쓰이는 말이야.　　　──────

08 이 말은 각 부분이 서로 밀접하게 관련을 가지고 있어서 떼어 낼 수 없는 것을 뜻해.
'○○○ 관계, ○○○ 구성'과 같이 쓰이지.　　　──────

[09 ~ 11] 다음 문장에 어울리는 어휘를 고르시오.

09 이번 태풍으로 농부들은 (곤욕 | 영욕)을 치렀다.

10 부와 권력을 (유희 | 향유)하던 왕은 결국 민심을 잃었다.

11 얼마 전까지만 해도 겨울이었던 것 같은데 벌써 봄기운이 (완연 | 의연)하다.

[12 ~ 14] 다음 뜻에 해당하는 한자 성어를 찾아 바르게 연결하시오.

12 남의 권력과 세력을 빌려 위세를 부림.　　　　　•　　　　　• ㉠ 구밀복검

13 말로는 친한 듯하나 속으로는 해칠 생각이 있음.　•　　　　　• ㉡ 양두구육

14 겉보기만 그럴듯하게 보이고 속은 변변하지 않음.　•　　　　　• ㉢ 호가호위

의(意) 뜻

고의
일부러 故 | 뜻 意

일부러 하는 생각이나 태도.
예 투수가 [　　]로 타자의 몸을 향해 공을 던졌다.

➕ 과실(過失): 부주의나 태만 등에서 비롯된 잘못이나 허물.

득의
얻을 得 | 뜻 意

일이 뜻대로 이루어져 만족해하거나 뽐냄.
예 태권도 심사에 통과한 동생이 [　　]에 찬 표정을 지었다.

의기소침
뜻 意 | 기운 氣
사라질 銷 | 가라앉을 沈

기운이 없어지고 풀이 죽음.
예 성적이 떨어져 [　　　　]한 친구를 위로해 주었다.

➕ 의기충천(意氣衝天): 의지와 기개가 하늘을 찌를 듯함.

의기양양
뜻 意 | 기운 氣
날릴 揚 | 날릴 揚

뜻한 바를 이루어 만족한 마음이 얼굴에 나타난 모양.
예 사업에 성공한 삼촌이 [　　　　]하게 고향으로 돌아왔다.

🔗 득의양양(得意揚揚): 뜻한 바를 이루어 우쭐거리며 뽐냄.

자의적
마음대로 恣 | 뜻 意
어조사 的

일정한 질서를 무시하고 제멋대로 하는 것.
예 법을 [　　　]으로 해석하거나 적용해서는 안 된다.

🔗 임의적(任意的): 일정한 기준이나 원칙 없이 하고 싶은 대로 하는 것.
개념➕ 언어의 의미와 소리의 결합은 자의(임의)적으로 이루어진다. 이를 언어의 '자의성'이라고 한다.

이(異) 다르다

경이
놀랄 驚 | 다를 異

놀랍고 신기하게 여김. 또는 그럴 만한 일.
예 국제 대회에서 우리나라 양궁 선수가 [　　]로운 기록을 세웠다.

이견
다를 異 | 볼 見

어떠한 의견에 대한 다른 의견. 또는 서로 다른 의견.
예 양편의 [　　]을 좁히지 못해서 협상이 결렬되었다.

➕ 결렬(決裂): 교섭이나 회의 등에서 의견이 합쳐지지 않아 각각 갈라서게 됨.

이질적
다를 異 | 바탕 質 | 어조사 的

성질이 다른 것.
예 두 나라의 문화는 매우 [　　]이다.

🔄 동질적(同質的): 성질이 같은 것.

인(人) 사람, 다른 사람

인권
사람 人 | 권리 權

인간으로서 당연히 가지는 기본적 권리.
예 민주 사회는 [ ][ ]과 자유가 기초적으로 보장되는 사회이다.

인신공격
다른 사람 人 | 몸 身
칠 攻 | 부딪칠 擊

남의 신상에 관한 일을 들어 비난함.
예 토론을 할 때 상대방을 [ ][ ][ ][ ]해서는 안 된다.

➕ 신상(身上): 한 사람의 몸이나 처신, 또는 그의 주변에 관한 일이나 형편.

일(一) 하나

일가견
하나 一 | 집 家 | 볼 見

어떤 문제에 대하여 독자적인 경지나 체계를 이룬 견해.
예 김 선생님은 심리 상담에 [ ][ ][ ]이 있다.

➕ 독자적(獨自的): ① 남에게 기대지 않고 혼자서 하는 것. ② 다른 것과 구별되는 혼자만의 특유한 것.

일면식
하나 一 | 낯 面 | 알 識

서로 한 번 만나 인사나 나눈 정도로 조금 앎.
예 우리는 오늘 만나기 전까지 [ ][ ][ ]도 없는 사이였다.

일문일답
하나 一 | 물을 問
하나 一 | 대답 答

한 번 물음에 대하여 한 번 대답함.
예 강연 후 강연자와 청중이 [ ][ ][ ][ ]의 시간을 가졌다.

➕ 청중(聽衆): 강연이나 설교, 음악 등을 듣기 위하여 모인 사람들.

일반화
하나 一 | 일반 般 | 될 化

개별적인 것이나 특수한 것이 일반적인 것으로 됨. 또는 그렇게 만듦.
예 우리 사회에 과소비 현상이 [ ][ ][ ]되고 있다.

➕ 과소비(過消費): 돈이나 물품 등을 지나치게 많이 써서 없애는 일.
🔁 보편화(普遍化): 널리 일반인에게 퍼짐. 또는 그렇게 되게 함.

일(逸) 달아나다, 숨다

일탈
달아날 逸 | 벗을 脫

「1」 정해진 영역 또는 본디의 목적이나 길, 사상, 규범, 조직 등으로부터 빠져 벗어남.
예 지금 하는 논의는 본래의 주제에서 많이 [ ][ ]한 것이다.
「2」 사회적인 규범으로부터 벗어나는 일.
예 교육청은 청소년의 [ ][ ] 예방을 위한 캠페인을 실시하였다.

➕ 규범(規範): 인간이 행동하거나 판단할 때에 마땅히 따르고 지켜야 할 가치 판단의 기준.
➕ 캠페인(campaign): 사회·정치적 목적 등을 위하여 조직적이고도 지속적으로 행하는 운동.

일화
숨을 逸 | 말씀 話

세상에 널리 알려지지 않은 흥미 있는 이야기.
예 장애를 극복한 운동선수의 [ ][ ]는 나에게 감동을 주었다.

✅ '노력, 희생'에 관한 한자 성어

견마지로 개 犬 | 말 馬 어조사 之 | 수고로울 勞	개나 말 정도의 하찮은 힘이라는 뜻으로, 윗사람에게 충성을 다하는 자신의 노력을 낮추어 이르는 말. 예 보잘것없는 능력이지만 나라를 위한 일이라면 ☐☐☐☐를 다하겠습니다.
멸사봉공 멸할 滅 | 사사로울 私 받들 奉 | 공적일 公	사욕을 버리고 공익을 위하여 힘씀. 예 공직자는 ☐☐☐☐의 태도로 일해야 한다.
삼고초려 석 三 | 돌아볼 顧 풀 草 | 오두막집 廬	유비가 세 번이나 제갈량의 초가집을 찾아갔다는 뜻으로, 인재를 맞아들이기 위하여 참을성 있게 노력함을 이르는 말. 예 우리 학교 축구팀은 ☐☐☐☐ 끝에 감독을 초빙하였다.
살신성인 죽일 殺 | 몸 身 이룰 成 | 어질 仁	자기의 몸을 희생하여 인(仁)을 이룸. 예 소방관이 ☐☐☐☐의 자세로 화재를 진압하였다.

➕ **사욕(私慾):** 개인의 이익만을 꾀하는 욕심.
➕ **공익(公益):** 사회 전체의 이익.

➕ **초빙(招聘):** 예를 갖추어 불러 맞아들임.

➕ 삼고초려, 어디서 생겨난 말일까?

중국 삼국 시대에 촉한(蜀漢)의 왕인 '유비'는 위(魏)나라 '조조'의 군대에 자주 패했어요. 이를 극복하고자 유비는 스승인 '사마휘'에게 인재를 추천받는데, 바로 '제갈량'이라는 사람이었어요.

유비는 의형제인 '관우', '장비'와 함께 제갈량이 산다는 산속 허름한 초가집을 찾아갔어요. 그런데 마침 제갈량이 외출하여 그를 만나지 못했지요. 며칠 뒤 다시 찾아갔을 때도 제갈량은 집을 비우고 없었어요. 함께 갔던 관우와 장비는 한 나라의 왕을 두 번이나 헛걸음하게 한 제갈량을 무례하다고 생각하여 유비를 말렸어요.

그러나 유비는 포기하지 않고 제갈량의 집을 다시 한번 찾아갔어요. 세 번이나 찾아온 유비의 정성에 감동한 제갈량은 촉한의 군사 지휘자가 되기로 했지요. 그 후 제갈량은 조조의 백만 대군을 무찌르는 등 전쟁에서 큰 공을 세웠고, 유비가 황제로 즉위한 후에는 재상이 되어 정치가로서도 이름을 날렸답니다.

이처럼 '삼고초려'는 인재를 얻기 위하여 정성스레 노력하는 것을 이르는 말입니다.

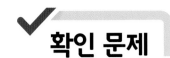
[01 ~ 05] 다음 한자의 뜻을 쓰시오.

01 一 (   ) 일   02 人 (   ) 인   03 異 (   ) 이

04 意 (   ) 의   05 逸 (   ) 일

[06 ~ 08] 제시된 초성을 참고하여 밑줄 친 말을 대신할 수 있는 어휘를 쓰시오.

06 생명이 탄생하는 순간은 언제나 놀랍고 신기하다.

ㄱ ㅇ → (   )

07 그곳의 문화는 성질이 다른 여러 가지 문화가 모여 이루어졌다.

ㅇ ㅈ ㅈ 인 → (   )

08 소년은 수업을 방해하려고 일부러 쓸데없는 질문을 계속 던졌다.

ㄱ ㅇ 로 → (   )

[09 ~ 11] 다음 문장에 어울리는 어휘를 고르시오.

09 할머니께서 젊은 시절에 겪은 (우화 | 일화)를 들려주셨다.

10 사회부 기자가 죄수의 (사욕 | 인권) 보장을 주장하는 기사를 보도하였다.

11 청소년기의 음주나 흡연 같은 (일탈 | 해탈) 행위는 성장에 나쁜 영향을 준다.

[12 ~ 14] 빈칸에 들어갈 알맞은 어휘를 〈보기〉에서 찾아 쓰시오.

보기
견마지로   살신성인   삼고초려   인신공격

12 하찮은 재주지만 민족을 위해서라면 어떤 일이든 (   )을/를 다하겠습니다.

13 그 후보는 선거 운동 중 상대 후보에 대한 지나친 (   )(으)로 경고를 받았다.

14 위험을 무릅쓰고 철로에 떨어진 아이를 구한 청년에게서 (   )의 정신을 느꼈다.

자(自) 스스로

자긍심
스스로 自 | 자랑할 矜
마음 心

스스로에게 긍지를 가지는 마음.

예 나는 한국인으로서 [   ]을 가지고 있다.

자만심
스스로 自 | 거만할 慢
마음 心

자신이나 자신과 관련 있는 것을 스스로 자랑하며 뽐내는 마음.

예 괜한 [   ]에 빠져 노력을 게을리해서는 안 된다.

➕ 거만(倨慢): 잘난 체하
며 남을 업신여기는 데가
있음.

자존감
스스로 自 | 높을 尊 | 느낄 感

스스로 자기를 소중히 대하며 존중하는 감정.

예 [   ]이 높은 사람은 실패를 두려워하지 않는다.

자책
스스로 自 | 꾸짖을 責

자신의 결함이나 잘못에 대하여 스스로 깊이 뉘우치고 꾸짖음.

예 지나친 [   ]은 앞으로의 발전을 더디게 한다.

자초지종
~로부터 自 | 처음 初
이를 至 | 끝 終

처음부터 끝까지의 과정.

예 경찰은 목격자에게 사건의 [   ]을 자세히 물었다.

더알기 '자(自)'는 '스스로'
라는 뜻 외에 '~로부터'라
는 뜻으로도 쓰인다.

저(著) 나타나다, 짓다

저서
지을 著 | 글 書

책을 지음. 또는 그 책.

예 정약용은 유배지에서도 백성과 나라를 위한 [   ]를 남겼다.

더알기 『목민심서』, 『흠흠
신서』, 『경세유표』는 정약
용의 주요 저서이다.

저술
지을 著 | 지을 述

글이나 책 등을 씀. 또는 그 글이나 책.

예 시나리오 작가는 영화의 각본을 [   ]하는 사람이다.

➕ 각본(脚本): 연극이나
영화를 만들기 위해 쓴 글.

저작권
지을 著 | 지을 作 | 권리 權

문학, 예술, 학술에 속하는 창작물에 대하여 저작자나 그 권리를 받
은 사람이 행사하는 배타적·독점적 권리.

예 [   ]은 작가의 사망 후 70년간 그 권리가 유지된다.

➕ 배타적(排他的): 남을
배척하는 것.
➕ 독점적(獨占的): 물건,
자리 등을 독차지하는 것.

현저
나타날 顯 | 나타날 著

뚜렷이 드러나 있음.

예 때 이른 폭염으로 해수욕장의 방문객이 [   ]히 늘었다.

➕ 현저(顯著)히: 뚜렷이
드러날 정도로.

전(轉) 구르다

전락
구를 轉 | 떨어질 落

나쁜 상태나 잘못된 길로 빠짐.

예 양반에게 농토를 빼앗긴 농민들은 소작농으로 ☐☐하였다.

➕ 소작농(小作農): 다른 사람의 농토를 빌려 농사를 짓는 사람.

전이
구를 轉 | 옮길 移

「1」 자리나 위치 등을 다른 곳으로 옮김.

예 의사는 암세포의 ☐☐를 막기 위하여 최선을 다하였다.

「2」 사물이 시간이 지남에 따라 변하고 바뀜.

예 '어리다'라는 단어는 '어리석다'라는 뜻에서 '나이가 적다'라는 뜻으로 의미가 ☐☐된 단어이다.

전전
구를 轉 | 구를 轉

이리저리 굴러다니거나 옮겨 다님.

예 남의 집을 ☐☐하며 살던 소년이 이제는 어엿한 사장이 되었다.

전환
구를 轉 | 바꿀 換

다른 방향이나 상태로 바뀌거나 바꿈.

예 주말에 기분 ☐☐을 위하여 교외로 나들이를 하러 갔다.

➕ 교외(郊外): 도시의 주변 지역.

절(切) 끊다

애절
슬플 哀 | 끊을 切

몹시 애처롭고 슬픔.

예 노래 가사가 너무나 ☐☐하여 눈물이 저절로 흘렀다.

절박
끊을 切 | 닥칠 迫

「1」 어떤 일이나 때가 가까이 닥쳐서 몹시 급함.

예 상황이 ☐☐해지니 먼저 떠오르는 것은 가족이었다.

「2」 인정이 없고 냉정함.

예 주인공이 상대역의 손을 ☐☐하게 뿌리쳤다.

🔁 박절(迫切): ① 인정이 없고 쌀쌀함. ② 일이 바싹 닥쳐서 매우 급함.

절통
끊을 切 | 아플 痛

뼈에 사무치도록 원통함.

예 분하고 ☐☐했던 마음이 차츰 체념으로 변하여 갔다.

준(準) 준하다

준거
준할 準 | 근거 據

사물의 정도나 성격 등을 알기 위한 근거나 기준.

예 심사 위원은 명확한 ☐☐를 바탕으로 심사하여야 한다.

준언어
준할 準 | 말씀 言 | 말씀 語

의사소통에서, 언어적 요소와 분리할 수 없으나 소리로 나온 음성 메시지와는 다른 의미를 지닐 수 있는 요소. 예를 들어 소리의 억양이나 세기, 강세의 위치, 말의 빠르기나 음의 높고 낮음 등.

예 ☐☐☐는 비언어와 달리 음성적 속성을 지니고 있다.

➕ 비언어(非言語): 언어가 아닌, 의사나 감정을 표현하고 전달하는 데 쓰이는 몸짓, 손짓, 표정 등의 신체 동작.

✅ '곤란한 상황'에 관한 한자 성어

사상누각
모래 沙 | 위 上
다락 樓 | 집 閣

모래 위에 세운 누각이라는 뜻으로, 기초가 튼튼하지 못하여 오래 견디지 못할 일이나 물건을 이르는 말.

예 기초 없이 문제 풀이만 익히는 것은 ☐☐☐☐에 불과하다.

➕ **누각(樓閣)**: 사방을 바라볼 수 있도록 문과 벽이 없이 다락처럼 높이 지은 집.

자승자박
스스로 自 | 줄 繩
스스로 自 | 묶을 縛

자기의 줄로 자기 몸을 옭아 묶는다는 뜻으로, 자기가 한 말과 행동에 자기 자신이 옭혀 곤란하게 됨을 비유적으로 이르는 말.

예 자기 꾀에 자기가 넘어갔으니 ☐☐☐☐이다.

➕ **자업자득(自業自得)**: 자기가 저지른 일의 결과를 자기가 받음.

풍비박산
바람 風 | 날 飛
우박 雹 | 흩어질 散

사방으로 날아 흩어짐.

예 전쟁으로 수많은 가족과 집안이 ☐☐☐☐이 되고 말았다.

풍전등화
바람 風 | 앞 前
등불 燈 | 불 火

바람 앞의 등불이라는 뜻으로, 사물이 매우 위태로운 처지에 놓여 있음을 비유적으로 이르는 말.

예 임진왜란 당시 나라의 운명은 ☐☐☐☐와 같았다.

➕ **백척간두(百尺竿頭)**: 백 자나 되는 높은 장대 위에 올라섰다는 뜻으로, 몹시 어렵고 위태로운 지경을 이르는 말.

➕ 자승자박, 실제로 어떻게 쓰일까?

확인 문제

정답과 해설 53쪽

[01 ~ 05] 다음 한자의 뜻 또는 음을 쓰시오.

01 切 (   ) 절 02 自 (   ) 자 03 著 (   ) 저

04 準 준하다 (   ) 05 轉 구르다 (   )

[06 ~ 13] 다음 십자말풀이를 완성하시오.

06		08		09	
07					
				10	11
	12	13			

세로
06 자기가 한 말과 행동에 자기 자신이 옭혀 곤란하게 됨.
08 스스로에게 긍지를 가지는 마음.
09 자리나 위치 등을 다른 곳으로 옮김.
11 뼈에 사무치도록 원통함.
13 글이나 책 등을 씀.

가로
07 자신과 관련 있는 것을 스스로 자랑하며 뽐내는 마음.
09 나쁜 상태나 잘못된 길로 빠짐.
10 몹시 애처롭고 슬픔.
12 뚜렷이 드러나 있음.

[14 ~ 15] 제시된 초성과 뜻을 참고하여 빈칸에 들어갈 어휘를 쓰시오.

14 ㅈ ㅂ : 어떤 일이나 때가 가까이 닥쳐서 몹시 급함.
    예 우리 가족의 (   )한 상황을 안 이웃들이 도움을 주었다.

15 ㅈ ㄱ : 사물의 정도나 성격 등을 알기 위한 근거나 기준.
    예 판사는 법 조항에 (   )하여 판결을 내린다.

[16 ~ 17] 빈칸에 들어갈 어휘를 〈보기〉에서 찾아 쓰시오.

보기
자업자득   자초지종   풍전등화

16 사건의 (   )을/를 설명하고 나서야 친구들의 오해가 풀렸다.

17 생태학자들은 환경 오염으로 인해 지구의 운명이 (   )의 위기에 놓였다고 말한다.

진(進) 나아가다

진보
나아갈 進 | 걸음 步

「1」 정도나 수준이 나아지거나 높아짐.
예 과학 기술의 ☐☐로 생활 수준이 크게 향상되었다.
「2」 역사 발전의 합법칙성에 따라 사회의 변화나 발전을 추구함.
예 이번 선거에서는 보수와 ☐☐ 정당의 득표율이 비슷하다.

🖐 **퇴보(退步)**: 정도나 수준이 이제까지의 상태보다 뒤떨어지거나 못하게 됨.
🖐 **보수(保守)**: 새로운 것이나 변화를 적극적으로 받아들이기보다는 전통적인 것을 유지하려 함.

진취적
나아갈 進 | 취할 取
어조사 的

적극적으로 나아가 일을 이룩하는 것.
예 누나는 어떤 일이든 ☐☐☐으로 해 나간다.

진화
나아갈 進 | 될 化

「1」 일이나 사물 등이 점점 발달하여 감.
예 오늘날의 달력은 오랜 기간 ☐☐를 거쳐 완성된 것이다.
「2」 생물이 생명의 기원 이후부터 점진적으로 변해 가는 현상.
예 생물은 주로 살아가기에 유리한 쪽으로 ☐☐한다.

🖐 **퇴화(退化)**: ① 진보 이전의 상태로 되돌아감. ② 생물체의 기관이나 조직의 형태가 단순화되고 크기가 감소하는 등으로 변화함.

촉진
재촉할 促 | 나아갈 進

다그쳐 빨리 나아가게 함.
예 장애인의 고용을 ☐☐하기 위한 제도가 필요하다.

➕ **고용(雇傭)**: 삯을 받고 남의 일을 해 줌.

집(集) 모으다, 모이다

운집
구름 雲 | 모일 集

구름처럼 모인다는 뜻으로, 많은 사람이 모여듦을 이르는 말.
예 수많은 사람이 시청 앞 광장에 ☐☐하였다.

집대성
모을 集 | 큰 大 | 이룰 成

여러 가지를 모아 하나의 체계를 이루어 완성함.
예 「대동여지도」는 조선의 지도 제작술을 ☐☐☐한 결과이다.

집약
모을 集 | 맺을 約

한데 모아서 요약함.
예 이 논문에는 그동안의 연구 성과가 ☐☐되어 있다.

집적
모을 集 | 쌓을 積

모아서 쌓음.
예 품질 향상을 위해서는 우선 기술이 ☐☐되어야 한다.

➕ **축적(蓄積)**: 지식, 경험, 자금 등을 모아서 쌓음. 또는 모아서 쌓은 것.

찰(察) 살피다

성찰
살필 省 | 살필 察

자기의 마음을 반성하고 살핌.
예 일기는 하루를 돌아보고 [ ]한 기록이다.

통찰
꿰뚫을 洞 | 살필 察

예리한 관찰력으로 사물을 꿰뚫어 봄.
예 이 작품에서는 삶에 대한 작가의 [ ]을 엿볼 수 있다.

➕ 예리(銳利): 관찰이나 판단이 정확하고 날카로움.

추(抽) 뽑다, 없애다

추상적
없앨 抽 | 모양 象 | 어조사 的

「1」 어떤 사물이 직접 경험하거나 지각할 수 있는 일정한 형태와 성질을 갖추고 있지 않은 것.
예 사랑은 형태가 없는 [ ]인 감정이다.
「2」 구체성 없이 사실이나 현실에서 멀어져 막연하고 일반적인 것.
예 그의 말은 언제나 [ ]이고 애매해서 이해하기가 어렵다.

➕ 구체적(具體的): 사물이 일정한 형태와 성질을 갖추고 있는 것.
➕ 관념적(觀念的): 추상적이고 공상적인 생각에 사로잡혀 있는 것.

추출
뽑을 抽 | 날 出

전체 속에서 어떤 물건, 생각, 요소 등을 뽑아냄.
예 참기름은 참깨에 압력을 가하여 기름을 [ ]한 것이다.

추(推) 밀다

추론
밀 推 | 논할 論

미루어 생각하여 논함.
예 유물을 통하여 고대인의 생활 방식을 [ ]할 수 있다.

➕ 추측(推測): 미루어 생각하여 헤아림.

추이
밀 推 | 옮길 移

일이나 형편이 시간의 경과에 따라 변하여 나감. 또는 그런 경향.
예 정부는 물가 상승의 [ ]를 보며 대책을 마련하기로 하였다.

출(出) 나다

분출
뿜을 噴 | 날 出

「1」 액체나 기체 상태의 물질이 솟구쳐서 뿜어져 나옴.
예 한라산은 신생대 초부터 용암을 [ ]하였다.
「2」 요구나 욕구 등이 한꺼번에 터져 나옴.
예 님비(NIMBY)는 집단 이기주의가 [ ]된 사회 현상이다.

더알기 '님비(NIMBY)'는 'Not In My BackYard'의 약자로, 자신이 속한 지역에 이롭지 않은 일을 반대하는 집단행동이다.

출처
날 出 | 곳 處

사물이나 말 등이 생기거나 나온 근거.
예 남의 글을 인용할 때는 [ ]를 꼭 밝혀야 한다.

➕ 인용(引用): 남의 말이나 글을 자신의 말이나 글 속에 끌어 씀.

✅ '위기, 절망'에 관한 한자 성어

누란지위 포갤 累 ┃ 알 卵 어조사 之 ┃ 위태로울 危	층층이 쌓아 놓은 알의 위태로움이라는 뜻으로, 몹시 아슬아슬한 위기를 비유적으로 이르는 말. 예 1997년 외환 위기 당시 우리나라 경제는 [ ][ ][ ][ ]에 처해 있었다.	🔁 **누란지세**(累卵之勢): 층층이 쌓아 놓은 알의 형세처럼 몹시 위태로운 형세를 비유적으로 이르는 말.
사면초가 넉 四 ┃ 낯 面 초나라 楚 ┃ 노래 歌	아무에게도 도움을 받지 못하는, 외롭고 곤란한 지경에 빠진 형편을 이르는 말. 예 연기력 논란을 일으킨 배우는 사생활 문제까지 겹쳐 [ ][ ][ ][ ]에 처하였다.	➕ **고립**(孤立): 다른 사람과 어울리어 사귀지 않거나 도움을 받지 못하여 외톨이로 됨.
자포자기 스스로 自 ┃ 사나울 暴 스스로 自 ┃ 버릴 棄	절망에 빠져 자신을 스스로 포기하고 돌아보지 않음. 예 아무리 힘든 시련이 와도 [ ][ ][ ][ ]해서는 안 된다.	➕ **포기**(抛棄): ① 하려던 일을 도중에 그만둬 버림. ② 자기의 권리나 자격, 물건 등을 내던져 버림.
진퇴양난 나아갈 進 ┃ 물러날 退 두 兩 ┃ 어려울 難	이러지도 저러지도 못하는 어려운 처지. 예 고속도로가 꽉 막혀 움직이질 않으니 정말 [ ][ ][ ][ ]이다.	🔁 **진퇴유곡**(進退維谷): 이러지도 저러지도 못하고 꼼짝할 수 없는 궁지.

➕ 사면초가, 어디서 생겨난 말일까?

중국 초(楚)나라의 '항우'와 한(漢)나라의 '유방'은 천하를 차지하기 위해 전쟁을 치렀어요. 이 싸움에서 쫓기던 항우의 군대는 해하(垓下)라는 지역에서 유방의 군사들에게 완전히 포위되었는데, 용맹하기로 소문난 항우였기에 한나라의 맹렬한 공격에도 전쟁은 쉽게 끝나지 않았어요.

이때, 한나라의 최고 전략가인 '장량'이 포위된 초나라 군대에 구슬픈 초나라 노래를 들려주자고 유방에게 제안했어요. 사방에서 고향의 노랫소리가 들리면 초나라 군사들의 사기가 떨어지리라 생각한 것이지요.

그날 밤부터 초나라의 노랫소리가 사방에 울려 퍼졌고, 예상대로 초나라 군사들은 가족과 고향을 그리워하며 하나둘씩 도망쳤어요. 결국 항우는 전쟁에 패배하여 목숨을 잃게 되었습니다.

이 이야기에서 유래하여 '사면초가'는 사방이 초나라 노래로 둘러싸인 듯 아무에게도 도움을 받을 수 없는 곤란한 상황을 이를 때 쓰는 말입니다.

이런! 사방이 적이로구나!

[01 ~ 06] 다음 한자의 뜻을 쓰시오.

01 出 (   ) 출   **02** 推 (   ) 추   **03** 集 (   ) 집

04 進 (   ) 진   **05** 察 (   ) 찰   **06** 抽 (   ) 추

[07 ~ 09] 밑줄 친 어휘의 뜻을 고르시오.

07 나는 숙제에 사용한 사진의 <u>출처</u>를 사진 아래에 기록하였다.
① 한데 모아서 요약함.
② 사물이나 말 등이 생기거나 나온 근거.

08 형은 스트레스를 <u>분출</u>하기 위해 가끔 큰 소리로 노래를 부른다.
① 요구나 욕구 등이 한꺼번에 터져 나옴.
② 액체나 기체 상태의 물질이 솟구쳐서 뿜어져 나옴.

09 오늘 토의에서는 <u>추상적</u>인 논의만 이루어져서 해결 방안을 찾지 못하였다.
① 구체성 없이 사실이나 현실에서 멀어져 막연하고 일반적인 것.
② 어떤 사물이 직접 경험하거나 지각할 수 있는 일정한 형태와 성질을 갖추고 있지 않은 것.

[10 ~ 12] 다음 뜻에 해당하는 어휘에 ∨표 하시오.

10 미루어 생각하여 논함.   □ 추론 □ 추측

11 자기의 마음을 반성하고 살핌.   □ 성찰 □ 통찰

12 일이나 형편이 시간의 경과에 따라 변하여 나감.   □ 추이 □ 촉진

[13 ~ 15] 빈칸에 알맞은 말을 넣어 다음 상황과 의미가 통하는 한자 성어를 완성하시오.

13 적군에게 포위된 우리 부대는 독 안에 든 쥐처럼 곤란한 지경에 빠졌다.   → 사 면 □ □

14 갑작스러운 폭설로 등산객들이 산 중턱에서 올라가지도 내려가지도 못하였다.   → 진 □ □ 난

15 전염병 유행에 따른 소비 심리 위축으로 우리 경제는 아슬아슬한 위기에 처하였다.
         → □ □ 지 위

탈(奪) 빼앗다

약탈
노략질할 掠 | 빼앗을 奪

폭력을 써서 남의 것을 억지로 빼앗음.

예 왜구들은 해안 지방에서 ☐☐을 일삼았다.

➕ 노략(擄掠)질: 떼를 지어 다니며 사람을 해치거나 재물을 빼앗는 짓.

찬탈
빼앗을 簒 | 빼앗을 奪

왕위, 국가 주권 등을 억지로 빼앗음.

예 일부 세력은 왕위를 ☐☐하려는 음모를 꾸몄다.

➕ 음모(陰謀): 나쁜 목적으로 몰래 흉악한 일을 꾸밈. 또는 그런 꾀.

탈취
빼앗을 奪 | 취할 取

빼앗아 가짐.

예 은행에서 현금을 ☐☐한 일당이 경찰에 붙잡혔다.

탈환
빼앗을 奪 | 돌아올 還

빼앗겼던 것을 도로 빼앗아 찾음.

예 우리 팀은 10년 만에 전국 대회 우승을 ☐☐하였다.

태(態) 모양

생태
살 生 | 모양 態

생물이 살아가는 모양이나 상태.

예 환경 오염은 동식물의 ☐☐에 큰 영향을 끼쳤다.

실태
실제 實 | 모양 態

있는 그대로의 상태. 또는 실제의 모양.

예 청소년의 수면 ☐☐를 조사한 보고서가 발표되었다.

➕ 실황(實況): 실제의 상황.

자태
모양 姿 | 모양 態

어떤 모습이나 모양. 주로 사람의 맵시나 태도에 대하여 이르며, 식물, 건축물, 강, 산 등을 사람에 비유하여 이르기도 함.

예 지리산의 웅장한 ☐☐에 절로 고개가 끄덕여졌다.

➕ 맵시: 아름답고 보기 좋은 모양새.

행태
다닐 行 | 모양 態

행동하는 모양새. 주로 부정적인 의미로 쓰임.

예 강력범의 파렴치한 ☐☐에 국민들은 분노를 느꼈다.

➕ 파렴치(破廉恥): 염치를 모르고 뻔뻔스러움.

형태소
모양 形 | 모양 態 | 바탕 素

뜻을 가진 가장 작은 말의 단위.

예 '안개꽃'은 '안개'와 '꽃'이라는 두 개의 ☐☐☐로 이루어졌다.

통(通) 통하다

통념
통할 通 | 생각 念

일반적으로 널리 통하는 개념.
예 할머니께서는 SNS가 젊은 사람들만의 공간이라는 ☐☐을 깨고 개인 방송을 시작하셨다.

> **더 알기** 'SNS'는 'Social Network Service'의 약자로, 웹상에서 사람들 사이의 관계망을 구축해 주는 온라인 서비스이다.

통섭형
통할 通 | 넓을 涉 | 모형 型

사물에 널리 통하는 유형.
예 그는 다양한 분야에 능숙한 ☐☐☐ 인물이다.

> **더 알기** '-형(型)'은 '그러한 유형 또는 그러한 형식'을 의미한다.

통용
통할 通 | 쓸 用

「1」 일반적으로 두루 씀.
예 '상평통보'는 조선 시대에 ☐☐되던 화폐이다.
「2」 서로 넘나들어 두루 씀.
예 백화점에서는 상품권이 현금처럼 ☐☐된다.

> **더 알기** '상평통보(常平通寶)'라는 이름은 '항상[常] 일정한[平] 가치로 통용되는[通] 재물[寶]'이라는 뜻으로 지어졌다.

편(偏) 치우치다

편견
치우칠 偏 | 볼 見

공정하지 못하고 한쪽으로 치우친 생각.
예 우리 사회에는 아직 직업에 대한 ☐☐이 존재한다.

편파적
치우칠 偏 | 치우칠 頗
어조사 的

공정하지 못하고 어느 한쪽으로 치우친 것.
예 월드컵 심판이 ☐☐☐인 판정으로 관중의 야유를 받았다.

> ➕ 야유(揶揄): 남을 빈정거려 놀림. 또는 그런 말이나 몸짓.

편협
치우칠 偏 | 좁을 狹

한쪽으로 치우쳐 도량이 좁고 너그럽지 못함.
예 그는 ☐☐한 사고방식 때문에 종종 친구들과 갈등을 겪는다.

> ➕ 도량(度量): 사물을 너그럽게 받아들일 수 있는 넓은 마음과 깊은 생각.

포(布) 펴다

반포
퍼뜨릴 頒 | 펼 布

세상에 널리 퍼뜨려 모두 알게 함.
예 1446년에 세종대왕은 훈민정음을 ☐☐하였다.

> 🔄 공포(公布): 일반 대중에게 널리 알림.

배포
나눌 配 | 펼 布

신문이나 책자 등을 널리 나누어 줌.
예 투표를 안내하는 책자가 전 지역에 ☐☐되었다.

> 🔄 배달(配達): 물건을 가져다가 몫몫으로 나누어 돌림.

분포
나눌 分 | 펼 布

일정한 범위에 흩어져 퍼져 있음.
예 지구 온난화로 한반도의 식물 ☐☐에 변화가 생겼다.

> ➕ 온난화(溫暖化): 지구의 기온이 높아지는 현상.

✅ '발전'에 관한 한자 성어

개과천선 고칠 改 | 허물 過 달라질 遷 | 착할 善	지난날의 잘못이나 허물을 고쳐 올바르고 착하게 됨. 예 나쁜 짓을 일삼던 동네 깡패가 □□□□하였다.	
괄목상대 비빌 刮 | 눈 目 서로 相 | 대할 對	눈을 비비고 상대편을 본다는 뜻으로, 남의 학식이나 재주가 놀랄 만큼 부쩍 늚을 이르는 말. 예 꾸준한 독서의 결과 글쓰기 실력이 □□□□하였다.	
일취월장 날 日 | 나아갈 就 달 月 | 발전할 將	나날이 다달이 자라거나 발전함. 예 지속적인 훈련으로 우리 팀의 경기력이 □□□□하였다.	**더 알기** '장(將)'은 '장수'라는 뜻 외에 '발전하다, 나아가다'라는 뜻으로도 쓰인다.
환골탈태 바꿀 換 | 뼈 骨 빼앗을 奪 | 태반 胎	뼈대를 바꾸어 끼고 태를 바꾸어 쓴다는 뜻으로, 더욱 나은 방향으 로 변하여 전혀 다른 모습이 됨을 이르는 말. 예 서울로 올라간 형은 □□□□한 모습으로 고향에 내려왔다.	**더 알기** '환골탈태'는 옛사람의 글을 바꾸어서 그 짜임새와 수법이 먼저 것보다 좋게 만드는 글쓰기 방식에서 나온 말이다.

➕ 괄목상대, 어디서 생겨난 말일까?

중국 오(吳)나라의 첫 번째 황제 '손권'에게는 '여몽'이라는 장수가 있었어요.
여몽은 무예에 뛰어나 전쟁에서 큰 공을 세우고 장군의 자리까지 올랐지요.
그러나 책과는 거리가 멀어 무식하다는 소리를 종종 들었어요.

여몽을 아낀 손권은 여몽에게 국가의 큰일을 맡으려면 글을 읽어
지식을 쌓아야 한다며 독서를 권했어요. 황제의 당부에 따라 여몽은
전쟁터에서도 꾸준히 책을 읽고 열심히 공부했어요.

얼마 후 여몽의 친구이자 학식이 높은 '노숙'이 여몽을 찾아왔어요.
여몽과 이야기를 나누던 노숙은 이전과 달리 여몽의 지식이 풍부해진 것을
느끼고는 깜짝 놀랐어요. 이에 여몽은 다음과 같이 말했다고 합니다.

"선비라면 사흘을 떨어져 있다가 만나도 눈을 비비고 다시 대해야 할
정도로 달라져 있어야 하는 법이네."

이 이야기에서 유래한 '괄목상대'는 눈을 비비고 상대를 보아야 할 정도로
학식이나 재주가 부쩍 늘어난 것을 이르는 말입니다.

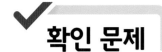
[01 ~ 05] 다음 한자의 뜻 또는 음을 쓰시오.

01 布 펴다 (   )   02 通 (   ) 통   03 偏 (   ) 편

04 奪 (   ) 탈   05 態 모양 (   )

[06 ~ 08] 다음 설명이 맞으면 ○에, 그렇지 않으면 ×에 표시하시오.

06 '약탈'은 왕위, 국가 주권 등을 억지로 빼앗는 것이다. (○ , ×)

07 '행태'는 있는 그대로의 상태를 뜻하며, 주로 부정적인 의미로 쓰인다. (○ , ×)

08 '형태소'는 뜻을 가진 가장 작은 말의 단위로,
'이야기책'에서 '이야기'나 '책'이 이에 해당한다. (○ , ×)

[09 ~ 11] 빈칸에 들어갈 어휘를 〈보기〉에서 찾아 쓰시오.

〈보기〉
배포   분포   생태   자태   편견   편협

09 마을 입구에 소나무가 웅장한 (   )을/를 뽐내며 서 있다.

10 그는 아직도 대중문화가 천박하고 깊이가 없다는 (   )을/를 가지고 있다.

11 우리나라는 인구의 대부분이 수도권에 몰려 있어 인구 (   )의 불균형이 심각하다.

[12 ~ 14] 다음 뜻에 해당하는 한자 성어를 찾아 바르게 연결하시오.

12 나날이 다달이 자라거나 발전함. •   • ㉠ 개과천선

13 남의 학식이나 재주가 놀랄 만큼 부쩍 늚. •   • ㉡ 괄목상대

14 지난날의 잘못이나 허물을 고쳐 올바르고 착하게 됨. •   • ㉢ 일취월장

포(捕) 잡다

포식자
잡을 捕 | 먹을 食 | 놈 者

다른 동물을 먹이로 하는 동물.
예 피식자와 ☐☐☐의 균형이 깨지면 생태계가 붕괴된다.

➕ 피식자(被食者): 생물의 먹이 사슬에서 잡아먹히는 생물.

포착
잡을 捕 | 잡을 捉

「1」 꼭 붙잡음.
예 치열한 전투 끝에 적군 수십 명을 ☐☐하였다.
「2」 요점이나 요령을 얻음.
예 나는 수업 내용의 요점을 잘 ☐☐한다.
「3」 어떤 기회나 정세를 알아차림.
예 그는 급변하는 국제 정세를 빠르게 ☐☐하는 사람이다.

➕ 요점(要點): 가장 중요하고 중심이 되는 사실이나 관점.

포획
잡을 捕 | 얻을 獲

「1」 적의 병사를 사로잡음.
예 무장한 적군이 우리 군에게 ☐☐되었다.
「2」 짐승이나 물고기를 잡음.
예 인간의 무분별한 ☐☐으로 많은 동물이 멸종 위기에 놓였다.

➕ 무장(武裝): 전투에 필요한 장비를 갖춤.
➕ 멸종(滅種): 생물의 한 종류가 아주 없어짐. 또는 생물의 한 종류를 아주 없애 버림.

함(含) 머금다

함량
머금을 含 | 분량 量

물질이 어떤 성분을 포함하고 있는 분량. = 함유량
예 멸치는 칼슘 ☐☐이 높아서 성장기 청소년에게 좋다.

함의
머금을 含 | 뜻 意

말이나 글 속에 어떠한 뜻이 들어 있음. 또는 그 뜻.
예 우리는 편지의 ☐☐를 이해하기 위하여 밤을 새웠다.

함축
머금을 含 | 쌓을 蓄

「1」 겉으로 드러내지 않고 속에 간직함.
예 광고는 제품의 정보를 ☐☐하고 있어야 한다.
「2」 말이나 글이 많은 뜻을 담고 있음.
예 엄마의 잔소리에는 여러 가지 의미가 ☐☐되어 있다.
「3」 문학 작품에서 표현의 의미를 한 가지로 나타내지 않고 문맥을 통하여 여러 가지 뜻을 암시하거나 내포하는 일.
예 시를 감상할 때는 시어의 ☐☐적 의미도 이해해야 한다.

➕ 내포(內包): 어떤 성질이나 뜻 등을 속에 품음.
➕ 함축적(含蓄的): 말이나 글이 어떤 뜻을 속에 담고 있는 것.

해(害) 해하다(해치다)

저해
막을 沮 | 해할 害

막아서 못 하도록 해침.
예 성차별 의식은 사회 발전을 ☐☐하는 요소이다.

🔁 **방해(妨害)**: 남의 일을 간섭하고 막아 해를 끼침.

침해
침범할 侵 | 해할 害

침범하여 해를 끼침.
예 드론을 활용한 사생활 ☐☐가 사회 문제로 떠오르고 있다.

➕ **드론(drone)**: 자동 조종 되거나 무선 전파를 이용 하여 원격 조종되는 무인 비행 물체.

허(虛) 비다

겸허
겸손할 謙 | 빌 虛

스스로 자신을 낮추고 비우는 태도가 있음.
예 선거에서 떨어진 정치인이 ☐☐한 태도로 결과를 받아들였다.

🔁 **겸손(謙遜)**: 남을 존중 하고 자기를 내세우지 않 는 태도가 있음.

허구
빌 虛 | 얽을 構

「1」 사실에 없는 일을 사실처럼 꾸며 만듦.
예 목격자의 진술이 ☐☐로 밝혀졌다.
「2」 소설이나 희곡 등에서, 실제로는 없는 사건을 작가의 상상력으 로 재창조해 냄. 또는 그런 이야기.
예 이 소설의 주인공은 ☐☐의 인물이다.

➕ **허구성(虛構性)**: 사실에 서 벗어나 만들어진 모양 이나 요소를 가지는 성질.

허례허식
빌 虛 | 예절 禮
빌 虛 | 꾸밀 飾

형편에 맞지 않게 겉만 번드르르하게 꾸민 예절이나 법식.
예 요즘 ☐☐☐☐을 뺀, 내실 있는 결혼식이 유행하고 있다.

➕ **내실(內實)**: 내적인 가 치나 충실성.

허무
빌 虛 | 없을 無

무가치하고 무의미하게 느껴져 매우 허전하고 쓸쓸함.
예 공든 탑이 ☐☐하게 무너지지 않도록 끝까지 최선을 다하자.

➕ **공허(空虛)**: 아무것도 없이 텅 빔.

허심탄회
빌 虛 | 마음 心
평탄할 坦 | 품을 懷

품은 생각을 터놓고 말할 만큼 아무 거리낌이 없고 솔직함.
예 나는 친구에게 ☐☐☐☐하게 고민을 털어놓았다.

혹(酷) 심하다

혹사
심할 酷 | 부릴 使

혹독하게 일을 시킴.
예 눈을 지나치게 ☐☐하면 시력이 나빠진다.

➕ **혹독(酷毒)**: ① 몹시 심 함. ② 성질이나 하는 짓이 몹시 모질고 악함.

혹평
심할 酷 | 평할 評

모질고 혹독하게 비평함.
예 평론가들이 ☐☐한 작품이 오히려 대중에게 호평을 얻었다.

➕ **호평(好評)**: 좋게 평함. 또는 그런 평판이나 평가.

☑ '거짓'에 관한 한자 성어

감언이설
달 甘 | 말씀 言
이로울 利 | 말씀 說

귀가 솔깃하도록 남의 비위를 맞추거나 이로운 조건을 내세워 꾀는 말.
예 토끼는 거북이의 ☐☐☐☐ 에 속아 용궁으로 따라갔다.

삼인성호
석 三 | 사람 人
이룰 成 | 호랑이 虎

세 사람이 짜면 거리에 범이 나왔다는 거짓말도 꾸밀 수 있다는 뜻
으로, 근거 없는 말도 여러 사람이 하면 곧이듣게 됨을 이르는 말.
예 ☐☐☐☐ 라고 했듯이 여론몰이에 쉽게 휘말려서는 안 된다.

사이비
같을 似 | 말 이을 而
아닐 非

겉으로는 비슷하나 속은 완전히 다름. 또는 그런 것.
예 사회적 물의를 일으킨 ☐☐☐ 종교의 교주가 체포되었다.

허장성세
빌 虛 | 베풀 張
소리 聲 | 형세 勢

실속은 없으면서 큰소리치거나 허세를 부림.
예 현실성 없는 대책은 결국 ☐☐☐☐ 일 뿐이다.

➕ 허세(虛勢): 실속 없이
겉으로만 드러나는 기세.

➕ 삼인성호, 어디서 생겨난 말일까?

중국 전국 시대에 위(魏)나라의 혜왕은 조(趙)나라와 조약을 맺고 태자(太子:
왕의 아들)를 조나라에 볼모(인질)로 보냈어요. 이때 태자를 수행하게 된
신하 '방총'은 출발에 앞서 왕에게 인사하며 다음과 같이 말했어요.

"전하, 지금 한 사람이 시장에 호랑이가 있다고 하면, 믿으시겠습니까?"
"그런 소리를 누가 믿겠소."
"그럼, 또 한 사람이 와서 같은 소리를 하면 믿으시겠습니까?"
"그래도 믿지 않을 것이오."
"만약 한 사람이 더 와서 말한다면, 그때도 믿지 않으시겠습니까?"
"그때는 믿겠지."
"전하, 시장에 호랑이가 없는 것은 당연합니다. 그런데도 여럿
이 같은 말을 전하면 우리는 그 말을 믿게 됩니다. 신이 떠나고
나면 신을 헐뜯는 사람이 많을 것입니다. 그때 전하께서 현명하게 판단하시기 바랍니다."
그로부터 몇 년 후 혜왕은 방총을 헐뜯는 신하들의 말에 넘어갔고, 결국 방총을 내쳤습니다.
'삼인성호'는 이처럼 근거 없는 말이라도 여러 사람이 말하면 그대로 믿게 된다는 말입니다.

여봐라! 당장
방총을 추방해라!

방총이……

방총이……

저도
들어왔습니다.

확인 문제

[01 ~ 05] 다음 한자의 뜻을 쓰시오.

01 含 (   ) 함   **02** 害 (   ) 해   **03** 捕 (   ) 포

04 虛 (   ) 허   **05** 酷 (   ) 혹

[06 ~ 08] 〈보기〉의 글자를 조합하여 빈칸에 들어갈 어휘를 쓰시오.

> 보기
>
> 량   저   포   함   해   획

06 지역 이기주의는 사회 발전을 [   ][   ]할 수 있다.

07 커피는 카페인 [   ][   ]이/가 높아서 많이 마시면 수면을 방해한다.

08 이곳은 야생 동물 보호 구역으로 동물 [   ][   ]이/가 금지되어 있다.

[09 ~ 11] 다음 뜻에 해당하는 어휘에 ∨표 하시오.

09 다른 동물을 먹이로 하는 동물.   ☐ 포식자   ☐ 피식자

10 형편에 맞지 않게 겉만 번드르르하게 꾸민 예절이나 법식.   ☐ 허례허식   ☐ 허장성세

11 소설 등에서, 실제로는 없는 사건을 작가의 상상력으로 재창조해 냄.   ☐ 허구   ☐ 허위

[12 ~ 14] 제시된 초성을 참고하여 빈칸에 들어갈 어휘를 쓰시오.

12 우리는 내면을 건강히 다져 ㅅㅇㅂ 에 속지 않는 어른으로 자라야 한다.   _____

13 친구와 ㅎㅅㅌㅎ 한 대화를 나눈 후 우리는 서로에 대한 오해를 풀었다.   _____

14 ㅅㅇㅅㅎ 는 근거 없는 말도 여러 사람이 하면 곧이듣게 됨을 이르는 말이다.   _____

01 어휘의 사전적 의미가 바르지 <u>않은</u> 것은?

① 의연: 의지가 굳세어서 끄떡없음.

② 자의적: 일정한 질서를 무시하고 제멋대로 하는 것.

③ 편협: 한쪽으로 치우쳐 도량이 좁고 너그럽지 못함.

④ 추이: 일이나 형편이 시간의 경과에 따라 변하여 나감. 또는 그런 경향.

⑤ 자존감: 자신이나 자신과 관련 있는 것을 스스로 자랑하며 뽐내는 마음.

02 밑줄 친 부분을 바꾼 표현으로 적절하지 <u>않은</u> 것은?

① 폭도가 마을에 들어와 양식을 <u>빼앗아 가졌다</u>(→ 탈취하였다).

② 이 책은 우리 문화의 역사를 <u>모아서 요약한</u>(→ 집약한) 것이다.

③ 우리는 태극기 앞에서 <u>고요하고 엄숙한</u>(→ 숙연한) 마음으로 묵념하였다.

④ 그 영화는 제작사의 예산 부족으로 촬영이 <u>흐지부지</u>(→ 풍비박산)되었다.

⑤ 우리 팀은 심판의 <u>공정하지 못한</u>(→ 편파적) 판정 때문에 불리한 상황에 놓였다.

03 `고난도` ⓐ~ⓔ의 문맥적 의미로 적절하지 <u>않은</u> 것은?

> 일탈은 사회적으로 ⓐ통용되는 규범에서 벗어나는 일이다. 청소년기에는 감정 조절이 미숙하기 때문에 욕구를 ⓑ분출하는 방법의 하나로 일탈을 택하기도 한다. 이때 그 행위 자체를 ⓒ비난하기보다는 ⓓ자초지종을 묻고 당시의 ⓔ절박했던 마음에 공감해 주는 것이 문제를 해결하는 데 효과적이다.

① ⓐ: 일반적으로 두루 씀.

② ⓑ: 요구나 욕구 등이 한꺼번에 터져 나옴.

③ ⓒ: 남의 잘못이나 결점을 책잡아서 나쁘게 말함.

④ ⓓ: 처음부터 끝까지의 과정.

⑤ ⓔ: 인정이 없고 냉정함.

04 제시된 어휘를 사용하여 만든 문장으로 적절하지 <u>않은</u> 것은?

① 일면식 → 우리는 <u>일면식</u>도 없는 사이이다.

② 함축 → 소설의 결말 부분에 주제가 <u>함축</u>되어 있다.

③ 통찰 → 그의 작품에는 인생에 대한 <u>통찰</u>이 담겨 있다.

④ 영욕 → 나는 추위에 약해서 겨울마다 <u>영욕</u>을 치르곤 한다.

⑤ 절통 → 친구에게 배신당했다는 생각에 <u>절통</u>의 눈물이 흘렀다.

05 밑줄 친 어휘의 의미가 서로 대립한다고 보기 어려운 것은?

① 인류는 오랜 세월에 걸쳐 <u>진화</u>하였다. – 꼬리뼈는 꼬리가 <u>퇴화</u>한 흔적이다.

② 고래는 바다의 최상위 <u>포식자</u>이다. – <u>피식자</u>는 천적에게 속수무책으로 당하였다.

③ 두 집단은 성격이 매우 <u>이질적</u>이다. – 세 나라의 문화는 <u>동질적</u> 기반 위에서 형성되었다.

④ <u>추상적</u>으로 말하면 상대가 알아듣기 어렵다. – 진로 결정을 위한 <u>구체적</u>인 목표를 세웠다.

⑤ <u>진보</u> 정당은 새로운 정책을 추진하고자 한다. – 정치적 혼란은 경제적 <u>퇴보</u>를 가져올 수도 있다.

06 밑줄 친 한자 성어의 쓰임이 적절하지 <u>않은</u> 것은?

① 한번 마음을 먹고 공부에 전념하니 실력이 <u>일취월장</u>이다.

② 앞으로도 <u>호가호위</u>하는 자세로 나라를 위해 애써 일하겠습니다.

③ <u>풍전등화</u>와 같은 나라의 운명 앞에서 손을 놓고 있을 수는 없다.

④ 뒤에는 적이 쫓아오고 앞에는 큰 강이 놓여서 <u>진퇴양난</u>에 빠졌다.

⑤ 갑작스레 찾아와 달콤한 말을 늘어놓으니 <u>구밀복검</u>이 아닌지 의심스럽다.

07 어휘의 뜻을 풀어 설명한 내용이 적절하지 <u>않은</u> 것은?

① 통섭형: '통섭'에 '그런 모양'을 의미하는 '-형'이 붙어 '사물이 널리 통하는 모양'이라는 뜻을 나타낸다.

② 자긍심: '자긍'에 '그런 마음'을 의미하는 '-심'이 붙어 '스스로에게 긍지를 가지는 마음'이라는 의미를 지닌다.

③ 진취적: '진취'에 '그 성격을 띠는 것'이라는 뜻의 '-적'이 붙어 '적극적으로 나아가 일을 이룩하는 것'이라는 뜻을 나타낸다.

④ 일반화: '일반'에 '그렇게 만들거나 됨'을 의미하는 '-화'가 붙어 '개별적인 것이나 특수한 것이 일반적인 것으로 됨'의 의미를 지닌다.

⑤ 겸연쩍다: '겸연'에 '그런 것을 느끼게 하는 데가 있음'을 의미하는 '-쩍다'가 붙어 '쑥스럽거나 미안하여 어색함'이라는 뜻을 나타낸다.

찾아보기

빠른시작
빠작

중학 국어 한자 어휘

빠작으로 내신과 수능을 한발 앞서 준비하세요.

빠른시작
빠작

중학 국어 **한자 어휘**

어휘력 다지기
+ 정답과 해설

동아출판

어휘력 다지기

01회 어휘력 다지기

| 공부한 날짜 | 월 | 일 |

[01~03] 빈칸에 들어갈 어휘를 〈보기〉에서 찾아 쓰시오.

> 보기
>
> 가중   강점   근거

01 (   ) 없는 소문을 함부로 옮겨서는 안 된다.

02 각종 시험이 수험생들의 부담을 (   )하고 있다.

03 그는 키가 큰 (   )을/를 살려 모델에 도전하기로 하였다.

[04~07] 다음 뜻에 해당하는 어휘를 고르시오.

04 간결하게 추려 낸 주요 내용.   (개념 | 개요)

05 전체를 대강 살펴봄. 또는 그런 것.   (감지 | 개관)

06 어떤 이론이나 논리, 논설 등의 근거.   (논거 | 의거)

07 물가나 주가 등의 시세가 올라가는 기세.   (가세 | 강세)

[08~10] 제시된 초성을 참고하여 다음 뜻에 해당하는 한자 성어를 쓰시오.

08 ㅅㅂㅅㄱ : 손에서 책을 놓지 않고 늘 글을 읽음.   _____

09 ㄷㅎㄱㅊ : 서늘한 가을밤은 등불을 가까이하여 글 읽기에 좋음을 이르는 말.   _____

10 ㅇㅍㅅㅈ : 공자가 주역을 즐겨 읽어 책의 가죽끈이 세 번이나 끊어졌다는
뜻으로, 책을 열심히 읽음을 이르는 말.   _____

| 맞힌 개수 | (   ) / 10문항 |

| 복습할 어휘 |

▶▶ 본책 8쪽으로 돌아가서 복습할 수 있습니다.

02회 어휘력 다지기

[01 ~ 04] 제시된 초성과 뜻을 참고하여 빈칸에 들어갈 어휘를 쓰시오.

01 ㄱㄱ : 굳고 단단함.

예 이 집은 태풍도 견딜 만큼 (   )하게 지어졌다.

02 ㄱㅇ : 존경하는 뜻.

예 우리는 묵념으로 순국선열의 애국심에 (   )를 표하였다.

03 ㄱㅅ : 식물이 열매를 맺거나 맺은 열매가 여묾.

예 봄에 씨앗을 뿌려야 가을에 (   )을 거둘 수 있다.

04 ㄱㅎ : 둘 이상의 사물이나 사람이 서로 관계를 맺어 하나가 됨.

예 한글은 자음과 모음의 (   )으로 만들어진 글자이다.

[05 ~ 07] 다음 뜻에 해당하는 어휘를 찾아 바르게 연결하시오.

05 노인을 공경함.   • ㉠ 고유

06 본래부터 가지고 있는 특유한 것.   • ㉡ 결점

07 잘못되거나 부족하여 완전하지 못한 점.   • ㉢ 경로

[08 ~ 10] 빈칸에 알맞은 말을 넣어 다음 뜻에 해당하는 어휘를 완성하시오.

08 사상이나 감정, 세력 등이 한창 무르익거나 높아짐.   → 고☐

09 남에게 입은 은혜가 뼈에 새길 만큼 커서 잊히지 않음.   → 각☐난☐

10 죽어서 백골이 되어도 잊을 수 없다는 뜻으로,
   남에게 큰 은덕을 입었을 때 고마움의 뜻으로 이르는 말.   → 백골☐☐

맞힌 개수   (   ) / 10문항

복습할 어휘

▶▶ 본책 12쪽으로 돌아가서 복습할 수 있습니다.

03회 어휘력 다지기

[01 ~ 04] 빈칸에 들어갈 어휘에 ∨표 하시오.

01 나는 시간 (   )이 철저한 사람이다.　　　　　　　　　　□ 관념 □ 관점

02 동생이 숙제를 도와 달라고 (   )하게 부탁하였다.　　　　□ 간곡 □ 곡절

03 대통령은 정부의 낡은 (   )을 고쳐 나가겠다고 다짐하였다.　　□ 관습 □ 왜곡

04 주변 상황에 휩쓸리지 않고 (   )된 태도를 지키기는 쉽지 않다.　□ 관찰 □ 일관

[05 ~ 06] 밑줄 친 어휘의 뜻을 고르시오.

05
> 심사위원은 객관적 기준에 따라 점수를 매겨야 한다.

① 자기의 견해나 관점을 기초로 하는 것.
② 자기와의 관계에서 벗어나 제삼자의 입장에서 사물을 보거나 생각하는 것.

06
> 전문가들은 이번 월드컵에서 한국이 8강에 오를 것이라고 관측하였다.

① 어떤 사정이나 형편 등을 잘 살펴보고 그 장래를 헤아림.
② 눈이나 기계로 자연 현상 특히 천체나 기상의 상태, 추이, 변화 등을 관찰하여 측정하는 일.

[07 ~ 10] 다음 상황과 의미가 통하는 한자 성어를 〈보기〉에서 찾아 쓰시오.

보기
견물생심	과유불급	교각살우	소탐대실

07 친구의 새 운동화를 보니까 나도 사고 싶어졌어.　　　　　　　　_____

08 굽은 나뭇가지를 억지로 곧게 세우려다가 나뭇가지가 부러져 버렸어.　　_____

09 동생 간식을 뺏어서 급히 먹다가 체하는 바람에 며칠 동안 끙끙 앓았어.　　_____

10 시험 전날 밤을 새워서 공부하다가 오히려 시험 시간에 졸아서 시험을 망쳤어.　_____

맞힌 개수	( ) / 10문항
복습할 어휘	

▶▶ 본책 16쪽으로 돌아가서 복습할 수 있습니다.

04회 어휘력 다지기

공부한 날짜　　월　　일

[01 ~ 03] 다음 설명에 해당하는 어휘를 쓰시오.

01
- 개별적인 여러 가지를 한데 모아서 묶는다는 뜻이야.
- '○○ 평가', '○○적 능력', '업무를 ○○하다'와 같이 쓰이지.

_____

02
- 근원이 다른 물줄기가 서로 섞이어 흐름을 뜻하는 말이야.
- 문화나 사상 등이 서로 통한다는 뜻으로도 쓰이지.

_____

03
- 겹겹이 문으로 막은 깊은 궁궐이라는 뜻으로, 임금이 있는 대궐 안을 의미해.
- '구중심처'라는 말과 의미가 비슷해.

_____

[04 ~ 07] 제시된 초성을 참고하여 빈칸에 들어갈 어휘를 쓰시오.

04 그 학자는 평생을 진리 ㅌㄱ 에 힘썼다.

_____

05 남북 관계 개선을 위한 북한과의 ㄱㅅ 이 진행 중이다.

_____

06 경기 중에 부상을 당한 선수가 다른 선수로 ㄱㅊ 되었다.

_____

07 바다에 표류하던 난민들이 지나가는 배에 ㄱㅈ 를 요청하였다.

_____

[08 ~ 10] 제시된 초성을 참고하여 다음 뜻에 해당하는 한자 성어를 쓰시오.

08 ㄱㅍㅈㄱ : 관중과 포숙의 사귐이란 뜻으로, 우정이 아주 돈독한 친구 관계를 이르는 말.

_____

09 ㅁㅇㅈㅇ : 서로 거스름이 없는 친구라는 뜻으로, 허물없이 아주 친한 친구를 이르는 말.

_____

10 ㅈㅁㄱㅇ : 대나무로 만든 말을 타고 놀던 벗이라는 뜻으로, 어릴 때부터 같이 놀며 자란 가까운 친구를 이르는 말.

_____

🔲 맞힌 개수　　(　　　　) / 10문항

☑ 복습할 어휘

▶▶ 본책 20쪽으로 돌아가서 복습할 수 있습니다.

05회 어휘력 다지기

[01 ~ 04] 빈칸에 공통으로 들어갈 어휘를 〈보기〉에서 찾아 쓰시오.

─ 보기 ─
귀화   극한   근대   극심

01 (   ) 식물, (   ) 의사를 밝히다   _____

02 (   )의 대립, 슬픔이 (   )에 이르다   _____

03 (   )한 빈곤, 차량 정체가 (   )하다   _____

04 (   ) 이전의 사회, (   )화의 길로 들어서다   _____

[05 ~ 07] 〈보기〉의 글자를 조합하여 다음 뜻에 해당하는 어휘를 쓰시오.

─ 보기 ─
귀   극   소   수   향   환

05 아주 적은 수효.   _____

06 고향으로 돌아가거나 돌아옴.   _____

07 다른 곳으로 떠나 있던 사람이 본래 있던 곳으로 돌아오거나 돌아감.   _____

[08 ~ 10] 빈칸에 알맞은 말을 넣어 어휘의 뜻을 완성하시오.

08 근황: 요즈음의 (   )

09 급감: 갑작스럽게 (   ).

10 고진감래: 쓴 것이 다하면 단 것이 온다는 뜻으로, (   ) 끝에 즐거움이 옴을 이르는 말.

☑ 맞힌 개수	( ) / 10문항
☑ 복습할 어휘	

▶▶ 본책 24쪽으로 돌아가서 복습할 수 있습니다.

06회 어휘력 다지기

[01 ~ 03] 밑줄 친 어휘의 뜻을 〈보기〉에서 찾아 번호를 쓰시오.

〈보기〉

① 기초가 되는 바탕. 또는 사물의 토대.
② 흉년으로 먹을 양식이 모자라 굶주림.
③ 사물이 처음으로 생김. 또는 그런 근원.

01 전쟁과 가뭄으로 백성이 <u>기근</u>에 허덕이고 있다. _____

02 <u>기반</u>을 튼튼히 다져야 안전한 건물을 지을 수 있다. _____

03 민주주의는 고대 그리스의 시민 총회에서 <u>기원</u>한다. _____

[04 ~ 06] 다음 설명이 맞으면 ○에, 그렇지 않으면 ×에 표시하시오.

04 '힐난'은 '트집을 잡아 거북할 만큼 따지고 듦'을 의미한다. (○ , ×)

05 '난처'는 '맞부딪쳐 견디어 내거나 해결하기가 어려움'을 뜻한다. (○ , ×)

06 국어에서 '기본형'은 동사나 형용사와 같이 형태가 바뀌는 단어에서
변하지 않는 부분에 '-다'를 붙인 것이다. (○ , ×)

[07 ~ 10] 다음 뜻에 해당하는 어휘를 찾아 바르게 연결하시오.

07 사물이나 일 등의 기본이 되는 것. • • ㉠ 기초

08 더 낮고 못함의 차이가 거의 없음. • • ㉡ 기거

09 일정한 곳에서 먹고 자는 등의 일상생활을 함. • • ㉢ 난형난제

10 누구를 형이라 하고 누구를 아우라 하기 어렵다는 뜻으로, • • ㉣ 막상막하
서로 비슷하여 낮고 못함을 정하기 어려움을 이르는 말.

☑ 맞힌 개수   (   ) / 10문항

☑ 복습할 어휘

▶▶ 본책 28쪽으로 돌아가서 복습할 수 있습니다.

07회 어휘력 다지기

[01~04] 제시된 초성을 참고하여 빈칸에 들어갈 어휘를 쓰시오.

01 건강히 잘 다녀올 테니 아무 ㅇㄹ 마십시오. _____

02 주방장은 도마 위에 있는 생선을 ㄴㅅ하게 손질하였다. _____

03 의료 기구를 만들 때는 한 치의 오차도 ㅇㄴ되지 않는다. _____

04 누나는 아무리 힘든 상황이어도 ㅊㄴ하지 않고 끝까지 노력하여 이겨낸다. _____

[05~07] 다음 뜻에 해당하는 어휘를 고르시오.

05 마음에 간절히 생각하고 기원함. (염두 | 염원)

06 백성이 그 지방에서 나는 특산물을 나라에 바치던 일. (공납 | 납득)

07 여러 가지 색채나 형태, 종류 등이 한데 어울리어 호화스러움. (다분 | 다채)

[08~10] 다음 설명에 해당하는 어휘를 쓰시오.

08 • 의지할 곳이 없는 외로운 홀몸을 뜻하는 말로 쓰여.
   • '홀홀단신'으로 잘못 쓰지 않도록 주의해야 해. _____

09 • 모양, 빛깔, 형태, 양식 등이 여러 가지로 많은 특성을 의미해.
   • 민주 사회는 개인의 ○○○과 개성을 존중하는 사회야. _____

10 • 개별적인 사실로부터 보편적인 명제를 유도하는 방법으로 추리하는 것을 뜻해.
   • '○○○ 추론', '○○○ 결론'이라는 말로 주로 쓰이지. _____

🔲 맞힌 개수   (   ) / 10문항

☑ 복습할 어휘

▶▶ 본책 34쪽으로 돌아가서 복습할 수 있습니다.

08회 어휘력 다지기

[01 ~ 04] 빈칸에 들어갈 어휘를 〈보기〉에서 찾아 쓰시오.

보기

담판   당부   대용   방대

01   형은 식탁을 책상 (   )(으)로 쓴다.

02   조만간 그 문제에 관해 (   )을/를 지을 계획이다.

03   천재 과학자가 인류를 위하여 (   )한 업적을 남겼다.

04   나는 친구에게 나와의 비밀을 꼭 지켜 달라고 (   )하였다.

[05 ~ 07] 다음 뜻에 해당하는 어휘를 찾아 바르게 연결하시오.

05   어떤 행위를 못하도록 금함.   •   • ㉠ 대세

06   일이 진행되어 가는 결정적인 형세.   •   • ㉡ 금단

07   한 단체나 공적인 자리에 있는 사람이 어떤 문제에 대한   •   • ㉢ 담화
　　　견해나 태도를 밝히는 일.

[08 ~ 10] 빈칸에 알맞은 말을 넣어 어휘의 뜻을 완성하시오.

08   담소: (   ) 즐기면서 이야기함.

09   타당성: 사물의 이치에 맞는 (   ) 성질.

10   계란유골: 달걀에도 (   )가 있다는 뜻으로,
　　　　　　(   )가 나쁜 사람은 모처럼 좋은 기회를 만나도 역시 일이 잘 안됨을 이르는 말.

맞힌 개수   (   ) / 10문항

복습할 어휘

▶▶ 본책 38쪽으로 돌아가서 복습할 수 있습니다.

09회 어휘력 다지기

[01 ~ 04] 빈칸에 들어갈 어휘를 〈보기〉에서 찾아 쓰시오.

〈보기〉

대인 관계   대항   덕담   덕목

01 노동자들이 부당한 대우에 파업으로 (   )하였다.

02 우리나라는 예로부터 충과 효를 인간의 기본 (   )(으)로 삼았다.

03 설날에 할아버지께서 새해 복 많이 받으라고 (   )을/를 해 주셨다.

04 우리는 학교나 사회에서 원만한 (   )을/를 유지하기 위해 노력한다.

[05 ~ 07] 다음 설명이 맞으면 ○에, 그렇지 않으면 ×에 표시하시오.

05 사건이 일어나게 된 직접적인 원인을 '도입'이라고 한다. (○ , ×)

06 '동참'은 다른 사람의 말이나 생각, 주장 등을 옳게 여겨 따른다는 말이다. (○ , ×)

07 모방 없이 새로운 것을 처음으로 만들어 내거나 생각해 내는 것을 '독창적'이라고 한다.

(○ , ×)

[08 ~ 10] 제시된 초성을 참고하여 다음 뜻에 해당하는 어휘를 쓰시오.

08 ㄷ ㅈ ㅅ : 사람이나 사물의 바탕이 같은 성질이나 특성. _____

09 ㅂ ㅇ ㅁ ㄷ : 남에게 입은 은덕을 저버리고 배신하는 태도가 있음. _____

10 ㄷ ㅅ ㄱ ㅂ : 혼자서 지내는 것. 또는 아내가 남편 없이 혼자 지내는 것. _____

> 맞힌 개수   (   ) / 10문항

> 복습할 어휘

▶▶ 본책 42쪽으로 돌아가서 복습할 수 있습니다.

10회 어휘력 다지기

공부한 날짜	월	일

[01 ~ 04] 제시된 초성과 뜻을 참고하여 빈칸에 들어갈 어휘를 쓰시오.

01 ㄱㄷ : 몸을 움직임. 또는 그런 짓이나 태도.

예 얼마 전 다리를 삐끗해서 (　　　　　)이 불편하다.

02 ㅊㄹ : 일의 결과로서 어떤 현상을 생겨나게 함.

예 수질 오염은 결국 생활용수의 부족을 (　　　　)할 것이다.

03 ㄴㄱㅈ : 앞으로의 일 등이 잘되어 갈 것으로 여기는 것.

예 경제학자들은 금융 시장의 미래를 (　　　　)이라고 예측하였다.

04 ㄱㄷㄹ : 생산 설비가 가동될 수 있는 최대 시간과 실지로 가동한 시간의 비율.

예 불경기로 인한 판매 부진으로 공장 (　　　　)을 반으로 줄였다.

[05 ~ 07] 다음 뜻에 해당하는 어휘를 고르시오.

05 사물이나 일이 생겨남. 또는 그 사물이나 일이 생겨난 바. (동선 | 유래)

06 ① 일정한 사항을 장부나 대장에 올림. ② 서적이나 잡지 등에 실음. (등용 | 등재)

07 ① 연단이나 교단 같은 곳에 오름. ② 어떤 사회적 분야에 처음으로 등장함. (등단 | 문단)

[08 ~ 10] 빈칸에 알맞은 말을 넣어 다음 상황과 의미가 통하는 한자 성어를 완성하시오.

08 아무리 가르치고 일러 주어도 알아듣지를 못하니, 쇠귀에 경 읽기네.　→ 우 ☐ ☐ 경

09 등잔 밑이 어둡다고, 나는 가까이에 있는 물건이나 사람을 잘 못 찾겠어.　→ ☐ 하 ☐ 명

10 동풍이 말의 귀를 그냥 스쳐 지나가듯이 남의 말을 귀담아듣지 않는구나.　→ 마 ☐ 동 ☐

☑ 맞힌 개수	(　　　　) / 10문항
☑ 복습할 어휘	

▶▶ 본책 46쪽으로 돌아가서 복습할 수 있습니다.

11회 **어휘력 다지기**

| 공부한 날짜 | 월 | 일 |

[01 ~ 04] 빈칸에 공통으로 들어갈 어휘를 〈보기〉에서 찾아 쓰시오.

보기
효력   냉정   근력   역동적

01 (   ) 사고, (   ) 무대 　　　　　　 _____

02 약의 (   ), (   )을 상실하다 　　　　　　 _____

03 (   )이 세다, 힘쓸 (   )도 없다 　　　　　　 _____

04 (   )한 말투, (   )하게 거절하다 　　　　　　 _____

[05 ~ 08] 제시된 초성을 참고하여 다음 뜻에 해당하는 어휘를 쓰시오.

05 ㄴㄷ : 어떤 대상에 흥미나 관심을 보이지 않음. 　　　　　　 _____

06 ㅇㅇ : 품질이나 능력, 시설 등이 매우 떨어지고 나쁨. 　　　　　　 _____

07 ㅇㅈㅅ : 하나의 주제 아래 쓴 여러 개의 시를 하나로 만든 시. 　　　　　　 _____

08 ㅇㅂㅈㅈ : 편안한 마음으로 제 분수를 지키며 만족할 줄을 앎. 　　　　　　 _____

[09 ~ 10] 다음 어휘와 뜻이 반대되는 어휘를 쓰시오.

09 우세: 상대편보다 힘이나 세력이 강함. 또는 그 힘이나 세력. 　　　　　　 _____

10 단발: ① 총알이나 대포의 한 발.
　　　② 어떤 일이 연속하여 일어나지 않고 단 한 번만 일어남. 　　　　　　 _____

| 맞힌 개수 | (   ) / 10문항 |
| 복습할 어휘 | |

▶▶ 본책 50쪽으로 돌아가서 복습할 수 있습니다.

12회 어휘력 다지기

[01 ~ 04] 〈보기〉의 글자를 조합하여 다음 뜻에 해당하는 어휘를 쓰시오.

보기

| 상 | 이 | 적 | 점 | 타 | 치 |

01 이로운 점.   _____

02 자기의 이익보다는 다른 이의 이익을 더 꾀하는 것.   _____

03 생각할 수 있는 범위 안에서 가장 완전하다고 여겨지는 상태.   _____

04 정당하고 도리에 맞는 원리. 또는 근본이 되는 목적이나 중요한 뜻.   _____

[05 ~ 07] 제시된 초성을 참고하여 밑줄 친 말을 대신할 수 있는 어휘를 쓰시오.

05 요리할 때는 <u>날이 선</u> 칼을 쓰는 것이 오히려 안전하다.

　　　　　 ㅇ ㄹ 한 → (　　　　　)

06 주제에서 벗어나는 말로 <u>논하는 말의 목적이나 뜻</u>을 흐리지 마십시오.

　　　　　 ㄴ ㅈ 를 → (　　　　　)

07 이 잡지는 본책보다 <u>뒤에 덧붙인 책자</u>를 갖고 싶어서 사는 독자의 수가 더 많다.

　　　　　 ㅂ ㄹ 을 → (　　　　　)

[08 ~ 10] 다음 뜻에 해당하는 어휘를 〈보기〉에서 찾아 쓰시오.

보기

| 감탄고토 | 녹취 | 녹화 | 초록 | 토사구팽 |

08 필요한 부분만을 뽑아서 적음. 또는 그런 기록.   _____

09 필요할 때는 쓰고 필요 없을 때는 야박하게 버리는 경우를 이르는 말.   _____

10 사물의 모습이나 움직임 등을 비디오 기기를 통하여 필름, 테이프 등에 담아 둠.   _____

| 맞힌 개수 | (　　　　) / 10문항 |

| 복습할 어휘 | |

▶▶ 본책 54쪽으로 돌아가서 복습할 수 있습니다.

13회 어휘력 다지기

| 공부한 날짜 | 월 | 일 |

[01 ~ 03] 제시된 초성과 뜻을 참고하여 빈칸에 들어갈 어휘를 쓰시오.

01 ㅁ ㄱ : 꽃이 활짝 다 핌.
예 길가에 코스모스가 (   )하여 가을 분위기를 물씬 풍긴다.

02 ㅁ ㄹ : 기한이 다 차서 끝남.
예 도서관에서 빌린 책의 대출 기간이 다음 주면 (   )된다.

03 ㅁ ㅎ : 남의 마음을 사로잡아 호림.
예 수많은 관객을 (   )하는 선율이 강당을 가득 메웠다.

[04 ~ 06] 다음 뜻에 해당하는 어휘를 찾아 바르게 연결하시오.

04 한없이 크고 넓은 바다.　　　　　　　　　　　　　•　　　　• ㉠ 망망대해

05 세속 오계의 하나. 어버이를 섬기기를 효도로써 함.　•　　　　• ㉡ 사친이효

06 밤에는 부모의 잠자리를 보아 드리고　　　　　　　•　　　　• ㉢ 혼정신성
이른 아침에는 부모의 밤새 안부를 묻는다는 뜻으로,
부모를 잘 섬기고 효성을 다함을 이르는 말.

[07 ~ 10] 다음 뜻에 해당하는 어휘를 고르시오.

07 아주 넓거나 멀어 아득함.　　　　　　　　　　　　　　(막막 | 막연)

08 잘못을 꾸짖거나 나무라며 못마땅하게 여김.　　　　　　(선망 | 책망)

09 앞날을 헤아려 내다봄. 또는 내다보이는 장래의 상황.　　(관망 | 전망)

10 어떤 일을 유도하거나 변화시키는 일 등을 비유적으로 이르는 말.　(매개 | 촉매)

맞힌 개수　　(   ) / 10문항

복습할 어휘

▶▶ 본책 60쪽으로 돌아가서 복습할 수 있습니다.

14회 어휘력 다지기

[01~04] 빈칸에 들어갈 어휘를 〈보기〉에서 찾아 쓰시오.

보기

맹신   맹목적   면담   파멸

01   어떤 일에든 (   )인 집착은 옳지 않다.

02   전쟁은 인류와 인류의 문화를 (   )시키고 말 것이다.

03   종교에 대한 (   )은 경계해야 할 태도 중의 하나이다.

04   감독은 각 선수와 (   ) 시간을 가지며 팀에 대한 애정을 드러냈다.

[05~08] 다음 문장에 어울리는 어휘를 고르시오.

05   임진왜란 당시 많은 사찰이 (박멸 | 소멸)되었다.

06   대통령 후보는 기자들의 질문에 (명료 | 명분)하게 답변하였다.

07   정부는 진상을 (규명 | 규정)하기 위한 조사단을 현지에 파견하였다.

08   대중을 설득하는 그의 웅변에는 정치가적인 (면모 | 면박)이/가 드러난다.

[09~10] 빈칸에 알맞은 말을 넣어 다음 뜻에 해당하는 한자 성어를 완성하시오.

09   심부름을 가서 오지 않거나 늦게 온 사람을 이르는 말.   → 함 [ ] 차 [ ]

10   하루가 삼 년 같다는 뜻으로, 몹시 애태우며 기다림을 이르는 말.   → [ ] 일 [ ] 삼

☑ 맞힌 개수   (   ) / 10문항

☑ 복습할 어휘

▶▶ 본책 64쪽으로 돌아가서 복습할 수 있습니다.

15회 어휘력 다지기

[01~03] 제시된 초성을 참고하여 빈칸에 들어갈 어휘를 찾아 바르게 연결하시오.

01   연주자의 눈썹 주위가 ㅁㅁ 하게 꿈틀거렸다.   •   • ㉠ 매몰

02   소방관이 ㅁㅁ 된 건물에서 생존자를 구조하였다.   •   • ㉡ 무모

03   계획도 없이 사업을 벌이는 것은 ㅁㅁ 한 행동이다.   •   • ㉢ 미묘

[04~07] 〈보기〉의 글자를 조합하여 다음 뜻에 해당하는 어휘를 쓰시오.

보기
감 모 몰 무 별
분 상 식 욕 출

04   분별이 없음.   _____

05   상식이 전혀 없음.   _____

06   모욕을 당하는 느낌.   _____

07   어떤 현상이나 대상이 나타났다 사라졌다 함.   _____

[08~10] 빈칸에 알맞은 말을 넣어 어휘의 뜻을 완성하시오.

08   무안: 수줍거나 창피하여 볼 (   )이 없음.

09   우공이산: 어떤 일이든 끊임없이 (   )하면 반드시 이루어짐.

10   분골쇄신: 뼈를 (   )로 만들고 (   )을 부순다는 뜻으로,
        정성으로 노력함을 이르는 말.

맞힌 개수   (   ) / 10문항
복습할 어휘

▶▶ 본책 68쪽으로 돌아가서 복습할 수 있습니다.

16회 어휘력 다지기

[01~04] 제시된 표현과 함께 쓰이기에 가장 적절한 어휘를 〈보기〉에서 찾아 쓰시오.

보기

| 문체 | 물색 | 미온적 | 민심 |

01 | 반응 | 태도 | → (　　　　)

02 | 동요 | 흉흉한 | → (　　　　)

03 | 고운 | 후보자 | → (　　　　)

04 | 건조한 | 화려한 | → (　　　　)

[05~07] 제시된 초성과 뜻을 참고하여 빈칸에 들어갈 어휘를 쓰시오.

05 　ㅁㅁ : 보잘것없이 아주 작음.

예 거대한 우주에서 인간은 (　　　　)한 존재에 불과하다.

06 　ㅁㅁ : 인류가 이룩한 물질적, 기술적, 사회 구조적인 발전.

예 과학 (　　　　)의 발달은 인간에게 윤택한 생활을 가져다주었다.

07 　ㅂㅁ : 흰 눈썹이라는 뜻으로, 여럿 가운데에서 가장 뛰어난 것을 비유적으로 이르는 말.

예 이번 연주회의 (　　　　)는 단연 피아노 독주였다.

[08~10] 다음 설명이 맞으면 ○에, 그렇지 않으면 ×에 표시하시오.

08 '군계일학'은 많은 사람 가운데서 뛰어난 인물을 이르는 말이다. (○ , ×)

09 '민간'은 백성을 질긴 생명력을 가진 잡초에 비유하여 이르는 말이다. (○ , ×)

10 '미간'은 두 눈썹 사이라는 뜻으로, 작고 변변치 않은 물건을 의미한다. (○ , ×)

맞힌 개수 (　　　　) / 10문항

복습할 어휘

▶▶ 본책 72쪽으로 돌아가서 복습할 수 있습니다.

17회 어휘력 다지기

공부한 날짜	월	일

[01~03] 빈칸에 공통으로 들어갈 어휘를 〈보기〉에서 찾아 쓰시오.

> 보기
>
> 밀정   박제   박해

01 동물 (   ), (   )이/가 진열되다   _____

02 (   ) 노릇, (   )을/를 파견하다   _____

03 종교적 (   ), 모진 (   )을/를 당하다   _____

[04~06] 빈칸에 알맞은 말을 넣어 어휘의 뜻을 완성하시오.

04 면밀: 자세하고 (   )이 없음.

05 박애: 모든 사람을 (   )하게 사랑함.

06 밀렵: 허가를 받지 않고 (   ) 사냥함.

[07~10] 제시된 초성을 참고하여 다음 뜻에 해당하는 한자 성어를 쓰시오.

07 ㅂㅎㄷㅅ : 학식이 넓고 아는 것이 많음.   _____

08 ㅇㄱㅈㅅ : 옛것을 익히고 그것을 미루어서 새것을 앎.   _____

09 ㅈㅊㅌㅁ : 옥이나 돌 등을 갈고 닦아서 빛을 낸다는 뜻으로,
부지런히 학문과 덕행을 닦음을 이르는 말.   _____

10 ㅎㅅㅈㄱ : 반딧불·눈과 함께 하는 노력이라는 뜻으로,
고생을 하면서 부지런하고 꾸준하게 공부하는 자세를 이르는 말.   _____

맞힌 개수	( ) / 10문항
복습할 어휘	

▶▶ 본책 76쪽으로 돌아가서 복습할 수 있습니다.

18회 어휘력 다지기

[01~03] 제시된 초성을 참고하여 밑줄 친 말을 대신할 수 있는 어휘를 쓰시오.

01 고장 난 차를 길가에 내버려 두었다.

ㅂㅊ 하였다 → (   )

02 상대를 너무 헐뜯으면 반항하는 감정이 생길 수 있다.

ㅂㄱ → (   )

03 그 영화는 주인공이 상대역 없이 혼자 말하는 장면으로 시작한다.

ㄷㅂ 하는 → (   )

[04~05] 밑줄 친 어휘의 뜻을 고르시오.

04

반딧불은 열을 내지 않고 빛만을 발산한다.

① 감정 등을 밖으로 드러내어 해소함.　　② 냄새, 빛, 열 등이 사방으로 퍼져 나감.

05

이른 봄에 방류한 연어가 다 자라 가을에 돌아왔다.

① 모아서 가두어 둔 물을 흘려 보냄.　　② 어린 새끼 고기를 강물에 놓아 보냄.

[06~10] 빈칸에 알맞은 말을 넣어 다음 뜻에 해당하는 어휘를 완성하시오.

06 남을 배척하는 것. → 배☐적

07 일의 형세가 뒤바뀜. → 반☐

08 슬기나 재능, 사상 등을 일깨워 줌. → 계☐

09 사회 현상이나 사상 등이 맨 처음 생겨남. → ☐원

10 사회의 규범이나 질서 또는 이익에 반대되는 것. → ☐사☐적

☑ 맞힌 개수　　(   ) / 10문항

☑ 복습할 어휘

➡➡ 본책 80쪽으로 돌아가서 복습할 수 있습니다.

19회 어휘력 다지기

[01 ~ 04] 제시된 초성을 참고하여 빈칸에 들어갈 어휘를 쓰시오.

01 영문 소설을 우리말로 ㅂㅇ 하였다. _____

02 식료품의 ㅂㅈ 을 막으려면 냉장 보관하는 것이 좋다. _____

03 시대와 환경의 ㅂㅊ 에 따라 인간의 생활 양식도 바뀐다. _____

04 할아버지께 전화를 드려 ㅂㄱ 없이 잘 계시는지 여쭈었다. _____

[05 ~ 07] 다음 뜻에 해당하는 어휘를 찾아 바르게 연결하시오.

05 병으로 자리에 누움. •

　　　　　　　　　　　　　　　　　　　　　• ㉠ 병변

06 모든 것에 두루 미치거나 통하는 성질. •

　　　　　　　　　　　　　　　　　　　　　• ㉡ 와병

07 병이 원인이 되어 일어나는 생체의 변화. •

　　　　　　　　　　　　　　　　　　　　　• ㉢ 보편성

[08 ~ 10] 빈칸에 알맞은 말을 〈보기〉에서 찾아 넣어 어휘의 뜻을 완성하시오.

> 〈보기〉
>
> 관련성　　　쇠약　　　식별　　　전달　　　차별화

08 별개: (　　　　　　)이 없이 서로 다름.

09 병약: 병으로 인하여 몸이 (　　　　　　)함.

10 보급률: 널리 (　　　　　　)되어 골고루 퍼진 정도.

☑ 맞힌 개수	(　　　　　　) / 10문항
☑ 복습할 어휘	

▶▶ 본책 86쪽으로 돌아가서 복습할 수 있습니다.

20회 어휘력 다지기

[01 ~ 04] 빈칸에 들어갈 어휘를 〈보기〉에서 찾아 쓰시오.

보기

광복   복위   부과   부여

01 나는 작은 일에도 의미를 (   )하는 습관이 있다.

02 우리나라는 1945년 8월 15일에 (   )을/를 맞이하였다.

03 경찰은 교통 신호를 위반한 운전자에게 범칙금을 (   )하였다.

04 폐위된 왕후의 (   )을/를 위한 움직임이 조정 내에서 일고 있다.

[05 ~ 07] 다음 뜻에 해당하는 어휘를 고르시오.

05 안건이나 문서 등을 덧붙임.   (부착 | 첨부)

06 세상 물정에 대한 바른 생각이나 판단.   (분별 | 분산)

07 본디부터 가지고 있는 사물 자체의 성질이나 모습.   (본연 | 본질)

[08 ~ 10] 제시된 초성을 참고하여 빈칸에 들어갈 어휘를 쓰시오.

08 삼촌은 다른 사람을 즐겁게 하는 데 ㅊㅂㅈ 인 재능을 지녔다.   _____

09 제가 ㅂㅇ 아니게 폐를 끼쳤다면 너그러운 마음으로 용서해 주십시오.   _____

10 처음 만난 두 사람은 ㅂㄱ 과 성명, 나이 등을 물으며 서로에 대해 알아 갔다.   _____

맞힌 개수   (   ) / 10문항

복습할 어휘

➡➡ 본책 90쪽으로 돌아가서 복습할 수 있습니다.

21회 어휘력 다지기

[01 ~ 04] 밑줄 친 어휘의 뜻을 〈보기〉에서 찾아 번호를 쓰시오.

〈보기〉

① 격이 낮고 속된 말.
② 마음과 힘을 다하여 떨쳐 일어남.
③ 순수한 물질에 섞여 있는 순수하지 않은 물질.
④ 현상이나 사물의 옳고 그름을 판단하여 밝히거나 잘못된 점을 지적하는 것.

01 과학 연구에는 비판적인 검증이 필요하다.   (   )

02 나는 새해를 맞아 운동에 한층 더 분발하기로 다짐하였다.   (   )

03 공영 방송에서의 비속어 사용은 아이들에게 안 좋은 영향을 미친다.   (   )

04 요즘 불순물이 섞인 수돗물이 나오는 지역이 있어 사회적 문제가 되고 있다.   (   )

[05 ~ 06] 다음 설명이 맞으면 ○에, 그렇지 않으면 ×에 표시하시오.

05 '비단'은 부정하는 말 앞에서 '다만', '오직'의 뜻으로 쓰이는 말이다.   (○ , ×)

06 '비준'은 조약을 헌법상의 조약 체결권자가 최종적으로 확인·동의하는 절차로,
    우리나라에서는 국무총리가 행한다.   (○ , ×)

[07 ~ 10] 다음 설명을 읽고 빈칸에 들어갈 어휘를 쓰시오.

 '오륜'은 유학에서, 사람이 지켜야 할 다섯 가지 도리를 말한다. 첫째, '07 (   )'은 '아버지와 아들 사이의 도리는 친하고 가깝게 사랑하는 데 있음'을 이른다. 둘째, '군신유의'는 '임금과 신하 사이의 도리는 08 (   )에 있음'을 이른다. 셋째, '부부유별'은 '남편과 아내 사이의 도리는 서로 침범하지 않음에 있음'을 이른다. 넷째, '09 (   )'는 '어른과 어린이 사이의 도리는 엄격한 차례가 있고 복종해야 할 질서가 있음'을 이른다. 다섯째, '붕우유신'은 '벗과 벗 사이의 도리는 10 (   )에 있음'을 이른다.

🔍 맞힌 개수	( ) / 10문항
✅ 복습할 어휘	

▶▶ 본책 94쪽으로 돌아가서 복습할 수 있습니다.

22회 어휘력 다지기

[01 ~ 03] 제시된 초성과 뜻을 참고하여 빈칸에 들어갈 어휘를 쓰시오.

01 ㅂㅂ : 번거로울 정도로 횟수가 잦음.

예 이곳은 교통의 요지라 사람들의 왕래가 (   )하다.

02 ㅎㅂ : 헛되이 씀. 또는 그렇게 쓰는 비용.

예 길이 막혀서 긴 시간을 길에서 (   )하였다.

03 ㅂㅈ : 슬프면서도 그 감정을 억눌러 씩씩하고 장함.

예 이순신 장군은 (   )한 각오로 명량해전에 임하였다.

04 밑줄 친 어휘 중 '사(事)' 자가 쓰이지 않은 것을 고르시오. (정답 2개)

① 우리 아빠는 요리사이다.   ② 이곳은 안전의 사각지대이다.

③ 나는 사리가 밝은 사람이다.   ④ 그는 거짓말을 다반사로 한다.

⑤ 언니는 매사에 빈틈이 없다.

05 빈칸에 알맞은 말을 넣어 제시된 한자 성어의 공통된 의미를 완성하시오.

• 연하고질(煙霞痼疾)	• 요산요수(樂山樂水)	• 천석고황(泉石膏肓)

→ (   )을 즐기고 좋아함.

[06 ~ 10] 다음 뜻에 해당하는 어휘를 고르시오.

06 몹시 슬퍼하면서 탄식함.   (비보 | 비탄)

07 여행하는 데에 드는 비용.   (여비 | 자비)

08 감옥살이를 하다가 감옥에서 죽음.   (사활 | 옥사)

09 개인이 사사로이 부담하고 지출하는 비용.   (낭비 | 사비)

10 한 나라가 상대국에 선전 포고도 없이 침입하는 일.   (사변 | 사수)

맞힌 개수	( ) / 10문항
복습할 어휘	

➡➡ 본책 98쪽으로 돌아가서 복습할 수 있습니다.

23회 어휘력 다지기

[01 ~ 04] 빈칸에 공통으로 들어갈 어휘를 〈보기〉에서 찾아 쓰시오.

〈보기〉

단상   사색   산지   상전

01 (   ) 가격, (   )에서 직접 구입하다   _____

02 (   )을/를 모시다, (   ) 노릇을 하다   _____

03 (   )에 오르다, (   )에서 연설을 하다   _____

04 (   )의 계절, 빗소리를 들으며 (   )에 잠기다   _____

[05 ~ 07] 제시된 초성을 참고하여 다음 뜻에 해당하는 어휘를 쓰시오.

05 ㅁ ㅅ : 어떤 사실의 앞뒤, 또는 두 사실이 이치상 어긋나서 서로 맞지 않음.   _____

06 ㅅ ㅁ : ① 애틋하게 생각하고 그리워함. ② 우러러 받들고 마음속 깊이 따름.   _____

07 ㅅ ㅈ ㄱ : 한꺼번에 겹쳐 치르는 세 가지 고통.
특히 시각, 청각, 언어의 장애로 인한 고통을 다 가지고 있는 것.   _____

[08 ~ 10] 빈칸에 알맞은 말을 넣어 다음 상황과 의미가 통하는 어휘를 완성하시오.

08 서너 사람 또는 대여섯 사람씩 모여서 식사를 합시다.   → 삼 □ 오 □

09 처지를 바꾸어서 생각하니까 너의 행동이 조금은 이해가 돼.   → 역 지 □ □

10 그의 말은 조금도 사리에 맞지 않아서 무슨 말인지 도저히 모르겠어.   → □ 불 □ 설

🔲 맞힌 개수   (   ) / 10문항

☑️ 복습할 어휘

▶▶ 본책 102쪽으로 돌아가서 복습할 수 있습니다.

24회 어휘력 다지기

[01 ~ 04] 〈보기〉의 글자를 조합하여 다음 뜻에 해당하는 어휘를 쓰시오.

보기

| 념 | 무 | 상 | 양 | 호 |

01   상대가 되는 이쪽과 저쪽 모두.   _____

02   사물이나 현상의 모양이나 상태.   _____

03   마음속에 품고 있는 여러 가지 생각.   _____

04   어떤 행위에 대하여 아무런 대가나 보상이 없음.   _____

[05 ~ 07] 제시된 초성을 참고하여 밑줄 친 말을 대신할 수 있는 어휘를 쓰시오.

05   아들의 성공은 어머니의 고생에 대한 <u>대가였다.</u>

ㅂ ㅅ 이었다 → (   )

06   시대착오적인 <u>생각을 해 내는</u> 사람들을 이해하기가 어렵다.

ㅂ ㅅ 을 하는 → (   )

07   '木(나무 목)'은 <u>모양을 본뜨는</u> 원리로 만들어진 글자로, 나무의 기둥과 가지 등을 본뜬 것이다.

ㅅ ㅎ 의 → (   )

[08 ~ 10] 다음 설명이 맞으면 ○에, 그렇지 않으면 ×에 표시하시오.

08   '가상'은 서로 반대되거나 어긋나는 것을 말한다.   (○ , ×)

09   '일상사'는 좋지 않은 일을 버릇처럼 하는 것을 이르는 말이다.   (○ , ×)

10   '상징성'은 추상적인 사물이나 개념을 구체적인 사물로 나타내는 성질을 의미한다.   (○ , ×)

맞힌 개수   (   ) / 10문항

복습할 어휘

▶▶▶본책 106쪽으로 돌아가서 복습할 수 있습니다.

25회 어휘력 다지기

공부한 날짜	월	일

[01~03] 제시된 초성과 뜻을 참고하여 빈칸에 들어갈 어휘를 쓰시오.

01 ㅅㅅ : 구석구석 뒤지어 찾음.

예 경찰은 범인의 집 주변을 빈틈없이 (   )하였다.

02 ㅅㅅ : 어떤 대상이 친숙하지 못하고 낯섦.

예 평소와 달리 조용한 동생의 모습이 매우 (   )하게 느껴진다.

03 ㅅㅇㄱ : 어떤 대상에 대해 이미 마음속에 가지고 있는 고정된 관념이나 관점.

예 창의적인 생각은 사물에 대한 (   )을 버리는 것에서부터 시작한다.

[04~06] 〈보기〉의 글자를 조합하여 다음 뜻에 해당하는 어휘를 쓰시오.

보기

| 감 | 동 | 생 | 성 | 조 | 취 |

04 목적한 바를 이루었다는 느낌. _____

05 생기 있게 살아 움직이는 듯한 느낌. _____

06 음절 안에서 나타나는 소리의 높낮이. _____

[07~10] 다음 뜻에 해당하는 어휘를 고르시오.

07 목적한 것을 이룸. (달성 | 육성)

08 사람의 목소리가 크거나 작은 정도. (성량 | 음량)

09 실력이나 역량 등을 길러서 발전시킴. (양성 | 종성)

10 아침저녁으로 뜯어고친다는 뜻으로,
계획이나 결정 등을 일관성이 없이 자주 고침을 이르는 말. (격세지감 | 조변석개)

🔍 맞힌 개수	( ) / 10문항
✔ 복습할 어휘	

▶▶ 본책 112쪽으로 돌아가서 복습할 수 있습니다.

26회 어휘력 다지기

공부한 날짜　　　월　　　일

[01 ~ 04] 빈칸에 들어갈 어휘를 〈보기〉에서 찾아 쓰시오.

보기

세대　　　세속　　　추세　　　태세

01　요즘은 결혼을 늦게 하는 (　　　　　)이다.

02　젊은 (　　　　　)은/는 새로운 풍속을 빨리 받아들인다.

03　놀림을 당한 꼬마는 금방이라도 눈물을 쏟을 (　　　　　)였다.

04　그는 (　　　　　)을/를 떠나 아무도 없는 섬에서 홀로 사는 삶을 택하였다.

[05 ~ 08] 다음 문장에 어울리는 어휘를 고르시오.

05　그는 몸이 아픈 후로 (세상만사 | 세파)를 다 귀찮게 여겼다.

06　3만 명을 (수령 | 수용)할 수 있는 종합 운동장이 새로 지어졌다.

07　어느 시대든 약한 사람을 괴롭히는 (속세 | 족속)들은 있기 마련이다.

08　막내는 남이 이끄는 대로 따르려 하는 (속물적 | 수동적)인 성격을 가졌다.

[09 ~ 10] 빈칸에 알맞은 말을 넣어 다음 뜻에 해당하는 한자 성어를 완성하시오.

09　큰 그릇을 만드는 데는 시간이 오래 걸린다는 뜻으로,
　　크게 될 사람은 늦게 이루어짐을 이르는 말.　　　　　→ 대 [　] 만 [　]

10　비단옷을 입고 고향에 돌아온다는 뜻으로,
　　출세하여 고향에 돌아가거나 돌아옴을 비유적으로 이르는 말.　→ [　] 의 [　] 향

🔲 맞힌 개수　　　(　　　　　) / 10문항

☑ 복습할 어휘

▶▶▶ 본책 116쪽으로 돌아가서 복습할 수 있습니다.

27회 어휘력 다지기

[01~03] 제시된 초성을 참고하여 밑줄 친 말을 대신할 수 있는 어휘를 쓰시오.

01 유교에서는 <u>마음과 행실을 바르게 닦은</u> 후에 집안을 다스리라고 가르쳤다.
　　ㅅ ㅅ 한 → (　　　　　　)

02 전통이라고 <u>그대로 좇아 행하기</u>보다는 시대에 맞게 바꾸어 받아들이는 것이 좋다.
　　ㄷ ㅅ 하기 → (　　　　　　)

03 '귀가 얇다'라는 말은 '남의 말을 쉽게 받아들인다.'라는 의미의 관용 표현으로,
단어의 의미만으로는 전체의 의미를 알 수 없는, <u>특수한 의미를 나타내는 말의 구절</u>이다.
　　　　　　　　　　　　　　　　　　　　ㅅ ㅇ → (　　　　　　)

[04~07] 빈칸에 들어갈 어휘를 〈보기〉에서 찾아 쓰시오.

보기

보수　　수식　　시국　　친숙

04 마을 주민들은 홍수로 무너진 다리를 (　　　　　　)하였다.

05 독자들은 화려한 (　　　　　　)(으)로 무장한 그의 글을 좋아한다.

06 라디오 프로그램의 진행자가 (　　　　　　)한 목소리로 청취자들에게 인사하였다.

07 국회 의원들이 모여 비상(　　　　　　)을/를 헤쳐 나가기 위한 여러 가지 방안을 내놓았다.

[08~10] 빈칸에 알맞은 말을 넣어 어휘의 뜻을 완성하시오.

08 공습: 갑자기 (　　　　　　)하여 침.

09 만시지탄: 시기에 (　　　　　　) 기회를 놓쳤음을 안타까워하는 탄식.

10 사후 약방문: 죽은 뒤에 (　　　　　　)을 처방한다는 뜻으로,
　　　　　　　(　　　　　　)를 놓치고 어리석게 애쓰는 경우를 비유적으로 이르는 말.

| 맞힌 개수 | (　　　　　　) / 10문항 |

☑ 복습할 어휘

▶▶ 본책 120쪽으로 돌아가서 복습할 수 있습니다.

28회 어휘력 다지기

공부한 날짜   월   일

[01 ~ 04] 빈칸에 들어갈 어휘에 ∨표 하시오.

01 친구는 나에게 공부에 필요한 (　　　)인 도움을 많이 주었다.

☐ 명목적　　　　☐ 상징적　　　　☐ 실질적　　　　☐ 추상적

02 그는 선생님께 여러 번 거짓말하는 바람에 (　　　)을/를 잃었다.

☐ 신성　　　　☐ 신용　　　　☐ 신조　　　　☐ 재화

03 이 그림은 마치 빙글빙글 돌아가는 것처럼 보이는 (　　　)을/를 일으킨다.

☐ 관점　　　　☐ 시선　　　　☐ 적신호　　　　☐ 착시

04 미술 대회에 출품된 작품 중에는 (　　　)한 아이디어가 돋보이는 작품이 많았다.

☐ 경신　　　　☐ 쇄신　　　　☐ 참신　　　　☐ 혁신

[05 ~ 07] 제시된 초성과 뜻을 참고하여 빈칸에 들어갈 어휘를 쓰시오.

05 ㅅㅅ : 실제의 상태나 내용.

예 그 나라는 겉보기에는 발전한 듯하지만 (　　　　　)은 그렇지 않다.

06 ㄱㅅ : 업신여겨 하찮게 대함.

예 키가 큰 친구 녀석이 키 작은 나를 종종 (　　　　　)하고는 한다.

07 ㅅㅅ : 돌아다니며 사정을 보살핌. 또는 그런 사람.

예 사장은 밤마다 공장을 (　　　　　)하며 기계의 안전을 점검한다.

[08 ~ 10] 다음 설명이 맞으면 ○에, 그렇지 않으면 ×에 표시하시오.

08 '신출귀몰'은 자유자재로 나타나고 사라짐을 비유적으로 이르는 말이다.　　(○ , ×)

09 '신념'은 거래한 재화의 대가를 앞으로 치를 수 있음을 보이는 능력이다.　　(○ , ×)

10 '수주대토'는 한 가지 일에만 얽매여 발전을 모르는 어리석은 사람을 이를 때 쓴다.　　(○ , ×)

☑ 맞힌 개수　　(　　　　　) / 10문항

☑ 복습할 어휘

▶▶▶ 본책 124쪽으로 돌아가서 복습할 수 있습니다.

29회 어휘력 다지기

[01 ~ 04] 빈칸에 공통으로 들어갈 어휘를 〈보기〉에서 찾아 쓰시오.

〈보기〉

대안　수심　악의　심화

01 (　　　)에 찬 얼굴, (　　　)에 잠기다 ＿＿＿＿＿＿

02 현실적인 (　　　), (　　　)을/를 제시하다 ＿＿＿＿＿＿

03 (　　　)을/를 품다, (　　　)(으)로 해석하다 ＿＿＿＿＿＿

04 대기 오염의 (　　　), 갈등이 점점 더 (　　　)되다 ＿＿＿＿＿＿

[05 ~ 07] 다음 뜻에 해당하는 어휘를 찾아 바르게 연결하시오.

05 간사하고 악독함. ・ ・ ㉠ 간악

06 몸을 편안하게 하고 마음을 위로함. ・ ・ ㉡ 심층

07 겉으로 드러나지 않은, 사물이나 사건의 내부 깊숙한 곳. ・ ・ ㉢ 안위

[08 ~ 10] 제시된 초성을 참고하여 다음 뜻에 해당하는 한자 성어를 쓰시오.

08 ㄱ ㅇ ㅇ ㅅ : 아첨하는 말과 알랑거리는 태도. ＿＿＿＿＿＿

09 ㄱ ㅎ ㅇ ㅅ : 바른길에서 벗어난 학문으로 세상 사람에게 아첨함. ＿＿＿＿＿＿

10 ㄱ ㄱ ㅁ ㄷ : 경솔하여 생각 없이 망령되게 행동함. 또는 그런 행동. ＿＿＿＿＿＿

맞힌 개수 (　　　) / 10문항

복습할 어휘

▶▶ 본책 128쪽으로 돌아가서 복습할 수 있습니다.

30회 어휘력 다지기

[01~04] 〈보기〉의 글자를 조합하여 다음 뜻에 해당하는 어휘를 쓰시오.

보기

| 담 | 비 | 수 | 시 | 암 | 약 | 엄 |

01 명령이나 약속 등을 어김없이 지킴.　　　　　　　　　　　　　　_____

02 ① 어두컴컴하고 쓸쓸함. ② 희망이 없고 절망적임.　　　　　_____

03 지위나 수준 등이 갑자기 빠른 속도로 높아지거나 향상됨.　_____

04 ① 넌지시 알림. 또는 그 내용. ② 뜻하는 바를 간접적으로 나타내는 표현법.　_____

[05~07] 다음 뜻에 해당하는 어휘를 고르시오.

05 아직 가시지 않고 남아 있는 운치.　　　　　　　　　　(여념 | 여운)

06 ① 몹시 엄함. ② 엄격하고 정중함.　　　　　　　　　　(엄중 | 존엄)

07 어간 뒤에 결합하여 여러 가지 의미를 더해 주는 부분.　(어미 | 여담)

[08~10] 빈칸에 들어갈 어휘를 〈보기〉에서 찾아 쓰시오.

보기

암묵적　　어조　　청산유수

08 대통령은 담담한 (　　　　　)(으)로 연설문을 읽어 내려갔다.

09 주민들은 쓰레기장 이전을 추진하는 시장의 결정에 (　　　　　) 지지를 보냈다.

10 (　　　　　)와/과 같은 말솜씨를 지닌 그와의 대화는 우리에게 늘 즐거움을 안겨 준다.

| 맞힌 개수 | (　　　　) / 10문항 |

| 복습할 어휘 | |

▶▶▶ 본책 132쪽으로 돌아가서 복습할 수 있습니다.

31회 어휘력 다지기

[01 ~ 03] 제시된 초성과 뜻을 참고하여 빈칸에 들어갈 어휘를 쓰시오.

01 ㅅ ㅇ : 고요하고 엄숙함.
예 졸업식이 시작되자 강당에 (   )한 분위기가 흘렀다.

02 ㅇ ㅇ : 의지가 굳세어서 끄떡없음.
예 유관순 열사는 모진 고문 속에서도 (   )함을 잃지 않았다.

03 ㄱ ㅇ : 쑥스럽거나 미안하여 어색함.
예 어제 다툰 친구와 우연히 마주친 나는 (   )쩍어 어색한 미소를 지었다.

[04 ~ 07] 다음 뜻에 해당하는 어휘를 고르시오.

04 수치와 욕됨.   (곤욕 | 치욕)

05 부끄러움을 씻음.   (설욕 | 유세)

06 위엄이 있고 엄숙한 태도나 차림새.   (위력 | 위의)

07 즐겁게 놀며 장난함. 또는 그런 행위.   (유희 | 향유)

[08 ~ 10] 빈칸에 알맞은 말을 넣어 다음 뜻에 해당하는 어휘를 완성하시오.

08 있는 듯 없는 듯 흐지부지함.   → 유 ☐ 무 ☐

09 풍채나 기세가 위엄 있고 떳떳함.   → ☐ 풍 ☐ 당

10 간사한 꾀로 남을 속여 희롱함을 이르는 말.   → 조 ☐ 모 ☐

☑ 맞힌 개수   (   ) / 10문항

☑ 복습할 어휘

▶▶ 본책 138쪽으로 돌아가서 복습할 수 있습니다.

32회 어휘력 다지기

[01~03] 제시된 어휘와 뜻이 비슷한 어휘를 〈보기〉에서 찾아 쓰시오.

〈보기〉

독자적   보편화   임의적   의기양양

01 득의양양: 뜻한 바를 이루어 우쭐거리며 뽐냄.   _____

02 자의적: 일정한 질서를 무시하고 제멋대로 하는 것.   _____

03 일반화: 개별적인 것이나 특수한 것이 일반적인 것으로 됨.   _____

[04~06] 〈보기〉의 글자를 조합하여 빈칸에 들어갈 어휘를 쓰시오.

〈보기〉

| 가 | 견 | 면 | 식 | 이 | 일 |

04 학생들은 축제 날짜를 앞당기자는 데 (   )이 없었다.

05 (   )도 없는 사람과 한자리에서 밥을 먹는 것은 꽤 어색한 일이다.

06 형은 개인 방송으로 요리 채널을 운영할 정도로 요리에 (   )이 있다.

[07~10] 빈칸에 알맞은 말을 넣어 다음 상황과 의미가 통하는 어휘를 완성하시오.

07 두 사람은 번갈아 가며 한 번씩 질문하고 답했어.   → 일 ☐ ☐ 답

08 어머니는 공직에 있는 동안 사욕을 버리고 공익을 위해 힘썼어.   → 멸 ☐ 봉 ☐

09 몇 번이나 찾아가서 부탁한 끝에 그 배우를 광고 모델로 섭외했어.   → 삼 고 ☐ ☐

10 배구 경기에서 서브 실수를 한 선수가 풀이 죽은 모습으로 걸어 나왔어.   → ☐ 기 ☐ 침

> 맞힌 개수   (   ) / 10문항

> 복습할 어휘

▶▶▶ 본책 142쪽으로 돌아가서 복습할 수 있습니다.

33회 어휘력 다지기

[01~04] 빈칸에 들어갈 어휘를 〈보기〉에서 찾아 쓰시오.

〈보기〉

자책　　저서　　저작권　　전환

01　선생님은 생전에 10여 권의 (　　　　　　)을/를 남겼다.

02　실수는 누구나 할 수 있으니 지나치게 (　　　　　)하지 마라.

03　우리나라 축구 대표 팀은 공격과 수비의 (　　　　　　)이/가 매우 빠르다.

04　다른 사람의 창작물을 이용할 때는 (　　　　　　)을/를 침해하지 않도록 해야 한다.

[05~07] 다음 설명이 맞으면 ○에, 그렇지 않으면 ×에 표시하시오.

05　'준거'는 사물의 정도나 성격 등을 알기 위한 근거나 기준을 의미한다.　　　　(○ , ×)

06　'자존감'은 자신이나 자신과 관련 있는 것을 스스로 자랑하며 뽐내는 마음이다.　　(○ , ×)

07　'준언어'는 의사나 감정을 표현하고 전달하는 데 쓰이는 몸짓 등의 신체 동작이다.　(○ , ×)

[08~10] 제시된 초성을 참고하여 다음 뜻에 해당하는 한자 성어를 쓰시오.

08　ㅍ ㅂ ㅂ ㅅ : 사방으로 날아 흩어짐.　　　　　　　　　　　　　　　_____

09　ㅅ ㅅ ㄴ ㄱ : 모래 위에 세운 누각이라는 뜻으로, 기초가 튼튼하지 못하여
　　　　　　　　 오래 견디지 못할 일이나 물건을 이르는 말.　　_____

10　ㅈ ㅅ ㅈ ㅂ : 자기의 줄로 자기 몸을 옭아 묶는다는 뜻으로, 자기가 한 말과
　　　　　　　　 행동에 자기 자신이 옭혀 곤란하게 됨을 비유적으로 이르는 말.　_____

맞힌 개수	(　　　　　) / 10문항
복습할 어휘	

▶▶ 본책 146쪽으로 돌아가서 복습할 수 있습니다.

34회 어휘력 다지기

[01 ~ 03] 제시된 초성과 뜻을 참고하여 빈칸에 들어갈 어휘를 쓰시오.

01 　ㅌ　ㅊ　: 예리한 관찰력으로 사물을 꿰뚫어 봄.

　예　뛰어난 지도자가 되려면 상황을 (　　　　　)하는 능력을 갖추어야 한다.

02 　ㅈ　ㄷ　ㅅ　: 여러 가지를 모아 하나의 체계를 이루어 완성함.

　예　이 공연은 전국의 민요를 (　　　　　)하여 재구성한 것이다.

03 　ㅇ　ㅈ　: 구름처럼 모인다는 뜻으로, 많은 사람이 모여듦을 이르는 말.

　예　타종 행사를 보려는 많은 시민이 보신각 앞에 (　　　　　)하였다.

[04 ~ 07] 다음 뜻에 해당하는 어휘를 고르시오.

04 정도나 수준이 나아지거나 높아짐. (진보 | 퇴보)

05 일이나 사물 등이 점점 발달하여 감. (진화 | 퇴화)

06 적극적으로 나아가 일을 이룩하는 것. (진취적 | 추상적)

07 전체 속에서 어떤 물건, 생각, 요소 등을 뽑아냄. (분출 | 추출)

[08 ~ 10] 빈칸에 알맞은 말을 넣어 어휘의 뜻을 완성하시오.

08 집약: 한데 모아서 (　　　　　)함.

09 촉진: 다그쳐 (　　　　　) 나아가게 함.

10 자포자기: 절망에 빠져 자신을 스스로 (　　　　　)하고 돌아보지 않음.

🖸 맞힌 개수 (　　　　　) / 10문항

☑ 복습할 어휘

▶▶▶ 본책 150쪽으로 돌아가서 복습할 수 있습니다.

35회 어휘력 다지기

| 공부한 날짜 | 월 | 일 |

[01~04] 빈칸에 공통으로 들어갈 어휘를 〈보기〉에서 찾아 쓰시오.

〈보기〉

박탈　생태　실태　편협

01 (　　　)한 시각, (　　　)한 사고방식　　　　　　　　　_____

02 후보 자격 (　　　), 권리를 (　　　)당하다　　　　　　_____

03 외래어 사용 (　　　), (　　　)을/를 파악하다　　　　　_____

04 자연 (　　　) 학습장, 식물의 (　　　)을/를 연구하다　_____

[05~08] 제시된 초성을 참고하여 다음 뜻에 해당하는 어휘를 쓰시오.

05 ㅌㄴ : 일반적으로 널리 통하는 개념.　　　　　　　　_____

06 ㅌㅎ : 빼앗겼던 것을 도로 빼앗아 찾음.　　　　　　_____

07 ㅊㅌ : 왕위, 국가 주권 등을 억지로 빼앗음.　　　　_____

08 ㅍㅍㅈ : 공정하지 못하고 어느 한쪽으로 치우친 것.　_____

[09~10] 다음 어휘와 뜻이 비슷한 어휘를 고르시오.

09 공포: 일반 대중에게 널리 알림.　　　　　　　　　(반포 | 통용)

10 배달: 물건을 가져다가 몫몫으로 나누어 돌림.　　(배포 | 분포)

| 맞힌 개수 | (　　　　) / 10문항 |

| 복습할 어휘 |

▶▶ 본책 154쪽으로 돌아가서 복습할 수 있습니다.

36회 어휘력 다지기

[01 ~ 04] 〈보기〉의 글자를 조합하여 다음 뜻에 해당하는 어휘를 쓰시오.

보기

| 겸 | 무 | 사 | 평 | 허 | 혹 |

01   혹독하게 일을 시킴.   _____

02   모질고 혹독하게 비평함.   _____

03   스스로 자신을 낮추고 비우는 태도가 있음.   _____

04   무가치하고 무의미하게 느껴져 매우 허전하고 쓸쓸함.   _____

[05 ~ 07] 빈칸에 들어갈 어휘에 ∨표 하시오.

05   카메라에 대자연의 아름다운 순간이 (   )되었다.
     □ 포식   □ 포착   □ 포획   □ 함의

06   정부는 장애인의 인권 (   )을/를 막기 위한 정책을 마련하겠다고 밝혔다.
     □ 방해   □ 실재   □ 침해   □ 호평

07   이 시어에는 여러 가지 뜻이 (   )되어 있어서 다양한 해석을 가능하게 한다.
     □ 저해   □ 함량   □ 함축   □ 허구

[08 ~ 10] 빈칸에 알맞은 말을 넣어 다음 뜻에 해당하는 어휘를 완성하시오.

08   실속은 없으면서 큰소리치거나 허세를 부림.   → 허 ☐ ☐ 세

09   품은 생각을 터놓고 말할 만큼 아무 거리낌이 없고 솔직함.   → 허 ☐ 탄 ☐

10   귀가 솔깃하도록 남의 비위를 맞추거나 이로운 조건을 내세워 꾀는 말.   → ☐ 언 ☐ 설

🔲 맞힌 개수   (   ) / 10문항

☑ 복습할 어휘

▶▶▶ 본책 158쪽으로 돌아가서 복습할 수 있습니다.

정답과
해설

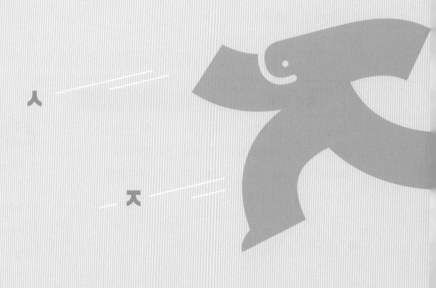

01 강하다	02 대개	03 더하다	04 근거
05 느끼다	06 가속화	07 유대감	08 감수성
09 가담	10 개념	11 의거	12 민감
13 감지	14 주경야독		

09 '가담'은 '같은 편이 되어 일을 함께 하거나 도움'을 의미한다. 학교 폭력을 함께 했다는 의미이므로 '가담'이라는 어휘가 들어가야 어울린다. '강세'는 '강한 세력이나 기세', '물가나 주가 등의 시세가 올라가는 기세' 등을 의미한다.

10 '개념'은 '어떤 사물이나 현상에 대한 일반적인 지식'을 의미한다. 동생이 어려서 돈에 대한 생각이나 지식이 부족하다는 의미이므로 '개념'이라는 어휘가 들어가야 적절하다. '개관'은 '전체를 대강 살펴봄'을 의미하고, '개요'는 '간결하게 추려 낸 주요 내용'을 의미한다.

11 '의거'는 '어떤 힘을 빌려 의지함'을 의미한다. '정치권력'이라는 힘에 의지했다는 의미이므로 '의거'라는 어휘가 어울린다. '근거'는 '어떤 일이나 의견 등에 그 근본이 됨'이라는 의미로 주로 쓰이고, '논거'는 '어떤 이론이나 논리, 논설 등의 근거'를 의미하는 말로 쓰인다.

12 시끄러운 곳에 오래 있지 못한다고 했으므로 '소음에 민감하다'라는 표현이 적절하다. '민감'은 '자극에 빠르게 반응을 보이거나 쉽게 영향을 받음. 또는 그런 상태'를 의미한다.

13 에어컨이 온도를 느끼어 안다는 의미이므로 '감지'라는 어휘가 들어가야 적절하다. '감지'는 '느끼어 앎'을 의미한다.

14 '주경야독'은 '어려운 여건 속에서 꿋꿋이 공부함을 이르는 말'이므로, 어려운 형편에도 여러 개의 자격증을 취득한 상황에 잘 어울린다.

01 결	02 맺다	03 높다	04 공경하다
05 고	06 경외심	07 결속	08 결핍
09 경건	10 고수	11 결함	12 고령화
13 반포지효	14 결초보은		

09 '경로'는 '노인을 공경함'을 의미한다.

10 '고유'는 '본래부터 가지고 있는 특유한 것'을 의미한다.

11 '결합'은 '둘 이상의 사물이나 사람이 서로 관계를 맺어 하나가 됨'을 의미한다.

12 '고령화'는 '한 사회에서 노인의 인구 비율이 높은 상태로 나타나는 일'을 의미한다. 의학의 발달과 출산율 감소는 노인의 인구 비율을 올라가게 하므로 '고령화'라는 어휘가 알맞다.

13 '반포지효'는 '자식이 자란 후에 어버이의 은혜를 갚는 효성을 이르는 말'이다.

14 '결초보은'은 '죽은 뒤에라도 은혜를 잊지 않고 갚음'을 이르는 말이다.

01 꿰다	02 지나다, 지나치다	03 버릇
04 굽다, 굽히다	05 보다	
06 ~ 10 해설 참조	11 지나침	12 뚫고
13 소탐대실	14 견물생심	15 교각살우

06 ~ 10

		방		과	열
		방		유	
		곡	절	불	
왜	곡			급	
			관	점	
			행		

01 아홉	02 교	03 구	04 묶다
05 구원하다	06 구호	07 구절양장	08 막역지우
09 일괄	10 교감	11 구곡간장	
12 ~ 16 해설 참조			

09 '일괄'은 '개별적인 여러 가지 것을 한데 묶음'을 의미한다. 안 쓰는 파일들을 한 번에 삭제했다는 의미이므로 '일괄'이라는 어휘가 어울린다. '포괄'은 '일정한 대상이나 현상 등을 어떤 범위나 한계 안에 모두 끌어넣음'을 의미하는 것으로, '삭제'라는 말과 어울려 쓰이지 않는다.

10 '교감'은 '서로 접촉하여 따라 움직이는 느낌'으로, '정서적'이라는 어휘와 어울려 쓰인다. '교섭'은 '어떤 일을 이루기 위하여 서로 의논하고 절충함'을 의미한다.

11 할머니의 장례식을 치르며 마음이 녹는 듯한 깊은 슬픔을 느꼈다는 말이므로 '구곡간장'이 어울린다. '구곡간장'은 '시름이 쌓인 마음속을 비유적으로 이르는 말'이고, '구중궁궐'은 '임금이 있는 대궐 안'을 의미한다.

12~16

관	지	ꝏ포	유	탐	사
객	구	과	괄	제	고
수	도	죽	시	적	절
어	절	구	제	학	양
지	충	연	구	궐	강
교	곡	열	마	고	구

05회 확인 문제   27쪽

01 가깝다　02 기운　03 급하다　04 돌아가다
05 지극하다, 다하다　06 ㉡
07 ㉠
08 ㉢　09 ②　10 ②　11 ②
12 황급　13 극악무도　14 근접

09 화가 나서 다른 사람을 한 대 칠 기운이나 태도가 있다는 의미이므로 ②의 뜻으로 쓰인 것이다.

10 '기후 급변'은 기후가 갑자기 달라지는 것이므로 ②의 뜻으로 쓰인 것이다.

11 장맛비가 그칠 낌새가 없다는 의미이므로 ②의 뜻으로 쓰인 것이다.

12 부상자가 도움을 청하는 상황이므로 '황급'이라는 어휘

가 들어가면 적절하다. '황급'은 '몹시 어수선하고 급박함'을 의미한다.

13 범인의 악한 범죄가 사람들의 분노를 산 것이므로 '더할 나위 없이 악하고 도리에 완전히 어긋나 있음'을 의미하는 '극악무도'가 들어가는 것이 적절하다.

14 어미 펭귄이 새끼 펭귄의 주위를 살필 수 있는 가까운 거리에 머물고 있다는 말이므로 '근접'이라는 어휘가 어울린다. '근접'은 '가까이 접근함'을 의미한다.

06회 확인 문제   31쪽

01 일어나다　02 주리다　03 터, 기초　04 몇, 기미
05 어렵다, 나무라다　06 기아　07 기반
08 난감　09 기점　10 조난　11 ②
12 ①　13 ④　14 ③

09 오늘 자정을 시작으로 버스비가 인상된다는 것이므로 '기점'이라는 어휘가 어울린다. '기점'은 '어떠한 것이 처음으로 일어나거나 시작되는 곳'을 의미한다.

10 등산객들이 산에서 재난을 만난 것이므로 '조난'이라는 어휘가 들어가면 적절하다. '조난'은 '항해나 등산 등을 하는 도중에 재난을 만남'을 의미한다.

01~06회 종합 문제   32~33쪽

01 ③　02 ③　03 ⑤　04 ⑤
05 ④　06 ②　07 ④　08 ③

01 ③에 쓰인 '결박'은 뒤에 있는 '자유로운 분위기'라는 말로 보아 '자유롭지 못하게 얽어 구속함'을 의미하는 말로 쓰인 것이다. 그러므로 〈보기〉의 ㉡에 해당하는 예문이다.

02 '힐난'은 '트집을 잡아 거북할 만큼 따지고 듦'을 의미하는 어휘이다.
| 오답 확인 |
① '귀환'은 '다른 곳으로 떠나 있던 사람이 본래 있던 곳으로 돌아오거나 돌아감'을 의미한다. '고향으로 돌아가거나 돌아옴'을 의미하는 어휘는 '귀향'이다.
② '경외심'은 '공경하면서 두려워하는 마음'을 의미한다. '어떤 대상에 대해 공손하고 엄숙함'을 의미하는 어휘는 '경건'이다.

④ '일괄'은 '개별적인 여러 가지 것을 한데 묶음'을 의미한다. '묶여 있던 물건을 따로 떨어지게 함'은 '일괄'과 반대되는 뜻이다.

⑤ '관행'은 '오래전부터 해 오는 대로 함'을 의미한다. '오랫동안 지켜 내려와 그 사회 성원들이 널리 인정하는 질서나 풍습'을 의미하는 어휘는 '관습'이다.

03 '구조'는 '재난 등을 당하여 어려운 처지에 빠진 사람을 구하여 줌'을 의미한다. '병자나 부상자를 간호하거나 치료함'을 뜻하는 어휘는 '구호'이다.

04 '소탐대실'은 '작은 것을 탐하다가 큰 것을 잃음'을 의미한다. 신제품만 보면 충동구매를 한다는 내용으로 보아 제시된 문장에는 '어떠한 실물을 보게 되면 그것을 가지고 싶은 욕심이 생김'을 뜻하는 '견물생심'이 들어가는 것이 적절하다.

| 오답 확인 |
① 각골난망: 남에게 입은 은혜가 뼈에 새길 만큼 커서 잊히지 않음.
② 주경야독: 낮에는 농사짓고, 밤에는 글을 읽는다는 뜻으로, 어려운 여건 속에서도 꿋꿋이 공부함을 이르는 말.
③ 오십보백보: 조금 낫고 못한 정도의 차이는 있으나 본질적으로는 차이가 없음을 이르는 말.
④ 새옹지마: 세상일은 좋고 나쁨의 변화가 많으니 인생은 예측하기 어렵다는 말.

05 '고조(高調)'는 '사상이나 감정, 세력 등이 한창 무르익거나 높아진 상태'를 의미한다. '고조'의 반의어는 '활동이나 감정이 왕성하지 못하고 침체함'을 뜻하는 '저조(低調)'이다.

| 오답 확인 |
① 경감: 부담이나 고통 등을 덜어서 가볍게 함.
② 간과: 큰 관심 없이 대강 보아 넘김.
③ 결핍: 있어야 할 것이 없어지거나 모자람.
⑤ 왜곡: 사실과 다르게 해석하거나 그릇되게 함.

06 ㉠에는 '기미(어떤 일을 알아차릴 수 있는 눈치)'나 '기색(어떠한 행동이나 현상 등을 짐작할 수 있게 해 주는 눈치나 낌새)'이 들어갈 수 있다. ㉡에는 '의거(어떤 사실이나 원리 등에 근거함)', ㉢에는 '감지(느끼어 앎)'가 들어갈 수 있다. '논거'는 '어떤 이론이나 논리, 논설 등의 근거'를 의미한다.

07 '교류'는 '문화나 사상 등이 서로 통함'을 뜻하고 '교체'는 '사람이나 사물을 다른 사람이나 사물로 대신함'을 뜻하므로 의미가 서로 같지 않다.

| 오답 확인 |
① '수불석권'은 '손에서 책을 놓지 않고 늘 글을 읽음'을 의미하고, '위편삼절'도 '책을 열심히 읽음'을 이르는 말이므로 의미가 비슷하다.
② '과도'는 '정도에 지나침'을 의미하고, '무리'도 '정도에서 지나치게 벗어남'을 의미하므로 의미가 비슷하다.

③ '결점'은 '잘못되거나 부족하여 완전하지 못한 점'이고, '단점'도 '잘못되고 모자라는 점'이므로 의미가 비슷하다.
⑤ '막역지우'는 '서로 거스름이 없는 친구라는 뜻으로, 허물없이 아주 친한 친구'를 이르는 말이다.

08 '강구'는 '좋은 대책과 방법을 궁리하여 찾아내거나 좋은 대책을 세움'을 의미한다. '진리, 학문 등을 파고들어 깊이 연구함'을 의미하는 어휘는 '탐구'이다.

✔ **07**회 확인 문제　　37쪽

01 다	02 생각	03 단	04 능하다
05 납	06 염두	07 다변화	08 능동적
09 단조	10 능률	11 다분	12 조실부모
13 사고무친	14 고립무원		

09 해안선이 단순하고 변화가 없어서 밋밋한 것이므로 '단조(롭다)'라는 어휘가 적절하다. '단조'는 '사물이 단순하고 변화가 없어 새로운 느낌이 없음'을 의미하고, '다채'는 '여러 가지 색채나 형태, 종류 등이 한데 어울리어 호화스러움'을 의미한다.

10 스트레스가 많이 쌓이면 일정한 시간에 할 수 있는 일의 비율이 떨어지게 되므로 '능률'이라는 어휘가 적절하다. '능률'은 '일정한 시간에 할 수 있는 일의 비율'을 의미하고, '다양성'은 '모양, 빛깔, 형태, 양식 등이 여러 가지로 많은 특성'을 의미한다.

11 사기꾼 기질이 어느 정도로 많다는 의미의 '다분'이라는 어휘가 적절하다. '다분'은 '그 비율이 어느 정도 많음'을 의미하고, '단일'은 '단 하나로 되어 있음'을 의미한다.

✔ **08**회 확인 문제　　41쪽

01 크다	02 대신하다	03 당	04 담
05 끊다	06 대치	07 대담	08 단행
09 재단	10 할당	11 대의	12 설상가상
13 전화위복	14 오비이락		

09 '마름질'은 '옷감이나 재목 등을 치수에 맞게 재거나 자르는 일'로, '재단'과 같은 말이다. '재봉'은 '옷감 등을 마름질하여 바느질하는 일'을 의미한다.

10 '할당'은 '갈라서 나눔. 또는 그 몫'을 의미하므로 '나누어 맡은 몫'을 대신하여 쓸 수 있다. '예산'은 '필요한 비용을 미리 헤아려 계산함. 또는 그 비용'을 의미한다.

11 '대의'는 '사람으로서 마땅히 지키고 행하여야 할 큰 도리'를 의미한다. '대세'는 '일이 진행되어 가는 결정적인 형세'를 의미한다.

06 ~ 11

		06 선		
		07 동	선	
08 낙	관	적	09 등	용
천			재	
적		10 퇴		
	11 누	락		

14 동생이 신이 났으므로 '매우 기뻐하고 즐거워함'을 의미하는 '희희낙락'이라는 말이 들어가는 것이 적절하다.

15 '목불식정'은 '아주 간단한 글자인 '丁(정)' 자를 보고도 그것이 '고무래'인 줄을 알지 못한다는 뜻으로, 아주 까막눈임을 이르는 말'이다.

09회 **확인 문제**   45쪽

01 같다	02 덕	03 이끌다	04 대하다
05 홀로	06 ②	07 ①	08 ①
09 덕성	10 동조	11 대등	12 표리부동
13 철면피	14 안하무인		

06 사소한 오해가 싸움의 원인이 된 것이므로 ②의 뜻으로 쓰인 것이다.

07 '누구의 도움 없이'라는 말로 보아 남에게 기대지 않고 혼자의 노력으로 성과를 냈다는 의미이므로 ①의 뜻으로 쓰인 것이다.

08 사회의 빠른 변화에 맞추어 신속하게 행동해야 한다는 의미이므로 ①의 뜻으로 쓰인 것이다.

12 '겉으로 드러나는 언행과 속으로 가지는 생각이 다름'을 의미하는 '표리부동'이 어울린다.

13 '염치가 없고 뻔뻔스러운 사람'을 뜻하는 '철면피'가 들어가는 것이 적절하다.

14 '방자하고 교만하여 다른 사람을 업신여김'을 의미하는 '안하무인'이 어울린다.

11회 **확인 문제**   53쪽

01 력	02 램	03 못하다	04 잇닿다
05 렴	06 약함	07 부끄러움	08 비웃음
09 열등감	10 연발	11 염탐	12 빈이무원
13 안빈낙도	14 단사표음		

09 공부를 잘하는 단짝 친구와 비교하여 자신을 낮게 평가하는 감정이 생긴다는 의미의 '열등감'이라는 어휘를 넣을 수 있다. '열등감'은 '자기를 남보다 못하거나 무가치한 인간으로 낮추어 평가하는 감정'을 의미한다.

10 아름다운 공연을 보며 감탄사를 여러 번 했다는 의미이므로 '연발'이라는 표현이 적절하다. '연발'은 '연이어 일어남'을 의미한다.

11 장사의 비결을 알아내기 위해 몰래 사정을 살피러 온 손님이 있다는 의미의 '염탐'이라는 어휘가 적절하다. '염탐'은 '몰래 남의 사정을 살피고 조사함'을 의미한다.

10회 **확인 문제**   49쪽

01 오다	02 등	03 락	04 움직이다
05 락, 악, 요	06 ~ 11 해설 참조		12 낙담
13 초래	14 희희낙락	15 목불식정	

12회 **확인 문제**   57쪽

01 다스리다	02 논하다	03 이롭다, 날카롭다	
04 포개다	05 기록하다	06 녹취	07 이성적
08 누진적	09 논제	10 누적	11 논박
12 아전인수	13 수수방관	14 감탄고토	

09 '논지'는 '논하는 말이나 글의 목적이나 뜻'을 의미한다.

10 '축적'은 '지식, 경험, 자금 등을 모아서 쌓음'을 의미한다.

11 '논쟁'은 '서로 다른 의견을 가진 사람들이 각각 자기의 주장을 말이나 글로 논하여 다툼'을 의미한다.

12 모든 일에 이기적인 판단을 하는 것은 자기에게만 이롭게 되도록 생각하거나 행동하는 사람이므로 '아전인수'가 들어가면 적절하다.

13 아이들이 왕따 문제에 간섭하거나 거들지 않고 그대로 버려두었으므로 '수수방관'이 들어가는 것이 적절하다.

14 '자신의 비위에 따라서 사리의 옳고 그름을 판단함'을 이르는 말은 '감탄고토'이다.

07~12회 종합 문제
58~59쪽

01 ⑤	02 ①	03 ①	04 ①
05 ④	06 ③	07 ③	08 ③

01 '대세'는 '큰 권세', '병이 위급한 상태', '일이 진행되어 가는 결정적인 형세' 등의 뜻으로 쓰인다. 〈보기〉에서는 '싸움이 우리에게 유리하게 기울어 있다'라는 말로 보아 '일이 진행되어 가는 결정적인 형세'라는 의미로 쓰였다. '근육의 힘'과 '일을 능히 감당하여 내는 힘'은 '근력'에 관한 풀이이다.

02 ①은 참가자 명단에서 이름이 빠진 것이므로 '기입되어야 할 것이 기록에서 빠짐'을 뜻하는 '누락'이라는 어휘로 바꾸는 것이 적절하다. '퇴락'은 '낡아서 무너지고 떨어짐. 또는 지위나 수준 등이 뒤떨어짐'을 의미한다.
| 오답 확인 |
② 용납: 너그러운 마음으로 남의 말이나 행동 또는 물건이나 상황을 받아들임.
③ 염가: 매우 싼 값.
④ 염두: 마음의 속.
⑤ 도화선: 사건이 일어나게 된 직접적인 원인.

03 '대항'은 명사 뒤에 쓰여 '그것끼리 서로 겨룸'을 의미하고, '열세'는 '상대편보다 힘이나 세력이 약함'을 의미한다. '냉담'은 '태도나 마음씨가 동정심 없이 차가움'을 의미하고, '체념'은 '희망을 버리고 아주 단념함'을 의미한다.
| 오답 확인 |
② 대등: 서로 견주어 높고 낮음이나 낫고 못함이 없이 비슷함.

약세: 약한 세력이나 기세.
냉랭: 태도가 정답지 않고 매우 참.
좌절: 마음이나 기운이 꺾임.
③ 대응: 어떤 일이나 사태에 맞추어 태도나 행동을 취함.
우세: 상대편보다 힘이나 세력이 강함.
냉정: 태도가 정다운 맛이 없고 차가움.
절망: 바라볼 것이 없게 되어 모든 희망을 끊어 버림.
④ 반항: 다른 사람이나 대상에 맞서 대들거나 반대함.
열등감: 자기를 남보다 못하거나 무가치한 인간으로 낮추어 평가하는 감정.
분노: 분개하여 몹시 성을 냄.
냉소: 쌀쌀한 태도로 비웃음.
⑤ 저항: 어떤 힘이나 조건에 굽히지 않고 거역하거나 버팀.
열악: 품질이나 능력, 시설 등이 매우 떨어지고 나쁨.
무관심: 관심이나 흥미가 없음.
단념: 품었던 생각을 아주 끊어 버림.

04 '낙관적'은 '앞으로의 일 등이 잘되어 갈 것으로 여기는 것'이다. ①에서 '아무리 ~라도'라는 표현은 뒤에 나올 말과 반대인 상황일 때 쓰는 표현이므로 '내 꿈을 포기하지 않을 것이다'라는 의지와 반대되는 '비관적(앞으로의 일이 잘 안될 것이라고 보는 것)'이라는 어휘가 쓰이는 것이 적절하다.
| 오답 확인 |
② 선동적: 남을 부추겨 어떤 일이나 행동을 하게 하는 것.
③ 능동적: 다른 것에 이끌리지 않고 스스로 일으키거나 움직이는 것.
④ 독창적: 모방 없이 새로운 것을 처음으로 만들어 내거나 생각해 내는 것.
⑤ 독자적: 다른 것과 구별되는 혼자만의 특유한 것.

05 〈보기〉의 시조에는 보리밥과 풋나물을 먹는 소박한 생활을 하면서도 자연 속에서의 삶에 만족하는 모습이 드러나 있다. 따라서 '안분지족(편안한 마음으로 제 분수를 지키며 만족할 줄을 앎)'의 정서와 관계가 깊다.
| 오답 확인 |
① 고립무원: 고립되어 구원을 받을 데가 없음.
② 혈혈단신: 의지할 곳이 없는 외로운 홀몸.
③ 사고무친: 의지할 만한 사람이 아무도 없음.
⑤ 전화위복: 재앙과 근심, 걱정이 바뀌어 오히려 복이 됨.

06 ③에서 '단조'는 '사물이 단순하고 변화가 없어 새로운 느낌이 없음'을 의미한다. 그런데 '복합'은 '두 가지 이상이 하나로 합침'을 의미하므로 두 어휘의 의미가 서로 대립한다고 보기 어렵다.
| 오답 확인 |
① '능숙'은 '능하고 익숙함'을 의미하므로 '미숙(일 등에 익숙하지 못하여 서투름)'과 의미가 대립한다.
② '낙천적'은 '세상과 인생을 즐겁고 좋은 것으로 여기는 것'으로 '염세적(세상을 싫어하고 모든 일을 어둡고 부정적인 것으로 보는 것)'과 의미가 대립한다.
④ '연발'은 '연이어 일어남'을 뜻하므로 '단발(어떤 일이 연속하여 일

어나지 않고 단 한 번만 일어남)'과 의미가 대립한다.
⑤ '동질성'은 '사람이나 사물의 바탕이 같은 성질이나 특성'을 뜻하므로 '이질성(서로 바탕이 다른 성질이나 특성)'과 의미가 대립한다.

07 '안하무인'은 '눈 아래에 사람이 없다는 뜻으로, 방자하고 교만하여 다른 사람을 업신여김'을 이르는 말이다. '빈 수레가 요란하다(실속 없는 사람이 겉으로 더 떠들어 댐)'라는 속담과는 의미가 다르다.

| 오답 확인 |
① '설상가상'은 '눈 위에 서리가 덮인다는 뜻으로, 난처한 일이나 불행한 일이 잇따라 일어남'을 이르는 말이다. '엎친 데 덮치다(어렵거나 나쁜 일이 겹치어 일어나다)'와 의미가 비슷하다.
② '표리부동'은 '겉으로 드러나는 언행과 속으로 가지는 생각이 다름'을 의미한다. '겉 다르고 속 다르다'라는 속담으로 대체할 수 있다.
④ '감탄고토'는 '달면 삼키고 쓰면 뱉는다는 뜻으로, 자신의 비위에 따라서 사리의 옳고 그름을 판단함'을 이르는 말이다. '맛이 좋으면 넘기고 쓰면 뱉는다'라는 속담과 의미가 비슷하다.
⑤ '계란유골'은 '달걀에도 뼈가 있다는 뜻으로, 운수가 나쁜 사람은 모처럼 좋은 기회를 만나도 역시 일이 잘 안됨'을 이르는 말이다. '안되는 사람은 뒤로 넘어져도 코가 깨진다'라는 속담과 의미가 비슷하다.

08 ③은 '참새, 비둘기, 타조가 알을 깨고 나온다'라는 개별적인 사실로부터 '모든 새는 알을 깨고 나온다'라는 일반적인 법칙을 이끌어 냈으므로 귀납적 방법으로 결론을 끌어낸 것으로 볼 수 있다. ①과 ②는 보편적인 법칙으로부터 개별적인 사실을 끌어낸 것으로 '연역적' 방법이 쓰였다. ④와 ⑤는 두 개의 사물이 여러 면에서 비슷하다는 것을 근거로 다른 속성도 비슷할 것이라고 추론하는 '유추'의 방법이 쓰였다.

✓ **13회 확인 문제**		63쪽
01 아득하다	02 넓다	03 차다, 가득하다
04 매개	05 매혹하다	06 바라다, 바라보다, 원망하다
07 망연자실	08 풍수지탄	09 망운지정 10 매개
11 관망	12 선망	13 매료 14 만개
15 막연		

10 모기가 관계를 맺어 주어 말라리아에 전염된다는 의미이므로 '매개'라는 어휘가 어울린다. '매개'는 '둘 사이에서 양편의 관계를 맺어 줌'을 의미한다. '촉매'는 '어떤 일을 유도하거나 변화시키는 일을 비유적으로 이르는 말'이다.

11 친구들의 싸움을 그저 바라만 보고 있었다는 의미이므로 '관망'이라는 어휘가 잘 어울린다. '관망'은 '한발 물러나서 어떤 일이 되어 가는 형편을 바라봄'을 의미한다. '전망'은 '넓고 먼 곳을 멀리 바라봄', '앞날을 헤아려 내다봄'을 의미한다.

12 많은 청소년이 연예인이 되기를 바란다는 의미의 '선망'이라는 어휘가 적절하다. '선망'은 '부러워하여 바람'을 의미한다. '책망'은 '잘못을 꾸짖거나 나무라며 못마땅하게 여김'을 의미한다.

13 '매료'는 '사람의 마음을 완전히 사로잡아 흘리게 함'을 의미한다.

14 '만개'는 '꽃이 활짝 다 핌'을 의미한다.

15 '막연'은 '뚜렷하지 못하고 어렴풋함'을 의미한다.

✓ **14회 확인 문제**			67쪽
01 밝다, 밝히다		02 명	03 낮, 방면
04 맹	05 없어지다, 멸하다		06 오매불망
07 명목	08 익명성	09 박멸	10 이면
11 명암	12 학수고대	13 맹점	14 면박

12 형이 대학 합격 소식을 몹시 기다린다는 의미이므로 '학수고대'라는 한자 성어가 적절하다. '학수고대'는 '학의 목처럼 목을 길게 빼고 간절히 기다림'을 의미한다.

13 법의 모순되는 점이나 틈을 파고들어 주가를 조작했다는 의미의 '맹점'이라는 어휘가 적절하다. '맹점'은 '미처 생각이 미치지 못한, 모순되는 점이나 틈'을 의미한다.

14 동생은 형에게 불편한 일을 당하면서도 형을 따라다녔다는 의미이므로 '면박'이라는 어휘가 들어가면 적절하다. '면박'은 '면전에서 꾸짖거나 나무람'을 의미한다.

✓ **15회 확인 문제**		71쪽
01 없다	02 빠지다, 없다	03 업신여기다
04 묘하다	05 ~ 11 해설 참조	12 끝
13 묘함	14 기운	15 와신상담 16 유비무환

⁰⁵수	⁰⁶모		⁰⁷기	⁰⁸묘
	멸			미
⁰⁹골	¹⁰몰		¹¹무	모
	입		료	

15 '와신상담'은 중국 오(吳)나라의 왕 부차와 월(越)나라의 왕 구천의 이야기에서 유래하여 '불편한 땔나무에 몸을 눕히고 쓸개를 맛본다는 뜻으로, 원수를 갚거나 마음먹은 일을 이루기 위하여 온갖 어려움과 괴로움을 참고 견딤을 비유적으로 이르는 말'이다. 패배를 맛본 후 어려운 훈련에 임하는 상황이므로 '와신상담'이라는 한자 성어가 들어가는 것이 적절하다.

16 독감 예방을 위해 사전 준비를 하자는 의미이므로, '유비무환'이라는 성어가 적절하다. '유비무환'은 '미리 준비가 되어 있으면 걱정할 것이 없음'을 의미한다.

16회 확인 문제   75쪽

01 글월, 무늬	02 민	03 미	04 물건
05 작다	06 문체	07 물정	08 문맹
09 물질적	10 미동	11 문물	12 낭중지추
13 불세출	14 압권		

06 '작가의 개성을 드러낸다'라는 표현으로 보아 '문장의 개성적 특색'을 의미하는 '문체'가 들어가야 어울린다.

07 순수한 아이와 같이 세상의 이러저러한 실정이나 형편에 어둡다는 의미이므로 '물정'이라는 어휘가 적절하다.

08 '한글을 가르치며 무엇을 퇴치하는 데 힘썼다'라는 표현으로 보아 글을 모르는 사람이 없도록 만들었다는 의미이다. 따라서 '배우지 못하여 글을 읽거나 쓸 줄을 모르는 사람'을 의미하는 '문맹'이 들어가는 것이 적절하다.

09 홍수로 피해를 입은 지역에 필요한 것은 구체적인 재물의 지원이므로 '물질적'이라는 어휘가 어울린다. '미온적'은 '태도가 미적지근한 것'을 의미한다.

10 자동 탐지 장치로 적군의 '약간의 움직임'까지 파악할

수 있다는 의미의 '미동'이라는 어휘가 어울린다. '민심'은 '백성의 마음'을 의미한다.

11 서양의 문화로부터 나온 물건이 도입되었다는 표현이므로 '문물'이 어울린다. '문물'은 '문화의 산물(일정한 곳에서 생산되어 나오는 물건이나 현상)'을 의미한다. '미물'은 '작고 변변치 않은 물건'이라는 뜻이다.

17회 확인 문제   79쪽

01 핍박하다, 닥치다	02 넓다	03 엷다
04 벗기다	05 빽빽하다, 자세하다, 몰래	06 해박
07 면밀	08 박색, 박대 09 ②	10 ②
11 ①	12 밀접	13 박두	14 박탈감

09 스트레스가 풀릴 정도의 기분을 들게 한 농구 경기를 꾸며 주는 말이므로 ②의 의미가 적절하다.

10 과제 제출 기한을 앞두고 매우 급한 마음이 드는 것이므로 ②의 뜻으로 쓰인 것이다.

11 도시 생활이 삭막하게 느껴진다는 의미이므로 ①의 뜻으로 쓰인 것이다.

12 '밀접'은 '아주 가깝게 맞닿아 있음'을 의미한다.

13 '박두'는 '기일이나 시기가 가까이 닥쳐옴'을 의미한다.

14 사장의 차별하는 태도 때문에 존중받을 권리를 빼앗긴 느낌이 든다는 의미이므로 '박탈감'이 적절하다. '박탈감'은 '재물이나 권리, 자격 등을 빼앗긴 느낌'을 의미한다.

18회 확인 문제   83쪽

01 피다	02 반	03 방	04 밀치다
05 백	06 안배	07 반박	08 방자
09 배척	10 방심	11 ①	12 ②
13 ③	14 ④		

09 조선 시대에는 불교를 거부하여 밀어 내쳤으므로 '배척'이라는 어휘가 적절하다. '발산'은 '감정 등을 밖으로 드러내어 해소함' 등을 의미한다.

10 마음을 놓은 사이에 적군이 공격해 왔다는 의미의 '방심'이라는 어휘가 어울린다. '방심'은 '마음을 다잡지 않고 풀어 놓아 버림'을 뜻하고, '계발'은 '슬기나 재능, 사상 등을 일깨워 줌', '방류'는 '모아서 가두어 둔 물을 흘려 보냄'을 의미한다.

01 '방류'에 쓰인 '방'은 '놓을 방(放)'으로, '방류(放流)'는 '모아서 가두어 둔 물을 흘려 보냄', '물고기를 기르기 위하여, 어린 새끼 고기를 강물에 놓아 보냄'을 의미한다.
| 오답 확인 |
① '관망'에 쓰인 '망'은 '바라볼 망(望)'으로, '관망(觀望)'은 '한발 물러나서 어떤 일이 되어가는 형편을 바라봄', '풍경 등을 멀리서 바라봄'을 의미한다.
② '규명'에 쓰인 '명'은 '밝힐 명(明)'으로, '규명(糾明)'은 '어떤 사실을 자세히 따져서 바로 밝힘'을 의미한다.
③ '미간'에 쓰인 '미'는 '눈썹 미(眉)'로, '미간(眉間)'은 '두 눈썹의 사이'를 의미한다.
④ '박해'에 쓰인 '박'은 '핍박할 박(迫)'으로 '박해(迫害)'는 '못살게 굴어서 해롭게 함'을 의미한다.

02 '명분'은 '각각의 이름이나 신분에 따라 마땅히 지켜야 할 도리' 또는 '일을 꾀할 때 내세우는 구실이나 이유 등'을 뜻한다. 용례에 쓰인 '명분'은 첫 번째 뜻에 해당한다. 여러 가지 뜻을 가진 어휘는 문장에 따라 문맥적 의미가 달라지므로 유의해야 한다.

03 '물색'은 '물건의 빛깔', '어떤 기준으로 거기에 알맞은 사람이나 물건, 장소를 고르는 일', '어떤 일의 까닭이나 형편', '자연의 경치' 등을 뜻한다. 〈보기〉의 '물색'은 두 번째 뜻에 해당하며, ④에 쓰인 '물색'과 의미가 같다.
| 오답 확인 |
①, ②에 쓰인 '물색'은 '자연의 경치'를 의미한다.
③에 쓰인 '물색'은 '어떤 일의 까닭이나 형편'을 의미한다.
⑤에 쓰인 '물색'은 '물건의 빛깔'을 의미한다.

04 '노심초사'는 '몹시 마음을 쓰며 애를 태움'을 뜻한다. ④와 같은 상황에는 '어떤 일이든 끊임없이 노력하면 반드시 이루어짐'을 의미하는 '우공이산'이라는 성어를 쓰는 것이 적절하다.
| 오답 확인 |
① 함흥차사: 심부름을 가서 오지 않거나 늦게 온 사람을 이르는 말.

② 형설지공: 반딧불·눈과 함께 하는 노력이라는 뜻으로, 고생을 하면서 부지런하고 꾸준하게 공부하는 자세를 이르는 말.
③ 풍수지탄: 바람과 나무의 탄식이라는 뜻으로, 효도를 다하지 못한 채 어버이를 여읜 자식의 슬픔을 이르는 말.
⑤ 낭중지추: 주머니 속의 송곳이라는 뜻으로, 재능이 뛰어난 사람은 숨어 있어도 저절로 사람들에게 알려짐을 이르는 말.

05 '소멸'은 '사라져 없어짐'을 뜻한다. ②에서 농부들은 해충을 잡아 없애려 한 것이므로 '소멸'이 아니라 '박멸'을 쓰는 것이 적절하다. '박멸'은 '모조리 잡아 없앰'을 의미한다.
| 오답 확인 |
① 미물: 인간에 비하여 보잘것없는 것이라는 뜻으로, '동물'을 이르는 말.
③ 책망: 잘못을 꾸짖거나 나무라며 못마땅하게 여김.
④ 몰상식: 상식이 없음.
⑤ 명암: 기쁜 일과 슬픈 일 또는 행복과 불행을 통틀어 이르는 말.

06 ㉠에는 '골몰(다른 생각을 할 여유도 없이 한 가지 일에만 파묻힘)'이나 '몰입(깊이 파고들거나 빠짐)'이 들어갈 수 있다. ㉡에는 '무분별(분별이 없음)', ㉢에는 '압권(여러 책이나 작품 가운데 제일 잘된 책이나 작품)'이 들어갈 수 있다. '망연자실'은 '멍하니 정신을 잃음'을 뜻한다.

07 ㉣의 '발산'은 '감정 등을 밖으로 드러내어 해소함. 또는 분위기 등을 한껏 드러냄'이라는 의미로 쓰였다.

09 한번 정해진 규칙을 마음대로 고칠 수 없다는 의미이므로 '번복'이라는 어휘가 어울린다. '번복'은 '이리저리 고치거나 뒤바꿈'을 의미한다.

10 졸업 후 10년 만에 찾아간 학교가 크게 달라졌다는 의미이므로 '변모'라는 어휘가 어울린다. '변모'는 '모양이나 모습이 달라지거나 바뀜'을 의미한다.

11 공군은 항공기의 종류를 구별하여 알아볼 수 있는 기계를 가지고 있다는 의미이므로 '식별'이라는 어휘가 어울린다. '식별'은 '분별하여 알아봄'을 의미한다.

12 '유유상종'은 '같은 무리끼리 서로 사귐'을 뜻한다.

13 '동병상련'은 '같은 병을 앓는 사람끼리 서로 가엾게 여긴다는 뜻으로, 어려운 처지에 있는 사람끼리 서로 가엾게 여김'을 이르는 말이다.

14 '오월동주'는 '서로 적의를 품은 사람들이 한자리에 있게 된 경우나 서로 협력하여야 하는 상황을 비유적으로 이르는 말'이다.

20회 확인 문제   93쪽

01 분	02 근본	03 부	04 회복하다
05 부과하다, 주다		06 분간	07 복구
08 분산	09 복원	10 부착	11 분배
12 지록위마	13 혹세무민	14 가정맹어호	

09 손상된 유물을 원래대로 회복한다는 의미의 '복원'이라는 어휘가 어울린다. '복원'은 '원래대로 회복함'을 의미하고, '복위'는 '폐위되었던 황제 또는 국왕이나 그의 아내가 다시 그 자리에 오름'을 의미한다.

10 사물함 문에 이름표가 떨어지지 않게 붙어 있다는 의미이므로 '부착'이라는 어휘가 들어가야 적합하다. '부착'은 '떨어지지 않게 붙음. 또는 그렇게 붙이거나 닮'을 의미하고, '첨부'는 '안건이나 문서 등을 덧붙임'을 뜻한다.

11 이익을 공평하게 나누어야 한다는 의미이므로 '분배'가 들어가는 것이 적절하다. '분배'는 '몫몫이 별러 나눔'을 의미하고, '부과'는 '세금이나 부담금 등을 매기어 부담하게 함'을 의미한다.

21회 확인 문제   97쪽

01 아니다	02 아니다, 그르다	03 낮다, 낮추다
04 비평하다	05 떨치다	06 ~ 12 해설 참조
13 분발	14 비평	15 불가사의
16 붕우유신		
17 장유유서		

---

06 ~ 12

고 ₀₆	군	분 ₀₇	투	
		연	비 ₀₈	천
			하	
부 ₀₉	정	부 ₁₀	패	
		조	시 ₁₁	
		리	비 ₁₂	범

16~17 오륜(五倫)은 유학에서 사람이 지켜야 할 다섯 가지 도리로, 부자유친(父子有親), 군신유의(君臣有義), 부부유별(夫婦有別), 장유유서(長幼有序), 붕우유신(朋友有信)을 이른다.

22회 확인 문제   101쪽

01 죽다	02 사	03 슬프다	04 비
05 빈	06 ②	07 ③	08 도수(횟수)
09 탄식	10 죽음	11 ㉢	12 ㉠
13 ㉡			

06 어른들과 사회의 보호가 미치지 못하는 구역을 비유적으로 이른 것이므로 ②의 의미가 적절하다.

07 '해일'이라는 천재지변으로 큰일을 겪은 것이므로 ③의 뜻으로 쓰인 것이다.

11 '연하고질'은 '안개와 노을을 사랑하는 고질병이라는 뜻으로, 자연의 아름다운 경치를 몹시 사랑하고 즐기는 성질이나 버릇을 이르는 말'이다.

12 '요산요수'는 '산수(山水)의 자연을 즐기고 좋아함'을 의미한다.

13 '천석고황'은 '샘과 돌을 좋아하는 병이 고황(膏肓)에 들었다는 뜻으로, 자연의 아름다운 경치를 몹시 사랑하고 즐기는 성질이나 버릇을 이르는 말'이다.

01 삼	02 위, 오르다	03 산	04 생각
05 셈	06 ④	07 상기	08 승산
09 이율배반	10 자가당착		

06 '심산'은 '마음속으로 하는 궁리나 계획'이다. '기쁜 마음으로 공경하여 사모함'은 '흠모'이다. '추산'은 '짐작으로 미루어 셈함'이고, '마음속으로 이해관계를 계산해 봄'은 '속 타산'이다. '부산물'은 '중심이 되는 물건을 만드는 과정에서 더불어 생기는 물질'이고, '생산되어 나오는 곳'은 '산지'이다. 따라서 제시된 어휘의 뜻을 따라가면 '심산-추산-산출'로 이어진다. '산출'의 뜻은 ④와 같다.

07 면접을 앞둔 사람들의 표정을 묘사한 부분이므로 '상기'라는 표현이 어울린다. '상기'는 '흥분이나 부끄러움으로 얼굴이 붉어짐'을 의미한다.

08 이길 가능성이 없는 시합이었지만 최선을 다했다는 의미이므로 '승산'이라는 어휘가 적절하다. '승산'은 '이길 수 있는 가능성'을 의미한다.

01 서로, 형상, 재상	02 생각	03 항상
04 갚다, 보상	05 코끼리, 모양, 본뜨다	06 상용
07 상반	08 왕후장상	09 상당	10 상습적
11 배상금	12 청출어람	13 문일지십	14 맹모삼천

06 '상용'은 '일상적으로 씀'을 의미한다.

07 '상반'은 '서로 반대되거나 어긋남'을 의미한다.

08 '왕후장상이 씨가 있나'라는 속담은 높은 자리에 오르는 것은 가문이나 혈통 등에 따른 것이 아니라 자신의 능력에 따른 것임을 이르는 말이다.

12 '청출어람'은 '쪽에서 뽑아낸 푸른 물감이 쪽보다 더 푸르다는 뜻으로, 제자나 후배가 스승이나 선배보다 나음을 비유적으로 이르는 말'이다.

13 '문일지십'은 '하나를 듣고 열 가지를 미루어 안다는 뜻으로, 지극히 총명함을 이르는 말'이다. 공자의 제자 중에

안회가 무척 총명하고 영리하여 하나를 들으면 열 가지를 알았다고 한다.

14 '맹모삼천'은 '맹자의 어머니가 아들을 가르치기 위하여 세 번이나 이사하였음을 이르는 말'로, 교육에 있어서 좋은 환경이 중요함을 일깨우는 말이다.

01 ②	02 ②	03 ⑤	04 ②
05 ①	06 ④	07 ④	

01 '식별'은 '분별하여 알아봄'을 뜻한다. 제시된 의미는 '분간'에 관한 풀이다.

02 단체전 상금을 기여도에 따라 나눈 것이므로, '차등을 두어 나누었다'라는 말 대신 '분배하였다'라는 말을 쓰는 것이 적절하다. '분배'는 '몫몫이 별러 나눔'을 의미한다. '부과'는 '세금이나 부담금 등을 매기어 부담하게 함'을 의미하므로 바꾼 표현으로 적절하지 않다.
| 오답 확인 |
① 변모: 모양이나 모습이 달라지거나 바뀜.
③ 번복: 이리저리 뒤집거나 고침.
④ 허비: 헛되이 씀.
⑤ 상용: 일상적으로 씀.

03 ⑤는 반장이 남의 도움을 받지 않고 혼자서 애쓰는 상황이므로 '고군분투'의 의미를 잘 활용한 예문이다.
| 오답 확인 |
① '동병상련'의 예문으로 쓰기에 적절하다.
② '가렴주구'의 예문으로 쓰기에 적절하다.
③ '붕우유신'의 예문으로 쓰기에 적절하다.
④ '혹세무민'의 예문으로 쓰기에 적절하다.

04 '보편성'은 '모든 것에 두루 미치거나 통하는 성질'이다. 우리나라가 분단국가인 것은 우리나라만의 특수한 성질이므로, '보편성'이라는 어휘를 쓰기에 적절하지 않다.
| 오답 확인 |
① 복원: 원래대로 회복함.
③ 분간: 사물이나 사람의 옳고 그름 등의 정체를 구별하거나 가려서 앎.
④ 배상금: 남에게 입힌 손해에 대해 물어 주는 돈.
⑤ 임기응변: 그때그때 처한 사태에 맞추어 즉각 그 자리에서 결정하거나 처리함.

05 '비판적'은 '현상이나 사물의 옳고 그름을 판단하여 밝히거나 잘못된 점을 지적하는 것'을 의미한다. '맹목적'은

'주관이나 원칙이 없이 덮어놓고 행동하는 것'이므로 둘의 의미가 서로 대립한다고 보기 어렵다.

| 오답 확인 |

② '비천'은 '지위나 신분이 낮고 천함'을 뜻하고, '존귀'는 '지위나 신분이 높고 귀함'을 의미한다.

③ '복위'는 '폐위되었던 황제 또는 국왕이나 그의 아내가 다시 그 자리에 오름'을 뜻하고, '폐위'는 '왕이나 왕비 등의 자리를 폐함'을 의미한다.

④ '비범'은 '보통 수준보다 훨씬 뛰어남'을 뜻하고, '평범'은 '뛰어나거나 색다른 점이 없이 보통임'을 의미한다.

⑤ '분산'은 '갈라져 흩어짐'을 뜻하고, '집중'은 '한곳을 중심으로 하여 모임'을 의미한다.

06 '유유상종'은 '같은 무리끼리 서로 사귐'을 뜻하고, '오월동주'는 '서로 적의를 품은 사람들이 한자리에 있게 된 경우나 서로 협력하여야 하는 상황을 비유적으로 이르는 말'이다. 따라서 그 의미가 서로 비슷하다고 보기 어렵다.

| 오답 확인 |

① '가렴주구'는 '세금을 가혹하게 거두어들이고, 무리하게 재물을 빼앗음'을 뜻하고, '가정맹어호'는 '가혹한 정치는 호랑이보다 무섭다는 뜻으로, 혹독한 정치의 폐가 큼을 이르는 말'이다.

② '모순'은 '어떤 사실의 앞뒤, 또는 두 사실이 이치상 어긋나서 서로 맞지 않음'을 뜻하고, '자가당착'은 '같은 사람의 말이나 행동이 앞뒤가 서로 맞지 않고 모순됨'을 뜻하므로 의미가 서로 비슷하다.

③ '연하고질'과 '천석고황'은 모두 자연을 사랑하고 즐기는 것을 병에 빗대어 표현한 것으로 자연을 몹시 사랑한다는 의미이다.

⑤ '초록동색'은 '풀색과 녹색은 같은 색이라는 뜻으로, 처지가 같은 사람들끼리 한패가 되는 경우를 비유적으로 이르는 말'이고 '동병상련'은 '같은 병을 앓는 사람끼리 서로 가엾게 여김'을 뜻하므로 의미가 서로 비슷하다.

07 '상징성'은 '추상적인 사물이나 개념을 구체적인 사물로 나타내는 성질'을 의미한다. 제시된 의미는 '추상적'에 관한 풀이이다.

25회 확인 문제   115쪽

01 나다, 살다	02 먼저, 조상	03 이루다	04 찾다, 더듬다
05 소리	06 모색	07 양성	08 생경
09 ×	10 ×	11 ×	12 격세지감
13 상전벽해	14 조령모개		

06 학교 폭력을 없앨 방법을 찾는다는 의미이므로 '모색'이 어울린다. '모색'은 '일이나 사건 등을 해결할 방법이나 실마리를 더듬어 찾음'을 의미한다. '수색'은 '(물건이나 사람, 장소 등을) 구석구석 뒤지어 찾음'을 의미한다.

07 어학 실력을 길러서 발전시키기 위하여 연수를 떠난 것이므로 '양성'이라는 어휘가 어울린다. '양성'은 '실력이나 역량 등을 길러서 발전시킴'을 의미한다. '달성'은 '목적한 것을 이룸'을 의미한다.

08 '분위기에 적응하는 데 꽤 오랜 시간이 걸렸다'라는 말로 보아 앞에는 '익숙하지 않아 어색하다'라는 내용이 와야 하므로 '생경'이라는 어휘가 적절하다. '생경'은 '익숙하지 않아 어색함'을 의미한다. '친숙'은 '친하여 익숙하고 허물이 없음'을 의미한다.

09 '생색'에는 '활기 있는 기색'이라는 뜻도 있으나, 제시된 문장에서는 '다른 사람 앞에 당당히 나설 수 있거나 자랑할 수 있는 체면'이라는 뜻으로 쓰였다.

10 '선친'은 '남에게 돌아가신 자기 아버지를 이르는 말'이다.

11 '종성'은 음절의 구성에서 마지막 소리인 자음을 의미하며, '밤'에서 종성은 'ㅁ'이다.

26회 확인 문제   119쪽

01 인간, 세상	02 받다	03 풍속, 속되다	
04 형세	05 무리	06 세파	07 입신양명
08 속물적	09 수령	10 태세	11 세대
12 속어	13 등용문	14 속성	

12 '속어'는 '통속적으로 쓰는 저속한 말', '점잖지 못하고 상스러운 말'을 의미한다.

13 '등용문'은 '어려운 관문을 통과하여 크게 출세하게 됨. 또는 그 관문을 이르는 말'이다.

14 '속성'은 '사물의 특징이나 성질'을 의미한다.

27회 확인 문제   123쪽

01 시	02 닦다	03 높다	04 숙
05 엄습하다, 물려받다		06 ~ 14 해설 참조	
15 시점	16 숙성		

06 ~ 14

			⁰⁶시						⁰⁹숙	
⁰⁷사	⁰⁸후	약	방	문			¹⁰만	¹¹시	지	탄
	회				¹²수			효		
	막		¹³망	양	보	뢰		¹⁴숭	고	
	급							배		

15 계약이 성립한 순간부터 효력이 발생한다는 의미이므로 '시점'이 들어가야 적절하다. '시점'은 '시간의 흐름 가운데 어느 한 순간'을 의미한다. '시국'은 '현재 당면한 국내 및 국제 정세나 대세'를 의미한다.

16 '숙성'은 '효소나 미생물의 작용에 의하여 발효된 것이 잘 익음'을 의미하므로 '숙성을 거친 와인'이라는 표현이 자연스럽다. '성숙'은 '생물의 발육이 완전히 이루어짐', '몸과 마음이 자라서 어른스럽게 됨' 등을 의미한다.

28회 **확인 문제** 127쪽

01 믿다, 정보	02 새롭다	03 실	04 시
05 귀신	06 사실대로	07 새롭게	08 효과
09 ②	10 ②	11 ②	12 각주구검
13 견문발검	14 연목구어		

09 색다른 방식의 광고가 사람들의 관심을 끌었다는 의미이므로 ②의 뜻으로 쓰인 것이다.

10 투표율이 지금까지의 최고치를 깨뜨릴 것으로 보인다는 의미이므로 ②의 뜻으로 쓰인 것이다.

11 건강이 위험한 상태에 있음을 알려 주는 조짐이 보이기 전에 건강 관리를 해야 한다는 의미이므로 ②의 뜻으로 쓰인 것이다.

29회 **확인 문제** 131쪽

01 마음	02 편안하다	03 책상, 생각	04 깊다
05 악하다, 미워하다		06 심취	07 안주
08 심오	09 감안	10 혐오감	11 회심
12 일편단심	13 부화뇌동	14 심사숙고	

12 '일편단심'은 '한 조각의 붉은 마음이라는 뜻으로, 진심에서 우러나오는 변치 않는 마음을 이르는 말'이다.

13 '부화뇌동'은 '우레(천둥) 소리에 맞춰 같이한다는 뜻으로, 줏대 없이 남의 의견에 따라 움직임을 이르는 말'이다.

14 '심사숙고'는 '깊이 잘 생각함'을 의미한다.

30회 **확인 문제** 135쪽

01 말씀	02 어둡다	03 여	04 엄하다
05 약	06 ×	07 ○	08 ○
09 ×	10 ○	11 ②	12 ①
13 ③	14 ④		

06 '여담'은 '이야기하는 과정에서 본 줄거리와 관계없이 흥미로 하는 딴 이야기'를 의미한다. '아직 가시지 않고 남아 있는 운치'는 '여운'이다.

09 '어간'은 '활용어가 활용할 때에 변하지 않는 부분으로, '먹다'에서 '먹-'이 어간에 해당한다. 활용할 때 변하는 부분인 '-다'는 어미에 해당한다.

25~30회 **종합 문제** 136~137쪽

01 ⑤	02 ④	03 ②, ③	04 추세, 도약
05 ⑤	06 ①	07 ②	

01 '일편단심(一片丹心)'은 '마음 심'이 쓰인 어휘가 맞지만, '심사숙고(深思熟考)'는 '깊을 심'이 쓰인 어휘이다. '일편단심'은 '진심에서 우러나오는 변치 않는 마음'을 의미하고, '심사숙고'는 '깊이 잘 생각함'을 의미한다.

| 오답 확인 |
① 생동감(生動感), 생색(生色)
② 세속(世俗), 세파(世波)
③ 숙지(熟知), 친숙(親熟)
④ 신념(信念), 적신호(赤信號)

02 ④에서 '경신되는 지식'이라는 표현은 '이미 있던 지식을 고쳐 새롭게 한 것'이라는 의미이므로, 〈보기〉의 첫 번째 뜻에 해당한다. ①은 〈보기〉의 두 번째 뜻으로 쓰인 예문이고, ②, ③, ⑤는 〈보기〉의 세 번째 뜻으로 쓰인 예문이다.

정답과 해설 · 51

03 ②는 공항을 나서 마주한 풍경에 대한 느낌을 이야기하고 있으므로 '생경'은 '익숙하지 않아 어색함'이라는 뜻으로 쓰였다. ③에서 용의자를 조사할 때 쓰이는 '심층'은 '겉으로 드러나지 않은, 사물이나 사건의 내부 깊숙한 곳'을 의미하는 말이다.

| 오답 확인 |

① '세속을 등지다'에 쓰인 '세속'은 '사람이 살고 있는 모든 사회'를 이르는 말이다.

④ '사고 능력의 양성'에 쓰인 '양성'은 '실력이나 역량 등을 길러서 발전시킴'을 의미한다.

⑤ '슬픔의 여운'에 쓰인 '여운'은 '아직 가시지 않고 남아 있는 운치'를 의미한다.

04 ㉠의 '추세'는 '어떤 현상이 일정한 방향으로 나아가는 경향'이라는 뜻이므로, '요즘은 결혼을 늦게 하는 경향'이라는 의미이다. '태세'는 '어떤 일이나 상황을 앞둔 태도나 자세'를 말한다. ㉡의 '도약'은 '더 높은 단계로 발전하는 것을 비유적으로 이르는 말'이므로 '국내 일류 기업으로 발전하기 위해 힘쓰고 있다'라는 의미이다. '비약'은 '지위나 수준 등이 갑자기 빠른 속도로 높아지거나 향상됨'을 의미한다.

05 '유구무언'은 '변명할 말이 없거나 변명을 못함'을 이르는 말이다. ⑤는 정치인의 말솜씨가 좋았다는 의미이므로 '청산유수'와 같은 어휘가 들어가야 적절하다. '청산유수'는 '막힘없이 썩 잘하는 말을 비유적으로 이르는 말'이다.

| 오답 확인 |

① 시효(時效): 어떤 사실 상태가 일정한 기간 동안 계속되는 일.

② 공습(攻襲): 갑자기 공격하여 침.

③ 심취(心醉): 어떤 일이나 사람에 깊이 빠져 마음을 빼앗김.

④ 속물적(俗物的): 교양이 없거나 식견이 좁고 세속적인 일에만 신경을 쓰는 것.

06 '각주구검'은 '융통성 없이 현실에 맞지 않는 낡은 생각을 고집하는 어리석음을 이르는 말'이다. 사소한 일로 크게 성내어 덤빔을 표현할 때는 '견문발검'이라는 한자 성어를 쓰는 것이 적절하다.

07 '순시'는 '돌아다니며 사정을 보살핌. 또는 그런 사람'을 의미한다.

| 오답 확인 |

① ⓐ의 '쇄신'은 '그릇된 것이나 묵은 것을 버리고 새롭게 함'을 의미한다. '새롭고 산뜻함'을 의미하는 어휘는 '참신'이다.

③ ⓒ의 '신출귀몰'은 '귀신처럼 그 움직임을 쉽게 알 수 없을 만큼 자유자재로 나타나고 사라짐을 비유적으로 이르는 말'이다. '거침없이 자기 마음대로 할 수 있음'을 의미하는 어휘는 '자유자재'이다.

④ ⓓ의 '실효성'은 '실제로 효과를 나타내는 성질'이다. '보람 있게 쓰거나 쓰이는 성질'은 '효용성'이라고 한다.

⑤ ⓔ의 '실질적'은 '실제로 있는 본바탕과 같거나 그것에 근거하는 것'을 의미한다. '알맞게 쓰거나 좋은 일에 씀'은 '선용'이다.

31회 확인 문제 · 141쪽

01 유	02 위엄	03 욕되다	04 연
05 놀다, 유세하다		06 위력	07 유세
08 유기적	09 곤욕	10 향유	11 완연
12 ㉢	13 ㉠	14 ㉡	

09 '곤욕'은 '심한 모욕 또는 참기 힘든 일'을 뜻하고, '영욕'은 '영예와 치욕을 아울러 이르는 말'이다. 태풍 때문에 농부들이 참기 힘든 일을 당했다는 의미이므로 '곤욕'이 어울린다.

10 '향유'는 '누리어 가짐'을 뜻하고, '유희'는 '즐겁게 놀며 장난함 또는 그런 행위'를 의미한다. 왕이 부와 권력을 누리다 민심을 잃었다는 의미이므로 '향유'라는 어휘를 쓰는 것이 적절하다.

11 '완연'은 '눈에 보이는 것처럼 아주 뚜렷함'을 뜻하고, '의연'은 '의지가 굳세어서 끄떡없음'을 의미한다. 이제 봄기운이 뚜렷하다는 의미이므로 '완연'이라는 어휘가 어울린다.

32회 확인 문제 · 145쪽

01 하나	02 사람, 다른 사람		03 다르다
04 뜻	05 달아나다, 숨다		06 경이
07 이질적	08 고의	09 일화	10 인권
11 일탈	12 견마지로	13 인신공격	14 살신성인

09 '일화'는 '세상에 널리 알려지지 않은 흥미 있는 이야기'이고, '우화'는 '인격화한 동식물이나 사물을 주인공으로 하여 그들의 행동 속에 풍자와 교훈의 뜻을 나타내는 이야기'이다. 할머니가 젊은 시절에 겪은 이야기를 들려주신 것이므로 '일화'라는 어휘가 어울린다.

10 '인권'은 '인간으로서 당연히 가지는 기본적 권리'이고, '사욕'은 '자기 한 개인의 이익만을 꾀하는 욕심'을 의미한다. 죄수가 보장받아야 할 권리에 관한 내용이므로 '인권'이라는 어휘가 들어가면 문장이 자연스럽다. 문맥상 '사욕'은 어울리지 않는다.

11 '일탈'은 '사회적인 규범으로부터 벗어나는 일'을 뜻하고, '해탈'은 '번뇌의 얽매임에서 풀리고 미혹의 괴로움에서 벗어남'을 의미하는 불교 용어이다. 청소년기의 음주나 흡

연은 사회적 규범에서 벗어나는 행위이므로 '일탈'이라는 어휘가 적절하다.

12 '하찮은 재주'라는 말로 자신의 노력을 겸손하게 표현하고 있으므로 '견마지로'라는 어휘가 들어가야 한다. '견마지로'는 '개나 말 정도의 하찮은 힘이라는 뜻으로, 윗사람에게 충성을 다하는 자신의 노력을 낮추어 이르는 말'이다.

13 상대 후보에 대해 경고를 받을 정도의 행위를 했으므로 '인신공격'이라는 어휘가 들어가야 적절하다. '인신공격'은 '남의 신상에 관한 일을 들어 비난함'을 의미한다.

14 '위험을 무릅쓰고'라는 말에서 희생정신이 느껴지므로 '살신성인'이라는 어휘가 어울린다. '살신성인'은 '자기의 몸을 희생하여 인(仁)을 이룸'을 의미한다.

✔ 33회 확인 문제　　149쪽

01 끊다	02 스스로	03 나타나다, 짓다
04 준	05 전	06 ~ 13 해설 참조
14 절박	15 준거	16 자초지종　17 풍전등화

06 ~ 13

		⁰⁶자	⁰⁸자	⁰⁹전	락
승	긍	이	
⁰⁷자	만	심	
박			¹⁰애	¹¹절
	¹²현	¹³저		통
		술		

16 사건에 대한 설명을 듣고 친구들의 오해가 풀렸으므로 어떤 일에 대한 '처음부터 끝까지의 과정'을 뜻하는 '자초지종'이 들어가야 적절하다.

17 생태학자들이 환경 오염으로 인한 지구의 운명을 걱정하는 말을 한 것이므로 '매우 위태로운 처지에 놓여 있음을 비유하는 말'인 '풍전등화'가 들어가야 적절하다.

✔ 34회 확인 문제　　153쪽

01 나다	02 밀다	03 모으다, 모이다
04 나아가다	05 살피다	06 뽑다, 없애다
07 ②	08 ①	09 ①　　10 추론
11 성찰	12 추이	13 사면초가　14 진퇴양난
15 누란지위		

07 숙제에 사용한 사진의 근거를 기록한 것이므로 ②의 뜻으로 쓰인 것이다.

08 스트레스를 풀고 싶은 욕구가 터져 나온 것이므로 ①의 뜻으로 쓰인 것이다.

09 해결 방안과는 먼 막연한 논의가 이루어진 것이므로 ①의 뜻으로 쓰인 것이다.

10 '추측'은 '미루어 생각하여 헤아림'을 의미한다.

11 '통찰'은 '예리한 관찰력으로 사물을 꿰뚫어 봄'을 의미한다.

12 '촉진'은 '다그쳐 빨리 나아가게 함'을 의미한다.

13 '사면초가'는 '아무에게도 도움을 받지 못하는, 외롭고 곤란한 지경에 빠진 형편을 이르는 말'이다.

14 '진퇴양난'은 '이러지도 저러지도 못하는 어려운 처지'를 의미한다.

15 '누란지위'는 '층층이 쌓아 놓은 알의 위태로움이라는 뜻으로, 몹시 아슬아슬한 위기를 비유적으로 이르는 말'이다.

✔ 35회 확인 문제　　157쪽

01 포	02 통하다	03 치우치다	04 빼앗다
05 태	06 ×	07 ×	08 ○
09 자태	10 편견	11 분포	12 ㉢
13 ㉡	14 ㉠		

06 '약탈'은 '폭력을 써서 남의 것을 억지로 빼앗음'을 의미한다. '왕위, 국가 주권 등을 억지로 빼앗음'을 의미하는 말은 '찬탈'이다.

07 '행태'는 '행동하는 모양새'라는 뜻으로, 주로 부정적인 의미로 쓰인다. '있는 그대로의 상태'를 의미하는 말은 '실태'이다.

09 소나무의 웅장한 모습에 관한 표현이므로 '자태'라는 어휘가 적절하다. '자태'는 '어떤 모습이나 모양'이라는 뜻으로, 주로 사람의 맵시나 태도에 대하여 이르며 식물, 건축물, 강, 산 등을 사람에 비유하여 이르기도 한다.

10 대중문화가 천박하고 깊이가 없다는 말은 치우친 생각에 사로잡혀 있음을 보여주는 것이므로 '편견'이라는 어휘가 들어가는 것이 적절하다. '편견'은 '공정하지 못하고 한쪽으로 치우친 생각'을 의미한다.

11 인구의 대부분이 수도권에 몰려 있다는 말로 보아 인구 분포에 관한 내용이므로 '분포'라는 어휘가 적절하다. '분포'는 '일정한 범위에 흩어져 퍼져 있음'을 의미한다.

06 '이기주의'라는 말에서 사회 발전을 방해함을 알 수 있으므로 '막아서 못 하도록 해침'을 뜻하는 '저해'가 들어가면 적절하다.

07 커피에 수면을 방해하는 카페인 성분이 많이 포함되어 있다는 의미이므로 '함량'이라는 어휘가 들어가는 것이 적절하다. '함량'은 '물질이 어떤 성분을 포함하고 있는 분량'을 의미한다.

08 야생 동물 보호 구역에서 동물을 잡는 것이 금지되어 있다는 의미이므로 '짐승이나 물고기를 잡음'을 뜻하는 '포획'이 어울린다.

12 심리적인 부분을 건강히 다져, 잘못되거나 가짜인 것에 속지 않는 어른이 되어야 한다는 의미이므로 '사이비'라는 어휘를 쓰는 것이 적절하다. '사이비'는 '겉으로는 비슷하나 속은 완전히 다른 것'을 의미한다.

13 친구와 솔직한 대화를 나눈 후에 오해가 풀렸다는 내용

이므로 '허심탄회'라는 어휘가 들어갈 수 있다. '허심탄회'는 '품은 생각을 터놓고 말할 만큼 아무 거리낌이 없고 솔직함'을 뜻한다.

14 '삼인성호'는 세 사람이 짜면 거리에 범이 나왔다는 거짓말도 꾸밀 수 있다는 뜻이다.

01 '자존감'은 '스스로 자기를 소중히 대하여 존중하는 감정'이다. '자신이나 자신과 관련 있는 것을 스스로 자랑하며 뽐내는 마음'은 '자만심'이다.

02 '흐지부지'는 '확실하게 하지 못하고 흐리멍덩하게 넘어가거나 넘기는 모양'을 의미한다. 비슷한 의미의 '유야무야'로 바꿀 수 있다. '풍비박산'은 '사방으로 날아 흩어짐'을 의미하는 말로 '흐지부지'와는 의미상 차이가 있다.
| 오답 확인 |
① 탈취: 빼앗아 가짐.
② 집약: 한데 모아서 요약함.
③ 숙연: 고요하고 엄숙함.
⑤ 편파적: 공정하지 못하고 어느 한쪽으로 치우친 것.

03 '절박'은 '어떤 일이나 때가 가까이 닥쳐서 몹시 급함' 또는 '인정이 없고 냉정함'이라는 두 가지 뜻을 가지고 있다. 제시된 문장에서는 첫 번째 의미로 쓰였다.

04 '영욕'은 '영예와 치욕을 아울러 이르는 말'이다. 제시된 문장은 추위에 약해 겨울마다 참기 힘든 일을 겪는다는 의미이므로 '곤욕'이라는 어휘가 들어가는 것이 적절하다.
| 오답 확인 |
① 일면식: 서로 한 번 만나 인사나 나눈 정도로 조금 앎.
② 함축: 말이나 글이 많은 뜻을 담고 있음.
③ 통찰: 예리한 관찰력으로 사물을 꿰뚫어 봄.
⑤ 절통: 뼈에 사무치도록 원통함.

05 '진보'에는 '정도나 수준이 나아지거나 높아짐', '역사 발전의 합법칙성에 따라 사회의 변화나 발전을 추구함'이라는 두 가지 뜻이 있다. 첫 번째 뜻의 반의어는 '퇴보'이고, 두 번째 뜻의 반의어는 '보수'이다. ⑤에서는 '진보 정당'이라는 표현으로 보아 두 번째 뜻으로 쓰인 문장이므로 이것과 의미가 대립하려면 '보수'라는 어휘가 쓰인 문장이 놓여야 한다.

| 오답 확인 |
① '진화'는 '생물이 생명의 기원 이후부터 점진적으로 변해 가는 현상'으로, '생물체의 기관이나 조직의 형태가 단순화되고 크기가 감소하는 등으로 변화함'을 뜻하는 '퇴화'와 의미가 대립한다.
② '포식자'는 '다른 동물을 먹이로 하는 동물'이라는 뜻으로, '생물의 먹이 사슬에서 잡아먹히는 생물'을 뜻하는 '피식자'와 의미가 대립한다.
③ '이질적'은 '성질이 다른 것'이라는 뜻으로 '성질이 같은 것'을 의미하는 '동질적'과 의미가 대립한다.
④ '추상적'은 '구체성 없이 사실이나 현실에서 멀어져 막연하고 일반적인 것'으로, '구체적'이라는 어휘와 의미가 대립한다.

06 '호가호위'는 '여우가 호랑이의 위세를 빌려 거만하게 군다는 데서 유래한 말로, 남의 권력과 세력을 빌려 위세를 부림을 이르는 말'이다. 부정적인 의미를 지닌 말로, 나라를 위해 애써 일하는 상황과 어울리지 않는다. ②의 문장에는 '견마지로', '멸사봉공' 등의 성어가 들어가는 것이 적절하다.
| 오답 확인 |
① 일취월장: 나날이 다달이 자라거나 발전함.
③ 풍전등화: 바람 앞의 등불이라는 뜻으로, 사물이 매우 위태로운 처지에 놓여 있음을 비유적으로 이르는 말.
④ 진퇴양난: 이러지도 저러지도 못하는 어려운 처지.
⑤ 구밀복검: 입에는 꿀이 있고 배 속에는 칼이 있다는 뜻으로, 말로는 친한 듯하나 속으로는 해칠 생각이 있음을 이르는 말.

07 '통섭형'은 '통섭'에 '그러한 유형 또는 그러한 형식'을 의미하는 '-형'이 붙어 '사물에 널리 통하는 유형'이라는 뜻을 나타내는 어휘이다.

어휘력 다지기

01회   2쪽

01 근거	02 가중	03 강점	04 개요
05 개관	06 논거	07 강세	08 수불석권
09 등화가친	10 위편삼절		

01 '근거'는 '어떤 일이나 의견 등에 그 근본이 됨. 또는 그런 까닭'을 의미한다.

02 '가중'은 '부담이나 고통 등을 더 크게 하거나 어려운 상태를 심해지게 함'을 의미한다.

03 '강점'은 '남보다 우세하거나 더 뛰어난 점'을 의미한다.

04 '개념'은 '어떤 사물이나 현상에 대한 일반적인 지식'을 의미한다.

05 '감지'는 '느끼어 앎'을 의미한다.

06 '의거'는 '어떤 사실이나 원리 등에 근거함', '어떤 힘을 빌려 의지함'을 의미한다.

07 '가세'는 '힘을 보태거나 거듦'을 의미한다.

02회   3쪽

01 견고	02 경의	03 결실	04 결합
05 ⓒ	06 ㉠	07 ⓛ	08 고조
09 각골난망	10 백골난망		

03회   4쪽

01 관념	02 간곡	03 관습	04 일관
05 ②	06 ①	07 견물생심	08 교각살우
09 소탐대실	10 과유불급		

01 '관념'은 '어떤 일에 대한 견해나 생각'을 의미하고, '관점'은 '사물이나 현상을 관찰할 때, 그 사람이 보고 생각하는 태도나 방향 또는 처지'를 의미한다.

02 '간곡'은 '태도나 자세 등이 간절하고 정성스러움'을 의미하고, '곡절'은 '순조롭지 않게 얽힌 이런저런 복잡한 사정이나 까닭'을 의미한다.

03 '관습'은 '어떤 사회에서 오랫동안 지켜 내려와 그 사회 성원들이 널리 인정하는 질서나 풍습'을 의미하고, '왜곡'은 '사실과 다르게 해석하거나 그릇되게 함'을 의미한다.

04 '일관'은 '하나의 방법이나 태도로써 처음부터 끝까지 한결같음'을 의미하고, '관찰'은 '사물이나 현상을 주의하여 자세히 살펴봄'을 의미한다.

05 '자기의 견해나 관점을 기초로 하는 것'은 '주관적'인 것이다.

06 전문가들이 미래를 예측한 것이므로 ①의 뜻으로 쓰인 것이다.

07 '견물생심'은 '어떠한 실물을 보게 되면 그것을 가지고 싶은 욕심이 생김'을 의미한다.

08 '교각살우'는 '잘못된 점을 고치려다가 그 방법이나 정도가 지나쳐 오히려 일을 그르침'을 의미한다.

09 '소탐대실'은 '작은 것을 탐하다가 큰 것을 잃음'을 의미한다.

10 '과유불급'은 '정도를 지나침은 미치지 못함과 같음'을 의미한다.

04회			5쪽
01 총괄	02 교류	03 구중궁궐	04 탐구
05 교섭	06 교체	07 구조	08 관포지교
09 막역지우	10 죽마고우		

04 '탐구'는 '진리, 학문 등을 파고들어 깊이 연구함'을 의미한다.

05 '교섭'은 '어떤 일을 이루기 위하여 서로 의논하고 절충함'을 의미한다.

06 '교체'는 '사람이나 사물을 다른 사람이나 사물로 대신함'을 의미한다.

07 '구조'는 '재난 등을 당하여 어려운 처지에 빠진 사람을 구하여 줌'을 의미한다.

05회			6쪽
01 귀화	02 극한	03 극심	04 근대
05 극소수	06 귀향	07 귀환	08 상황
09 줄어듦	10 고생		

01 '귀화'는 '다른 나라의 국적을 얻어 그 나라의 국민이 되는 일', '원산지가 아닌 지역으로 옮겨진 동식물이 그곳의 기후나 땅의 조건에 적응하여 번식하는 일'을 의미한다.

02 '극한'은 '궁극의 한계라는 뜻으로, 사물이 진행하여 도달할 수 있는 최후의 단계나 지점'을 이른다.

03 '극심'은 '매우 심함'을 의미한다.

04 '근대'는 '중세와 현대 사이의 시대'로, 우리나라에서는 일반적으로 1876년의 개항 이후부터 1919년 3·1 운동까지의 시기를 이른다.

06회			7쪽
01 ②	02 ①	03 ③	04 ○
05 ×	06 ○	07 ㉠	08 ㉣
09 ㉡	10 ㉢		

05 '난처'는 '이럴 수도 없고 저럴 수도 없어 처신하기 곤란함'을 의미한다. '맞부딪쳐 견디어 내거나 해결하기가 어려움'을 의미하는 말은 '난감'이다.

07회			8쪽
01 염려	02 능숙	03 용납	04 체념
05 염원	06 공납	07 다채	08 혈혈단신
09 다양성	10 귀납적		

01 '염려'는 '앞일에 대하여 여러 가지로 마음을 써서 걱정함. 또는 그런 걱정'을 의미한다.

02 '능숙'은 '능하고 익숙함'을 의미한다.

03 '용납'은 '너그러운 마음으로 남의 말이나 행동, 물건이나 상황을 받아들임'을 의미한다.

04 '체념'은 '희망을 버리고 아주 단념함'을 의미한다.

05 '염두'는 '생각의 시초', '마음의 속'을 의미한다.

06 '납득'은 '다른 사람의 말이나 행동, 형편 등을 잘 알아서 긍정하고 이해함'을 의미한다.

07 '다분'은 '그 비율이 어느 정도 많음'을 의미한다.

08회			9쪽
01 대용	02 담판	03 방대	04 당부
05 ⓛ	06 ⓐ	07 ⓒ	08 웃고
09 옳은	10 뼈, 운수		

01 '대용'은 '대신하여 다른 것을 씀. 또는 그런 물건'을 의미한다.

02 '담판'은 '서로 맞선 관계에 있는 쌍방이 의논하여 옳고 그름을 판단함'을 의미한다.

03 '방대'는 '규모나 양이 매우 크거나 많음'을 의미한다.

04 '당부'는 '말로 단단히 부탁함. 또는 그런 부탁'을 의미한다.

09회			10쪽
01 대항	02 덕목	03 덕담	04 대인 관계
05 ×	06 ×	07 ○	08 동질성
09 배은망덕	10 독수공방		

01 '대항'은 '굽히거나 지지 않으려고 맞서서 버티거나 항거함'을 의미한다.

02 '덕목'은 '충(忠), 효(孝), 인(仁), 의(義) 등의 덕을 분류하는 명목'이다.

03 '덕담'은 '남이 잘되기를 비는 말로, 주로 새해에 많이 나누는 말'이다.

04 '대인 관계'는 '사람과 사람 사이의 사회적·심리적 관계'를 의미한다.

05 '사건이 일어나게 된 직접적인 원인'을 의미하는 말은 '도화선'이다. '도입'은 '기술, 방법, 물자 등을 끌어 들임'을 의미한다.

06 '동참'은 '어떤 모임이나 일에 같이 참가함'을 의미한다. '다른 사람의 말이나 생각, 주장 등을 옳게 여겨 따름'은 '동조'에 관한 설명이다.

10회			11쪽
01 거동	02 초래	03 낙관적	04 가동률
05 유래	06 등재	07 등단	08 우이독경
09 등하불명	10 마이동풍		

05 '동선'은 '건축물의 내외부에서, 사람이나 물건이 어떤 목적이나 작업을 위하여 움직이는 자취나 방향을 나타내는 선'이다.

06 '등용'은 '인재를 뽑아서 씀'을 의미한다.

07 '문단'은 '문인들의 사회'를 의미한다.

11회			12쪽
01 역동적	02 효력	03 근력	04 냉정
05 냉담	06 열악	07 연작시	08 안분지족
09 열세	10 연발		

01 '역동적'은 '힘차고 활발하게 움직이는 것'을 의미한다.

02 '효력'은 '약 등을 사용한 후에 얻는 보람', '법률이나 규칙 등의 작용'을 의미한다.

03 '근력'은 '근육의 힘. 또는 그 힘의 지속성', '일을 능히 감당하여 내는 힘'을 의미한다.

04 '냉정'은 '태도가 정다운 맛이 없고 차가움'을 의미한다.

09 '열세'는 '상대편보다 힘이나 세력이 약함. 또는 그 힘이나 세력'을 의미한다.

10 '연발'은 '연이어 일어남', '총이나 대포, 화살 등을 잇따라 쏨'을 의미한다.

<table>
<tr><td colspan="4">12회</td><td align="right">13쪽</td></tr>
</table>

01 이점	02 이타적	03 이상	04 이치
05 예리	06 논지	07 부록	08 초록
09 토사구팽	10 녹화		

<table>
<tr><td colspan="4">13회</td><td align="right">14쪽</td></tr>
</table>

01 만개	02 만료	03 매혹	04 ㉠
05 ㉡	06 ㉢	07 막막	08 책망
09 전망	10 촉매		

07 '막연'은 '갈피를 잡을 수 없게 아득함', '뚜렷하지 못하고 어렴풋함'을 의미한다.

08 '선망'은 '부러워하여 바람'을 의미한다.

09 '관망'은 '한발 물러나서 어떤 일이 되어 가는 형편을 바라봄', '풍경 등을 멀리서 바라봄'을 의미한다.

10 '매개'는 '둘 사이에서 양편의 관계를 맺어 줌'을 뜻한다.

<table>
<tr><td colspan="4">14회</td><td align="right">15쪽</td></tr>
</table>

01 맹목적	02 파멸	03 맹신	04 면담
05 소멸	06 명료	07 규명	08 면모
09 함흥차사	10 일일여삼추		

01 '맹목적'은 '주관이나 원칙이 없이 덮어놓고 행동하는 것'을 의미한다.

02 '파멸'은 '파괴되어 없어짐'을 뜻한다.

03 '맹신'은 '옳고 그름을 가리지 않고 덮어놓고 믿는 일'을 말한다.

04 '면담'은 '서로 만나서 이야기함'을 의미한다.

05 '박멸'은 '모조리 잡아 없앰'을 뜻하고, '소멸'은 '사라져 없어짐'을 의미한다. 제시된 문장에서는 사찰이 사라져 없

어졌다는 의미이므로 '소멸'이 어울린다.

06 '명료'는 '뚜렷하고 분명함'을 뜻하고, '명분'은 '각각의 이름이나 신분에 따라 마땅히 지켜야 할 도리', '일을 꾀할 때 내세우는 구실이나 이유 등'을 의미한다. 대통령 후보가 기자들의 질문에 분명하게 답하였다는 의미에서 '명료'가 들어가야 어울린다.

07 '규명'은 '어떤 사실을 자세히 따져서 바로 밝힘'을 뜻하고, '규정'은 '규칙으로 정함', '내용이나 성격, 의미 등을 밝혀 정함'을 의미한다. 정부는 진상을 자세히 따져서 밝히기 위해 조사단을 파견한 것이므로 '규명'이 어울린다.

08 '면모'는 '사람이나 사물의 겉모습. 또는 그 됨됨이'를 뜻하고, '면박'은 '면전에서 꾸짖거나 나무람'을 의미한다. 제시된 문장에서는 정치가적인 모습이 드러났다는 의미이므로 '면모'라는 어휘가 들어가는 것이 적절하다.

<table>
<tr><td colspan="4">15회</td><td align="right">16쪽</td></tr>
</table>

01 ㉢	02 ㉠	03 ㉡	04 무분별
05 몰상식	06 모욕감	07 출몰	08 낯
09 노력	10 가루, 몸		

01 '미묘'는 '뚜렷하지 않고 야릇하고 묘함'을 의미한다.

02 '매몰'은 '보이지 않게 파묻히거나 파묻음'을 의미한다.

03 '무모'는 '앞뒤를 잘 헤아려 깊이 생각하는 신중성이나 꾀가 없음'을 의미한다.

<table>
<tr><td colspan="4">16회</td><td align="right">17쪽</td></tr>
</table>

01 미온적	02 민심	03 물색	04 문체
05 미미	06 문명	07 백미	08 ○
09 ×	10 ×		

01 '미온적'은 '태도가 미적지근한 것'을 의미하며, '미온적 반응', '미온적 태도'와 같이 쓰인다.

02 '민심'은 '백성의 마음'을 뜻하며, '민심 동요', '흉흉한 민심'과 같이 쓰인다.

03 '물색'은 '물건의 빛깔', '어떤 기준으로 거기에 알맞은

사람이나 물건, 장소를 고르는 일' 등을 뜻하며, '고운 물색', '후보자 물색'과 같이 쓰인다.

04 '문체'는 '문장의 개성적 특색'을 뜻하며, '건조한 문체', '화려한 문체'와 같이 쓰인다.

08 '군계일학'은 '닭의 무리 가운데에서 한 마리의 학이란 뜻으로, 많은 사람 가운데서 뛰어난 인물을 이르는 말'이다.

09 '민간'은 '일반 백성들 사이'를 뜻하는 말이다. '백성을 질긴 생명력을 가진 잡초에 비유하여 이르는 말'은 '민초'이다.

10 '미간'의 뜻이 '두 눈썹 사이'인 것은 맞으나, '작고 변변치 않은 물건'은 '미물'에 관한 설명이다.

17회			18쪽
01 박제	02 밀정	03 박해	04 빈틈
05 평등	06 몰래	07 박학다식	08 온고지신
09 절차탁마	10 형설지공		

01 '박제'는 '동물의 가죽을 곱게 벗겨 썩지 않도록 한 뒤에 솜이나 대팻밥 등을 넣어 살아 있을 때와 같은 모양으로 만듦. 또는 그렇게 만든 물건'을 의미한다.

02 '밀정'은 '남몰래 사정을 살핌. 또는 그런 사람'을 뜻한다.

03 '박해'는 '못살게 굴어서 해롭게 함'을 의미한다.

18회			19쪽
01 방치	02 반감	03 독백	04 ②
05 ②	06 배타적	07 반전	08 계발
09 발원	10 반사회적		

01 '방치'는 '내버려 둠'을 의미한다.

02 '반감'은 '반대하거나 반항하는 감정'이다.

03 '독백'은 '혼자서 중얼거림', '배우가 상대역 없이 혼자 말하는 행위'를 뜻한다.

04 빛을 발산한다는 내용으로 보아 ②의 뜻으로 쓰였다.

05 연어를 방류했다는 말로 보아 어린 새끼 고기를 강물에 놓아 보냈다는 뜻이다.

19회			20쪽
01 번역	02 변질	03 변천	04 별고
05 ㉢	06 ㉡	07 ㉠	08 관련성
09 쇠약	10 전달		

01 '번역'은 '어떤 언어로 된 글을 다른 언어의 글로 옮김'을 뜻한다.

02 '변질'은 '성질이 달라지거나 물질의 질이 변함'을 의미한다.

03 '변천'은 '세월의 흐름에 따라 바뀌고 변함'을 뜻한다.

04 '별고'는 '특별한 사고', '별다른 까닭'을 의미한다.

20회			21쪽
01 부여	02 광복	03 부과	04 복위
05 첨부	06 분별	07 본질	08 천부적
09 본의	10 본관		

01 '부여'는 '사람에게 권리·명예·임무 등을 지니도록 해주거나, 사물이나 일에 가치·의의 등을 붙여 줌'을 뜻한다.

02 '광복'은 '빼앗긴 주권을 도로 찾음'을 의미한다.

03 '부과'는 '세금이나 부담금 등을 매기어 부담하게 함', '일정한 책임이나 일을 부담하여 맡게 함'을 의미한다.

04 '복위'는 '폐위되었던 황제 또는 국왕이나 그의 아내가 다시 그 자리에 오름'을 뜻한다.

05 '부착'은 '떨어지지 않게 붙음. 또는 그렇게 붙이거나 닮'을 의미한다.

06 '분산'은 '갈라져 흩어짐. 또는 그렇게 되게 함'을 의미한다.

07 '본연'은 '본디 생긴 그대로의 타고난 상태'를 의미한다.

08 '천부적'은 '태어날 때부터 지닌 것'을 말한다.

09 '본의'는 '본디부터 변함없이 그대로 가지고 있는 마음'이다.

10 '본관'은 '시조(始祖)가 난 곳'이라는 뜻이다.

21회   22쪽

01 ④	02 ②	03 ①	04 ③
05 ○	06 ×	07 부자유친	08 의리
09 장유유서	10 믿음		

05 '비단'은 '이런 일은 비단 어제오늘의 일이 아니다', '넥타이를 맨 사람은 비단 나만이 아니었다' 등과 같이 쓰인다.

06 '비준'이 '조약을 헌법상의 조약 체결권자가 최종적으로 확인·동의하는 절차'인 것은 맞으나, 우리나라에서 비준은 대통령이 국회의 동의를 얻어 행하므로 뒷부분의 설명이 옳지 않다.

07 ~ 10 '오륜'은 유학에서, 사람이 지켜야 할 다섯 가지 도리로, 부자유친, 군신유의, 부부유별, 장유유서, 붕우유신을 이른다.

22회   23쪽

01 빈번	02 허비	03 비장	04 ①, ②
05 자연	06 비탄	07 여비	08 옥사
09 사비	10 사변		

04 ①의 '요리사(料理師)'는 '요리를 전문으로 하는 사람'이다. '스승 사(師)' 자를 써서 '그것을 직업으로 하는 사람'이라는 의미를 더한 어휘이다. ②의 '사각지대(死角地帶)'는 '어느 위치에 섬으로써 사물이 눈으로 보이지 않게 되는 각도', '관심이나 영향이 미치지 못하는 구역'을 비유적으로 이르는 말'이다. '죽을 사(死)' 자를 쓴다.

| 오답 확인 |
③ 사리(事理): 일의 이치.
④ 다반사(茶飯事): 차를 마시고 밥을 먹는 일처럼 보통 있는 예사로운 일을 이르는 말.
⑤ 매사(每事): 하나하나의 모든 일. 일마다.

---

05 '연하고질'은 '자연의 아름다운 경치를 몹시 사랑하고 즐기는 성질이나 버릇'을 의미하고, '요산요수'는 '산수(山水)의 자연을 즐기고 좋아함'을 의미한다. '천석고황'은 '샘과 돌을 좋아하는 병이 고황(膏肓)에 들었다는 뜻으로, 자연의 아름다운 경치를 몹시 사랑하고 즐기는 성질이나 버릇을 이르는 말'이다. 세 한자 성어는 모두 자연을 즐기고 좋아한다는 의미를 지니고 있다.

06 '비보'는 '슬픈 기별이나 소식'을 의미한다.

07 '자비'는 '필요한 비용을 자기가 부담하는 것. 또는 그 비용'을 의미한다.

08 '사활'은 '죽기와 살기라는 뜻으로, 어떤 중대한 문제를 비유적으로 이르는 말'이다.

09 '낭비'는 '시간이나 재물 등을 헛되이 씀'을 의미한다.

10 '사수'는 '죽음을 무릅쓰고 지킴'을 의미한다.

23회   24쪽

01 산지	02 상전	03 단상	04 사색
05 모순	06 사모	07 삼중고	08 삼삼오오
09 역지사지	10 어불성설		

01 '산지'는 '생산되어 나오는 곳'을 뜻한다.

02 '상전'은 '예전에, 종에 상대하여 그 주인을 이르던 말'이다.

03 '단상'은 '교단이나 강단 등의 위'를 의미한다.

04 '사색'은 '어떤 것에 대하여 깊이 생각하고 이치를 따짐'을 의미한다.

08 '삼삼오오'는 '서너 사람 또는 대여섯 사람이 떼를 지어 다니거나 무슨 일을 함. 또는 그런 모양'을 의미한다.

09 '역지사지'는 '처지를 바꾸어서 생각하여 봄'을 의미한다.

10 '어불성설'은 '말이 조금도 사리에 맞지 않음'을 의미한다.

01 상호	02 양상	03 상념	04 무상
05 보상	06 발상	07 상형	08 ×
09 ×	10 ○		

05 '보상'은 '남에게 진 빚 또는 받은 물건을 갚음', '어떤 것에 대한 대가로 갚음', '행위를 촉진하거나 학습 분위기를 조성하기 위하여 사람이나 동물에게 주는 물질이나 칭찬'을 의미한다. 제시된 문장에서는 두 번째 의미로 쓰였다.

06 '발상'은 '어떤 생각을 해 냄. 또는 그 생각'을 뜻한다.

07 '상형'은 '어떤 물건의 형상을 본뜸', '한자 육서(六書)의 하나로, 물체의 형상을 본떠서 글자를 만드는 방법'을 의미한다.

08 '가상'은 '사실이 아니거나 사실 여부가 분명하지 않은 것을 사실이라고 가정하여 생각함'을 의미한다. '서로 반대되거나 어긋남'을 의미하는 어휘는 '상반'이다.

09 '일상사'는 '날마다 또는 늘 있는 일'이다. '좋지 않은 일을 버릇처럼 하는 것'을 의미하는 어휘는 '상습적'이다.

01 수색	02 생소	03 선입견	04 성취감
05 생동감	06 성조	07 달성	08 성량
09 양성	10 조변석개		

07 '육성'은 '길러 자라게 함'을 뜻한다.

08 '음량'은 '악기 소리 등이 크거나 작게 울리는 정도'를 뜻한다.

09 '종성'은 '음절의 구성에서 마지막 소리인 자음'을 뜻한다.

10 '격세지감'은 '오래지 않은 동안에 몰라보게 변하여 아주 다른 세상이 된 것 같은 느낌'을 의미한다.

01 추세	02 세대	03 태세	04 세속
05 세상만사	06 수용	07 족속	08 수동적
09 대기만성	10 금의환향		

01 '추세'는 '어떤 현상이 일정한 방향으로 나아가는 경향'을 의미한다.

02 '세대'는 '어린아이가 자라서 부모 일을 이어 나갈 때까지의 30년 정도 되는 기간', '같은 시대에 살며 공통 의식을 가진 비슷한 연령층의 사람 전체', '그때에 당면한 시대'를 의미한다. 제시된 문장에서는 두 번째 의미로 쓰였다.

03 '태세'는 '어떤 일이나 상황을 앞둔 태도나 자세'를 의미한다.

04 '세속'은 '사람이 살고 있는 모든 사회를 통틀어 이르는 말', '세상의 일반적인 풍속'을 뜻한다. 제시된 문장에서는 첫 번째 의미로 쓰였다.

05 '세상만사'는 '세상에서 일어나는 온갖 일'을 뜻하고, '세파'는 '모질고 거센 세상의 어려움'을 의미한다. 귀찮게 여겼다는 말로 보아 '세상만사'라는 어휘가 어울린다.

06 '수용'은 '어떠한 것을 받아들임'을 의미하고, '수령'은 '돈이나 물품을 받아들임'을 의미한다. 제시된 문장은 3만 명의 인원을 받아들일 수 있는 운동장에 관한 내용이므로 '수용'을 쓰는 것이 어울린다.

07 '속세'는 '불가에서 일반 사회를 이르는 말'이고, '족속'은 '같은 패거리에 속하는 사람들을 낮잡아 이르는 말'이다.

08 '속물적'은 '교양이 없거나 식견이 좁고 세속적인 일에만 신경을 쓰는 것'이고, '수동적'은 '스스로 움직이지 않고 다른 것의 작용을 받아 움직이는 것'이다. 남이 이끄는 대로 따르려 하는 것은 '수동적'인 성격이라고 할 수 있다.

01 수신	02 답습	03 숙어	04 보수
05 수식	06 친숙	07 시국	08 공격
09 늦어	10 약, 때		

04 '보수'는 '건물이나 시설 등의 낡거나 부서진 것을 손보아 고침'을 뜻한다.

05 '수식'은 '겉모양을 꾸밈', '문장의 표현을 화려하게, 또는 기교 있게 꾸밈'을 의미한다. 제시된 문장에서는 글을 꾸몄다는 의미이므로 두 번째 뜻으로 쓰인 것이다.

06 '친숙'은 '친하여 익숙하고 허물이 없음'을 의미한다.

07 '시국'은 '현재 당면한 국내 및 국제 정세나 대세'를 의미한다. '비상시국'은 '전쟁, 사변, 재해 등으로 국가가 중대한 위기를 맞이한 시국'을 말한다.

<table>
<tr><td colspan="4">28회   29쪽</td></tr>
<tr><td>01 실질적</td><td>02 신용</td><td>03 착시</td><td>04 참신</td></tr>
<tr><td>05 실상</td><td>06 괄시</td><td>07 순시</td><td>08 ○</td></tr>
<tr><td>09 ×</td><td>10 ○</td><td></td><td></td></tr>
</table>

01 '실질적'은 '실제로 있는 본바탕과 같거나 그것에 근거하는 것'을 의미하며, '실질적인 도움'과 같은 형태로 쓰인다.

02 '신용'은 '사람이나 사물을 믿어 의심하지 않음. 또는 그런 믿음성의 정도'를 의미한다. '신용을 잃다', '신용을 지키다'와 같이 쓰인다.

03 '착시'는 '시각적인 착각 현상'을 의미하며, '착시 현상', '착시를 일으키다'와 같이 쓰인다.

04 '참신'은 '새롭고 산뜻함'을 의미하며, '참신한 아이디어', '참신함이 돋보이다'와 같이 쓰인다.

09 '신념'은 '굳게 믿는 마음'이다. '거래한 재화의 대가를 앞으로 치를 수 있음을 보이는 능력'을 의미하는 어휘는 '신용'이다.

<table>
<tr><td colspan="4">29회   30쪽</td></tr>
<tr><td>01 수심</td><td>02 대안</td><td>03 악의</td><td>04 심화</td></tr>
<tr><td>05 ㉠</td><td>06 ㉢</td><td>07 ㉡</td><td>08 교언영색</td></tr>
<tr><td>09 곡학아세</td><td>10 경거망동</td><td></td><td></td></tr>
</table>

01 '수심'은 '매우 근심함. 또는 그런 마음'을 뜻한다.

02 '대안'은 '어떤 일에 대처할 방안'이라는 뜻이다.

03 '악의'는 '나쁜 마음', '좋지 않은 뜻'을 의미한다.

04 '심화'는 '정도나 상태가 점점 깊어짐. 또는 깊어지게 함'이라는 뜻이다.

<table>
<tr><td colspan="4">30회   31쪽</td></tr>
<tr><td>01 엄수</td><td>02 암담</td><td>03 비약</td><td>04 암시</td></tr>
<tr><td>05 여운</td><td>06 엄중</td><td>07 어미</td><td>08 어조</td></tr>
<tr><td>09 암묵적</td><td>10 청산유수</td><td></td><td></td></tr>
</table>

05 '여념'은 '어떤 일에 대하여 생각하고 있는 것 이외의 다른 생각'을 의미한다.

06 '존엄'은 '인물이나 지위 등이 감히 범할 수 없을 정도로 높고 엄숙함'을 의미한다.

07 '여담'은 '이야기하는 과정에서 본 줄거리와 관계없이 흥미로 하는 딴 이야기'를 뜻한다.

08 '어조'는 '말의 가락'을 의미한다.

09 '암묵적'은 '자기의 의사를 밖으로 나타내지 않은 것'이다.

10 '청산유수'는 '푸른 산에 흐르는 맑은 물이라는 뜻으로, 막힘없이 썩 잘하는 말을 비유적으로 이르는 말'이다.

<table>
<tr><td colspan="4">31회   32쪽</td></tr>
<tr><td>01 숙연</td><td>02 의연</td><td>03 겸연</td><td>04 치욕</td></tr>
<tr><td>05 설욕</td><td>06 위의</td><td>07 유희</td><td>08 유야무야</td></tr>
<tr><td>09 위풍당당</td><td>10 조삼모사</td><td></td><td></td></tr>
</table>

04 '곤욕'은 '심한 모욕. 또는 참기 힘든 일'을 뜻한다.

05 '유세'는 '자기 의견이나 자기 소속 정당의 주장을 선전하며 돌아다님'을 의미한다.

06 '위력'은 '상대를 압도할 만큼 강력함. 또는 그런 힘'을 의미한다.

07 '향유'는 '누리어 가짐'을 뜻한다.

01 의기양양	02 임의적	03 보편화	04 이견
05 일면식	06 일가견	07 일문일답	08 멸사봉공
09 삼고초려	10 의기소침		

04 '이견'은 '어떠한 의견에 대한 다른 의견'을 의미한다.

05 '일면식'은 '서로 한 번 만나 인사나 나눈 정도로 조금 앎'을 의미한다.

06 '일가견'은 '어떤 문제에 대하여 독자적인 경지나 체계를 이룬 견해'를 의미한다.

07 '일문일답'은 '한 번 물음에 대하여 한 번 대답함'을 의미한다.

08 '멸사봉공'은 '사욕을 버리고 공익을 위하여 힘씀'을 의미한다.

09 '삼고초려'는 '유비가 세 번이나 제갈량의 초가집을 찾아갔다는 뜻으로, 인재를 맞아들이기 위하여 참을성 있게 노력함을 이르는 말'이다.

10 '의기소침'은 '기운이 없어지고 풀이 죽음'을 의미한다.

01 저서	02 자책	03 전환	04 저작권
05 ○	06 ×	07 ×	08 풍비박산
09 사상누각	10 자승자박		

01 '저서'는 '책을 지음. 또는 그 책'을 의미한다.

02 '자책'은 '자신의 결함이나 잘못에 대하여 스스로 깊이 뉘우치고 꾸짖음'을 의미한다.

03 '전환'은 '다른 방향이나 상태로 바뀌거나 바꿈'을 의미한다.

04 '저작권'은 '문학, 예술, 학술에 속하는 창작물에 대하여 저작자나 그 권리를 받은 사람이 행사하는 배타적·독점적 권리'를 의미한다.

06 '자존감'은 '스스로 자기를 소중히 대하며 존중하는 감정'이고, '자신이나 자신과 관련 있는 것을 스스로 자랑하며 뽐내는 마음'은 '자만심'이다.

07 '준언어'는 '의사소통에서, 언어적 요소와 분리할 수 없으나 소리로 나온 음성 메시지와는 다른 의미를 지닐 수 있는 요소'를 의미하는 말로, 예를 들어 소리의 억양이나 세기, 강세의 위치, 말의 빠르기나 음의 높고 낮음 등이 이에 해당한다. 제시된 설명은 '비언어'에 관한 설명이다.

01 통찰	02 집대성	03 운집	04 진보
05 진화	06 진취적	07 추출	08 요약
09 빨리	10 포기		

04 '퇴보'는 '정도나 수준이 이제까지의 상태보다 뒤떨어지거나 못하게 됨'을 뜻한다.

05 '퇴화'는 '진보 이전의 상태로 되돌아감'을 의미한다.

06 '추상적'은 '어떤 사물이 직접 경험하거나 지각할 수 있는 일정한 형태와 성질을 갖추고 있지 않은 것', '구체성이 없이 사실이나 현실에서 멀어져 막연하고 일반적인 것'을 의미한다.

07 '분출'은 '액체나 기체 상태의 물질이 솟구쳐서 뿜어져 나옴', '요구나 욕구 등이 한꺼번에 터져 나옴'을 의미한다.

01 편협	02 박탈	03 실태	04 생태
05 통념	06 탈환	07 찬탈	08 편파적
09 반포	10 배포		

01 '편협'은 '한쪽으로 치우쳐 도량이 좁고 너그럽지 못함'을 의미한다.

02 '박탈'은 '남의 재물이나 권리, 자격 등을 빼앗음'을 의미한다.

03 '실태'는 '있는 그대로의 상태. 또는 실제의 모양'을 의미한다.

04 '생태'는 '생물이 살아가는 모양이나 상태'를 의미한다.

09 '통용'은 '일반적으로 두루 씀', '서로 넘나들어 두루 씀'을 의미한다.

10 '분포'는 '일정한 범위에 흩어져 퍼져 있음'을 의미한다.

36회			37쪽
01 혹사	02 혹평	03 겸허	04 허무
05 포착	06 침해	07 함축	08 허장성세
09 허심탄회	10 감언이설		

05 '포착'은 '꼭 붙잡음', '요점이나 요령을 얻음', '어떤 기회나 정세를 알아차림'을 뜻한다. 제시된 문장에서는 세 번째 의미로 쓰였다.

06 '침해'는 '침범하여 해를 끼침'을 의미한다.

07 제시된 문장에서 '함축'은 '문학 작품에서 표현의 의미를 한 가지로 나타내지 않고 문맥을 통하여 여러 가지 뜻을 암시하거나 내포하는 일'이라는 의미로 쓰였다.

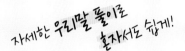

내신과 수능의 빠른시작!
중학 국어 빠작 시리즈

비문학 독해 0~3단계

독해력과 어휘력을
함께 키우는
독해 기본서

중학 국어
비문학 독해 1

문학 독해 1~3단계

필수 작품을 통해
문학 독해력을 기르는
독해 기본서

중학 국어
문학 독해 1

빠작 **ON⁺**와 함께
독해력 플러스!

문학X비문학 독해 1~3단계

문학 독해력과
비문학 독해력을 함께 키우는
독해 기본서

중학 국어
문학X비문학 독해

고전 문학 독해

필수 작품을 통해
고전 문학 독해력을 기르는
독해 기본서

중학 국어
고전 문학 독해

어휘 1~3단계

내신과 **수능**의
기초를 마련하는
중학 어휘 기본서

중학 국어
어휘 1

한자 어휘

중학 국어 필수 어휘를
배우는 한자 어휘 기본서

중학 국어
한자 어휘

서술형 쓰기

유형으로 익히는
실전 TIP 중심의
서술형 실전서

중학 국어
서술형 쓰기

첫 문법

중학 국어 문법을
쉽게 익히는 문법 입문서

중학 국어
첫 문법

문법

풍부한 문제로 문법 개념을
정리하는 문법서

중학 국어
문법